L'ANGE DE
MINUIT

Du même auteur
aux Éditions J'ai lu

Un jour tu me reviendras, *J'ai lu* 5263
Parce que tu m'appartiens, *J'ai lu* 5337
Libre à tout prix, *J'ai lu* 6990
Les blessures du passé, *J'ai lu* 7614

LISA KLEYPAS

L'ANGE DE
MINUIT

*Traduit de l'américain
par Catherine Plasait*

*Pour Jennifer Gold,
merveilleuse amie !*

Titre original :

MIDNIGHT ANGEL
Avon Books, a division of The Hearst Corporation, New York

PROLOGUE

*Saint-Pétersbourg,
Russie, 1870*

Le garde ferma derrière lui la porte de la cellule.

– On dit que t'es une sorcière. On dit que tu sais lire dans les esprits.

Il éclata d'un gros rire vulgaire.

– A quoi est-ce que je pense en ce moment ? Tu peux me le dire ?

Tasia, crispée, gardait la tête baissée.

C'était le côté le plus désagréable de son emprisonnement : avoir à subir la présence odieuse de Rostya Bludov, ce rustre qui plastronnait, comme si l'uniforme dans lequel son énorme ventre était boudiné suffisait à faire de lui un personnage important.

Il n'avait pas osé la toucher – jusqu'à maintenant – mais il devenait plus insolent chaque jour.

Elle sentit son regard sur elle, tandis qu'elle se recroquevillait sur sa paillasse. Ces trois mois de captivité l'avaient marquée, elle le savait. Elle avait toujours été mince, mais elle frisait à présent la maigreur, et son teint d'ivoire était devenu plus pâle encore sous la lourde chevelure noire.

Les pas s'approchèrent.

– On sera seuls, ce soir, grommela-t-il. Ecoute-moi. J'vais rendre ta dernière nuit inoubliable.

Elle tourna lentement la tête et leva vers lui des yeux vides.

Un sourire se dessina sur le visage grêlé de petite vérole de Bludov, tandis qu'il se caressait le bas-ventre.

Tasia observait son visage sans ciller. Ses yeux en

5

amande, héritage d'un ancêtre tartare, avaient la couleur froide, pâle, des eaux de la Neva en hiver, gris et bleu.

Certains craignaient que Tasia ne volât les âmes par le simple contact de son regard. Les Russes étaient un peuple superstitieux, et tous, du plus humble paysan au tsar lui-même, considéraient ce qui sortait de la normalité avec une grande inquiétude.

Le garde ne faisait pas exception. Son rictus s'effaça. Tasia le fixa jusqu'à ce que des gouttes de sueur perlent sur son front. Il recula, horrifié, se signa.

– Sorcière ! C'est vrai, ce qu'on dit sur toi. On devrait te brûler, au lieu de te pendre. Te réduire en cendres.

– Sortez, dit-elle à voix basse.

Comme il allait obtempérer, on frappa à la porte de la cellule. Tasia entendit la voix de sa nourrice, Varka, qui demandait à entrer.

Elle faillit perdre contenance. Varka avait affreusement vieilli, durant ces derniers mois, et la jeune fille eut du mal à affronter son visage ravagé sans fondre en larmes.

Avec un ricanement mauvais, Bludov introduisit la servante et s'éclipsa.

– Immonde sorcière à l'âme noire, marmonna-t-il avant de disparaître en fermant la porte derrière lui.

Varka, une petite femme trapue, était toute vêtue de gris, et elle portait sur la tête un foulard au motif cruciforme destiné à chasser les mauvais esprits. Elle se précipita vers la jeune fille.

– Oh, ma Tasia ! s'écria-t-elle d'une voix brisée en regardant les fers qui lui entravaient les chevilles. Vous voir ainsi...

– Je vais bien, murmura Tasia en lui prenant les mains pour la réconforter. Rien ne me semble réel. C'est comme si je vivais un cauchemar.

Elle esquissa un sourire.

– J'attends qu'il prenne fin, mais il continue, il continue... Viens t'asseoir près de moi.

Varka s'essuya les yeux d'un coin de son foulard.

– Pourquoi Dieu a-t-Il permis que... ?

Tasia secoua la tête.

6

– J'ignore comment tout cela a pu se passer, pourtant c'est Sa volonté, et nous devons l'accepter.

– J'ai supporté bien des épreuves dans ma vie, mais celle-ci... je ne peux pas !

Doucement, Tasia la fit taire.

– Nous ne disposons pas de beaucoup de temps, Varka. Dis-moi... As-tu porté la lettre à oncle Kirill ?

– Je la lui ai remise en main propre, comme vous me l'aviez demandé. Je suis restée là le temps qu'il la lise et la brûle ensuite, jusqu'à ce qu'il n'en reste plus rien. En larmes, il a déclaré : « Dis à ma nièce que je ne l'abandonnerai pas. Je le jure sur la mémoire de son père, Ivan, mon frère bien-aimé. »

– Je savais pouvoir compter sur lui. Varka... et l'autre chose ?

Lentement, la servante fouilla dans la bourse qu'elle portait à la taille et en sortit un petit flacon de verre.

Tasia le prit et joua un instant avec, regardant pensivement le noir liquide huileux. Aurait-elle le courage de l'avaler ?

– Ne les laisse pas m'enterrer, dit-elle d'un petit ton dégagé. Si je dois me réveiller, je ne veux pas que ce soit sous terre.

– Ma pauvre petite... Et si la dose est trop forte ? Si elle vous tue ?

Tasia fixait toujours le flacon.

– Alors, justice sera faite, dit-elle, amère.

Eût-elle été moins lâche, animée d'une plus grande confiance en la pitié de Dieu, elle aurait su affronter la mort dignement.

Elle avait prié des heures devant l'icône qui était accrochée dans un coin de la cellule, suppliant en silence qu'on lui donnât la force d'accepter son sort. En vain. Elle se heurtait sans relâche au mur invisible de la terreur. Tout Saint-Pétersbourg réclamait sa mort. Une vie contre une vie. Même son immense fortune n'avait pu étouffer les hurlements de la foule.

Elle méritait cette haine. Elle avait tué un homme – en tout cas elle le supposait. Motif, circonstances, preuves... tout l'avait désignée comme la coupable, au procès. Et il n'y avait aucun autre suspect.

Durant les longs mois d'emprisonnement où seule la prière l'empêchait de sombrer dans la folie, on n'avait pu découvrir aucune nouvelle information qui aurait jeté un doute sur sa culpabilité. Elle devait être exécutée le lendemain à l'aube...

Mais un plan absurde était né dans l'esprit de Tasia, inspiré par un passage de la Bible : « ... Tu me cacherais dans la tombe, et personne ne me découvrirait... » *Cacher dans la tombe*... Si elle pouvait trouver un moyen de feindre la mort et de s'échapper...

Tasia secoua le contenu du flacon, un mélange de diverses drogues obtenu en secret dans une officine de Saint-Pétersbourg.

– Tu te rappelles bien tous les détails ? demanda-t-elle.

Varka hocha faiblement la tête.

– Parfait.

Tasia brisa le sceau de cire d'un geste décidé, puis elle leva le poison comme pour porter un toast.

– A la justice ! déclara-t-elle avant d'avaler tout le contenu de la fiole.

Le goût était horrible, et elle frissonna de dégoût. La main sur la bouche, elle ferma les yeux en attendant que la nausée s'estompe.

– A la grâce de Dieu, maintenant, dit-elle en tendant le flacon vide à sa nourrice.

La pauvre femme baissa la tête pour dissimuler ses larmes.

– Oh, madame...

– Prends bien soin de ma mère. Essaie de la consoler, dit Tasia en caressant les cheveux gris de la servante. Va-t'en, à présent. Vite, Varka.

Elle s'allongea sur la paillasse en essayant de se concentrer sur l'icône, tandis que sa nourrice se retirait.

Elle avait terriblement froid, ses oreilles bourdonnaient. Effrayée, elle tenta de conserver une respiration régulière. Son cœur cognait dans sa poitrine comme un lourd maillet.

« *Mes amants et mes amis se tiennent à l'écart, mes parents sont loin...* »

Le visage douloureux de la Madone se brouillait.

« *Tu me cacherais dans la tombe et personne ne me découvrirait, jusqu'à ce que la colère soit passée...* »

Elle voulut prier, mais les mots se figèrent sur ses lèvres. *Dieu, que m'arrive-t-il ? Papa, aidez-moi...*

Ainsi, c'était ça, mourir. Toutes les sensations s'estompaient, le corps devenait de pierre... La vie s'écoulait de Tasia comme la marée descendante, et ses souvenirs fuyaient aussi, la laissant s'enfoncer dans un monde glauque à la frontière de la vie et de la mort.

« *Sur mes paupières pèse l'ombre de la mort...* »

« *Cache-moi dans la tombe...* »

Elle demeura longtemps inconsciente, puis les rêves commencèrent.

Il y eut d'abord un kaléidoscope d'images : poignards, mares de sang, crucifix et saintes reliques. Elle reconnut les saints de ses icônes bien-aimées, Nikita, Jean, et Lazare, à demi enveloppé dans son linceul, son regard grave posé sur elle.

Les images s'envolèrent, remplacées par celles de son enfance.

C'était l'été, dans la datcha, la maison de campagne des Kapterev. Assise sur une chaise dorée, ses petits pieds ne touchant pas le sol, elle mangeait une crème glacée dans une assiette de fine porcelaine.

– Papa, puis-je donner le reste à Fantôme ? demanda-t-elle tandis qu'une petite chienne blanche attendait, en remuant la queue.

– Si tu n'en veux plus, oui.

Le visage barbu de son père s'épanouit dans un tendre sourire.

– Ta maman pense que nous devrions donner un nom plus gai à ton chien, Tasia, reprit-il. Boule de Neige, ou Rayon de Soleil, par exemple...

– Mais quand elle dort dans un coin de ma chambre, la nuit, on dirait vraiment un fantôme, papa.

Son père se mit à rire.

– Alors, nous l'appellerons comme il te plaît, ma chérie.

La scène changea.

Tasia se trouvait dans la bibliothèque du palais Angelovsky, pleine de livres, de reliures de cuir et d'or. Elle entendit un bruit derrière elle et fit volte-face pour se trouver face à son cousin Mikhaïl. Il vacillait, le visage défiguré par une atroce grimace. Le manche d'un coupe-papier en forme de poignard sortait de sa gorge et un flot de sang vermeil coulait sur sa veste de brocart. Tasia en eut les mains et le devant de sa robe tachés. Elle hurla, horrifiée, avant de s'enfuir en courant. Elle arriva au portail d'une église sur lequel elle tambourina de toutes ses forces jusqu'à ce qu'il s'ouvre. La nef luisait de milliers de cierges qui éclairaient les icônes. Les visages des saints la contemplaient, douloureux. La Trinité, la Vierge, Jean...

Tombant à genoux, elle posa son front contre le sol de pierre, priant pour être délivrée.

– Anastasia.

Elle leva les yeux sur un homme sombre et magnifique. Ses cheveux étaient noir de jais, ses yeux brûlaient comme des flammes bleues. C'était le diable, venu lui arracher la vie en punition de ses crimes.

– Je ne voulais pas le faire, gémit-elle. Je ne voulais tuer personne. Je vous en supplie, ayez pitié...

Il l'ignora, se pencha sur elle.

– Non ! hurla-t-elle.

Mais déjà il l'avait saisie dans ses bras et l'emportait. Puis il disparut et elle se retrouva seule, titubant dans un univers de bruit et de couleurs tapageuses, les nerfs brisés. Une force obscure l'entraînait à travers des torrents de glace et de douleur. Elle essayait de résister, mais elle était attirée inexorablement vers la surface.

Quand Tasia ouvrit les yeux, elle fut éblouie et gémit de douleur. Aussitôt, on baissa la flamme de la lampe.

Le visage de Kirill Kapterev, aux contours imprécis, était penché vers elle.

– J'ai toujours cru que la Belle au bois dormant n'existait que dans les contes de fées, or la voilà, ici, sur mon bateau, dit-il d'une voix tranquille. Il doit y avoir quelque part dans le monde un Prince Charmant qui interroge la lune pour savoir où se trouve sa bien-aimée...

Elle tenta de parler.

– Mon oncle... souffla-t-elle en tremblant.

Il sourit, bien que son large front fût plissé d'inquiétude.

– Te voilà revenue dans le monde des vivants, ma chère petite nièce.

Tasia fut rassurée par sa voix, si semblable à celle de son père. D'ailleurs, tous les hommes Kapterev se ressemblaient : visage énergique aux épais sourcils, aux pommettes hautes, barbe taillée de la même façon.

Mais contrairement au père de Tasia, Kirill nourrissait une véritable passion pour la mer. Jeune, il avait servi dans la flotte russe, puis il avait monté sa propre société de marine marchande ; il possédait à présent de vastes chantiers navals et de nombreuses frégates de commerce. Plusieurs fois par an, il menait lui-même l'un de ses bateaux de Russie en Angleterre, pour transporter des tissus et de l'outillage.

Petite fille, Tasia se réjouissait des visites de Kirill. Il avait toujours des histoires passionnantes à raconter, lui rapportait des cadeaux de pays lointains, et était imprégné de l'odeur délicieuse de l'iode et des embruns.

– Je ne croirais pas à cette résurrection, dit-il, si je ne l'avais vue de mes propres yeux. J'ai moi-même soulevé le couvercle du cercueil où tu gisais, froide et raide comme un cadavre. Et te voilà de nouveau en vie...

Il s'interrompit un instant avant d'ajouter en plaisantant :

– Mais je parle peut-être trop vite. Allons, laisse-moi t'aider à t'asseoir.

Tasia protesta d'un petit gémissement tandis qu'il lui soulevait les épaules pour glisser un oreiller derrière son dos.

Ils se trouvaient dans une immense cabine aux murs lambrissés d'acajou, aux hublots ornés de rideaux de velours frappé.

Kirill versa de l'eau dans un verre en cristal qu'il porta aux lèvres de la jeune fille. Elle en avala une gorgée, fut aussitôt prise d'une nausée et, très pâle, refusa de boire davantage.

– Tout Saint-Pétersbourg parlait de ta mort mystérieuse en prison, dit Kirill pour lui faire oublier son mal de cœur. De nombreux officiels voulaient examiner ton cadavre – dont le gouverneur de la ville et le ministre de l'Intérieur, s'il te plaît ! – mais la famille était déjà venue te chercher. Ta nourrice t'a remise à mes bons soins et elle a organisé les funérailles avant que quiconque ait eu le temps de comprendre ce qui se passait. Ceux qui ont suivi ton enterrement ne pouvaient se douter que l'on descendait en terre un cercueil plein de sacs de sable...

Il fronça les sourcils, peiné.

– Ta pauvre mère est au désespoir, pourtant il ne faut pas lui dire que tu es vivante. A la vérité, elle serait incapable de garder le secret. C'est affreux, mais...

Il haussa les épaules, résigné.

Tasia ressentit un chagrin immense pour sa mère. Tout le monde la croyait morte, et c'était étrange de savoir que pour ceux qu'elle avait connus et aimés toute sa vie, elle avait cessé d'exister.

– Il faut essayer de marcher un peu, dit Kirill.

Elle fit glisser avec peine ses jambes vers le bord de la couchette et, laissant son oncle la soutenir, elle se mit sur ses pieds. Elle avait terriblement mal aux articulations, et ses yeux s'emplirent de larmes, tandis que Kirill l'exhortait à avancer.

– Nous allons essayer de marcher un moment.

– Oui... répondit-elle dans un sanglot en s'obligeant à obéir.

Tout lui était douloureux, respirer, parler, marcher. Et elle avait froid... jamais de sa vie elle n'avait été aussi glacée.

Kirill lui parlait calmement tandis qu'il l'encourageait à aligner quelques pas hésitants, le bras passé autour d'elle.

– Ton père doit me faire les gros yeux, de là-haut,

pour avoir laissé sa fille unique en arriver à cette situation... Quand je pense à la dernière fois que je t'ai vue...

Kirill secoua la tête, navré.

– Tu dansais la mazurka au palais d'Hiver, et le tsar lui-même s'était arrêté pour t'admirer. Tant de feu, tant de grâce et de beauté ! Tes pieds touchaient à peine le parquet. Tous les hommes présents voulaient être tes cavaliers. C'était il y a à peine plus d'un an... Cela semble une éternité.

Elle n'était certes plus si vive ! Chaque pas lui était une torture.

– Ce n'est pas une mince affaire de traverser la mer Baltique au printemps, poursuivait Kirill. Il y a partout des glaces flottantes. Nous nous arrêterons à Stockholm pour charger du fer, puis direction Londres. Tu sais chez qui tu pourras trouver asile ?

Il dut répéter la question avant qu'elle fût capable de répondre.

– Ashbourne, souffla-t-elle enfin.

– Les cousins de ta mère ? Hum ! Je ne peux pas dire que cela m'enchante. Je n'apprécie guère ta famille maternelle. Et moins encore les Anglais en général.

– P... pourquoi ?

– Ce sont des snobs et des impérialistes, hypocrites, de surcroît. Les Anglais se considèrent comme le peuple le plus civilisé du monde, alors que leur véritable nature est brutale et cruelle. L'innocence est vite détruite, parmi eux, rappelle-toi bien cela. Ne leur fais jamais confiance.

Kirill marqua une pause, se rendant compte que ses paroles n'étaient pas vraiment réconfortantes pour une jeune fille qui envisageait de refaire sa vie là-bas. Il chercha désespérément un commentaire flatteur sur les Britanniques.

– D'un autre côté, déclara-t-il enfin, ils construisent de fort beaux bateaux.

Tasia esquissa un petit sourire contraint. Elle s'arrêta, serrant le bras de son oncle.

– *Spassibo*, murmura-t-elle pour le remercier.

Il fit la grimace.

– *Niet*, je ne mérite pas ta gratitude, ma nièce. J'aurais

dû faire davantage pour toi. J'aurais dû tuer moi-même Angelovsky avant qu'il ne pose ses sales pattes sur toi. Dire que ton écervelée de mère voulait fiancer sa fille à cet immonde individu ! Oh, j'en ai entendu raconter sur lui... ses apparitions publiques déguisé en femme, les journées qu'il passait à fumer de l'opium. Quant à toutes ses perversités...

Il se tut en entendant le petit cri de protestation de Tasia.

– Mais inutile de parler de tout ça maintenant, continua-t-il. Quand nous en aurons fini avec ce petit exercice, je demanderai au garçon de cabine de nous apporter du thé. Et tu devras le boire jusqu'à la dernière goutte.

Tasia acquiesça de la tête. Elle avait une envie folle de se reposer, mais Kirill continua de la torturer un bon moment avant de lui permettre de se reposer dans un fauteuil. Elle s'y laissa tomber comme une vieille femme arthritique, et il lui posa une couverture sur les genoux.

– Petit oiseau de feu, dit-il gentiment en lui prenant la main.

– Papa... murmura-t-elle d'une voix étouffée.

– *Da*, je me souviens qu'il t'appelait ainsi. Pour Ivan, tu représentais toute la lumière et la beauté du monde. Le loriot, l'oiseau de feu, est symbole de bonheur.

Il alla chercher différents objets qu'il posa sur une étagère près d'elle.

– Ta mère voulait que cela soit enterré avec toi, dit-il d'un ton bourru. Garde-les en Angleterre, ce sont de petites bribes de ton passé, pour t'aider à te souvenir...

– Non.

– Prends-les, insista-t-il. Un jour, tu seras heureuse de les avoir.

Tasia se tourna à contrecœur vers les objets, et sa gorge se serra quand elle découvrit la croix en filigrane au bout d'une chaîne d'or que sa grand-mère, Galina Vassilievna, avait portée tous les jours de sa vie. Un diamant était serti au centre des branches, entouré de rubis couleur de sang.

A côté se trouvait une petite icône de la Vierge et de l'Enfant aux auréoles peintes à l'or fin.

Les yeux de Tasia s'embuèrent lorsqu'elle découvrit le dernier trésor : un anneau d'or gravé qui avait appartenu à son père. Elle le saisit et referma ses doigts fins autour du bijou.

Kirill eut un sourire de compassion en lisant la détresse sur son visage.

– Tu es en sécurité, maintenant, murmura-t-il. Et vivante. Ne l'oublie pas... Cela pourra t'aider.

Tasia le suivit des yeux tandis qu'il quittait la cabine. Elle passa une langue hésitante sur ses lèvres desséchées. Oh, elle était vivante, certes, mais en sécurité ?

Elle passerait le reste de ses jours comme un animal traqué, à se demander sans cesse quand viendrait la fin. Que serait son existence, dans ces conditions ?

Je suis vivante, se répéta-t-elle en silence.

1

Londres, Angleterre

Lady Ashbourne se tordait nerveusement les mains.

– J'ai une grande nouvelle à vous annoncer, Luke ! Nous avons trouvé une gouvernante pour Emma. Une merveilleuse jeune femme, intelligente, d'une éducation irréprochable... parfaite en tout point. Il faut que vous vous rendiez compte par vous-même.

Lord Lucas Stokehurst, marquis de Stokehurst, eut un sourire ironique.

– Voilà donc pourquoi vous m'avez invité aujourd'hui. Moi qui croyais que c'était pour le charme de ma conversation...

Depuis une demi-heure, il buvait le thé en bavardant de choses et d'autres dans le salon des Ashbourne, à Queen's Square.

Charles Ashbourne, son ami intime depuis l'époque où ils avaient fait leurs études ensemble, à Eton, était un homme charmant, doué d'un rare talent : il voyait toujours le meilleur chez les gens – qualité que ne partageait pas Luke. En apprenant que son camarade passerait la journée à Londres, Charles l'avait invité à leur rendre visite après que son rendez-vous serait terminé.

Dès qu'il avait mis les pieds chez eux, Luke avait su qu'on voulait lui demander un service.

– Elle est parfaite, répéta Alicia. N'est-ce pas, Charles ?

Charles acquiesça avec enthousiasme.

– Absolument, ma chère.

– Ça s'est tellement mal passé avec la précédente gouvernante, poursuivait Alicia, que j'ai essayé de trouver une bonne remplaçante. Vous savez combien j'aime votre fille, et combien sa mère lui manque...

Elle hésita un instant.

– Ô Dieu, je ne voulais pas vous rappeler Mary...

Le sombre visage de Luke demeura imperturbable. Plusieurs années avaient passé depuis le décès de sa femme, mais il souffrait encore lorsqu'on prononçait son nom. Et il en serait ainsi jusqu'à son dernier jour.

– Continuez, dit-il d'un ton neutre. Parlez-moi de ce modèle de vertu.

– Elle s'appelle Karen Billings. Bien qu'elle ait passé la majeure partie de sa vie à l'étranger, elle a choisi de s'installer en Angleterre. Elle habitera chez nous jusqu'à ce que nous lui ayons trouvé un emploi convenable. A mon avis, elle est assez mûre pour offrir à Emma la discipline dont elle a besoin, et assez jeune en même temps pour s'attirer la sympathie de l'enfant. Dès que vous l'aurez vue, vous comprendrez qu'elle est exactement ce dont vous avez besoin, j'en suis certaine.

– Très bien.

Luke termina son thé, étendit ses longues jambes devant lui.

– Envoyez-moi ses références. J'y jetterai un coup d'œil dès que j'en aurai le temps.

– Eh bien... il y a un petit problème.

– Un petit problème ? répéta Luke en haussant les sourcils.

– Elle n'a pas de lettres de recommandation.

– Aucune ?

Le cou d'Alicia se teinta de rose au-dessus des dentelles.

– Elle préfère ne pas parler de son passé. Hélas, je ne puis vous en donner la raison, mais faites-moi confiance.

Après un bref silence, Luke éclata de rire.

C'était un bel homme d'environ trente-cinq ans, aux cheveux noirs et aux yeux très bleus. Cependant son visage était remarquable plus par sa virilité que par la beauté pure, avec sa bouche sévère, son nez un peu trop long. Il avait le sourire légèrement ironique d'un homme qui ne se prend pas au sérieux, et nombreux étaient ceux qui tentaient d'imiter son charme cynique. Lorsqu'il riait, comme à présent, la gaieté n'atteignait pas vraiment ses yeux.

– J'en ai assez entendu, Alicia. C'est certainement une excellente gouvernante, un trésor. Qu'une autre famille profite donc de cette perle !

– Avant de refuser, parlez-lui, au moins...

– Non ! Je n'ai plus qu'Emma au monde. Je veux ce qu'il y a de mieux pour elle.

– Miss Billings est la meilleure.

– Elle n'est que votre dernière protégée, objecta Luke, ironique.

– Charles...

Alicia se tournait, implorante, vers son mari pour qu'il vole à son secours.

– Quel mal y aurait-il à ce que tu rencontres cette jeune fille, Stokehurst ? demanda-t-il à son ami.

– Ce serait une perte de temps, répondit Luke d'un ton sans réplique.

Les Ashbourne échangèrent un regard contrarié. Rassemblant tout son courage, Alicia fit une nouvelle tentative :

– Pour le bien de votre fille, Luke, vous devriez accepter de rencontrer cette jeune femme. Emma a douze ans... elle est sur le point de se transformer, ce qui est à la fois magnifique et terrible. Il lui faut quelqu'un pour l'aider à se comprendre, à comprendre le monde autour d'elle. Vous le savez, jamais je ne vous recommanderais quelqu'un qui ne convienne pas à la situation. Et miss Billings est tellement *spéciale* ! Permettez-moi d'aller la chercher dans sa chambre. Ce ne sera pas long, je vous le promets. S'il vous plaît...

Luke se dégagea de la main qu'elle avait posée sur son bras en grommelant :

– Amenez-la avant que je ne change d'avis...

– Vous êtes un amour !

Alicia sortit vivement de la pièce dans un chuchotement de soie.

Charles se servit un cognac.

– Merci, dit-il. C'est aimable à toi d'accorder cette faveur à ma femme. Je crois de toute façon que tu ne regretteras pas de faire la connaissance de miss Billings.

– J'accepte de la rencontrer, mais je ne l'engagerai pas.

– Tu pourrais changer d'avis...

– Pas la moindre chance !

Luke se leva et dépassa les guéridons surchargés de ravissants bibelots pour rejoindre son ami devant la desserte d'acajou sculpté. Charles lui servit un verre et, en faisant tourner le liquide ambré dans son verre, Luke insista, avec un petit sourire de biais :

– De quoi s'agit-il réellement, Charles ?

– Je ne sais pas vraiment, répondit Ashbourne, un peu mal à l'aise. Miss Billings est pour moi une parfaite inconnue. Elle a débarqué chez nous il y a une semaine. Pas de malles, pas de valises, pas même un sou vaillant, à ma connaissance. Alicia l'a accueillie à bras ouverts, mais elle refuse de me dire quoi que ce soit à son sujet. A mon avis, c'est une parente pauvre, qui a des ennuis ! Un patron qui aurait essayé de lui imposer des attentions malvenues, par exemple ; je n'en serais pas autrement surpris. Elle est jeune et tout à fait agréable à regarder.

Charles s'interrompit un instant avant de reprendre :

– Elle prie énormément.

– Merveilleux ! Exactement ce qu'il me faut comme gouvernante pour Emma !

Ignorant le sarcasme, Charles poursuivit :

– Il y a quelque chose en elle... Je n'arrive pas à l'expliquer. Elle a vécu une aventure hors du commun, je le parierais.

Luke plissa les yeux.

– Que veux-tu dire ?

Alicia fut de retour avant que Charles ait eu le temps de répondre. Elle était suivie d'un personnage fantomatique vêtu de gris.

– Lord Stokehurst, puis-je vous présenter miss Karen Billings ?

Luke répondit à la révérence de la jeune fille par un simple signe de tête. Il n'avait aucune intention de la mettre à l'aise. Autant qu'elle le comprenne tout de suite : personne ne l'engagerait sans la moindre lettre de recommandation.

– J'aimerais, miss Billings, qu'il soit clair...

Deux yeux de chat se levèrent vers lui. Ils étaient d'un bleu-gris assez pâle, comme la lumière qui traverse une vitre givrée, avec de longs cils noirs. Luke en perdit le fil de son discours, et elle attendit qu'il eût fini de la fixer comme si elle avait l'habitude de déclencher cette curiosité...

« Agréable à regarder » était largement au-dessous de la réalité. Elle était d'une stupéfiante beauté. La sévérité de son chignon bas sur la nuque aurait desservi n'importe quelle femme, mais cette coiffure mettait en valeur un visage d'une délicatesse extrême, aux sourcils droits, à la bouche à la fois sensuelle et amère. Aucun homme ne pouvait contempler ces traits sans en être profondément troublé.

Ce fut elle qui brisa le silence.

– Merci de m'accorder un peu de votre temps, monseigneur, dit-elle.

Luke retrouva enfin ses esprits et eut un geste négligent de la main qui tenait son verre à demi vide.

– Je ne pars jamais avant d'avoir terminé mon cognac.

Du coin de l'œil, il vit Alicia froncer les sourcils, choquée par sa grossièreté. Miss Billings ne broncha pas, bien droite, le menton baissé dans une attitude respectueuse. Il régnait cependant une certaine tension, dans le salon, comme lorsque deux chats s'observent mutuellement.

Luke but une gorgée d'alcool.

– Quel âge avez-vous ? demanda-t-il.

– Vingt-deux ans, monsieur.

– Vraiment ?

Luke semblait sceptique, mais il eut le bon goût de ne pas insister davantage.

– Et vous vous prétendez compétente pour éduquer ma fille ?

– J'ai de solides connaissances en littérature, en histoire, en mathématiques, et je n'ignore rien du savoir-vivre indispensable à une jeune personne de bonne famille.

– La musique ?

– Je joue du piano.

– Les langues ?

– Le français... et un peu d'allemand.

Luke laissa le silence s'installer tandis qu'il réfléchissait à la pointe d'accent de la jeune fille.

– Et le russe, conclut-il.

Une étincelle de surprise s'alluma dans ses yeux.

– Et le russe, avoua-t-elle. Comment l'avez-vous deviné, monseigneur ?

– Vous avez dû vivre là-bas assez longtemps. Votre accent anglais n'est pas parfait.

Elle inclina la tête comme une princesse répondant à un sujet impudent, et Luke ne put s'empêcher d'être impressionné par son attitude. Sa volée de questions ne l'avait pas déconcertée. A contrecœur, il dut reconnaître que sa fille, avec sa folle chevelure rousse et ses manières de garçon manqué, aurait bien besoin de quelques leçons de maintien.

– Avez-vous déjà été employée comme gouvernante ?

– Non, monseigneur.

– Alors, vous n'avez guère d'expérience des enfants.

– C'est exact. Cependant, votre fille n'est plus à proprement parler une enfant. Treize ans, je crois ?

– Douze.

– Un âge délicat, commenta-t-elle. Ni une petite fille, ni une jeune femme...

– C'est particulièrement difficile pour Emma. Sa mère est décédée il y a longtemps, et personne n'a su lui montrer comment doit se comporter une jeune fille de sa condition. Cette année, elle a développé ce que les

22

médecins appellent une maladie nerveuse. Elle a besoin d'une présence maternelle, adulte, pour l'aider.

Luke avait insisté sur les termes « maternelle » et « adulte », qui ne correspondaient pas du tout à la mince jeune femme debout devant lui.

– Une maladie nerveuse ? répéta-t-elle doucement.

Luke ne tenait pas à s'entretenir plus longtemps avec elle. Il n'avait pas eu l'intention de parler de l'état de sa fille à une étrangère, pourtant, en croisant le regard clair, il se sentit en quelque sorte obligé de continuer, comme si les mots venaient d'eux-mêmes.

– Elle pleure souvent, elle fait parfois des caprices. Elle mesure pratiquement une tête de plus que vous, et elle se désespère car sa croissance n'est pas terminée. Ces derniers temps, il devient impossible de discuter avec elle. Elle prétend que je ne comprendrais pas ses sentiments si elle tentait de me les expliquer ; Dieu sait pourtant...

Il s'interrompit, étonné d'en avoir tant dit. Cela ne lui ressemblait vraiment pas !

La jeune femme combla aussitôt le silence.

– Appeler cela une maladie nerveuse est une absurdité, à mon avis, monseigneur.

– Qu'en savez-vous ?

– Lorsque j'étais jeune, j'ai vécu une expérience similaire, et mes cousines également. C'est un comportement normal, à l'âge d'Emma.

Son ton calme et déterminé l'impressionna. Or, Luke voulait désespérément la croire. Depuis des mois, il écoutait les sinistres et mystérieux avertissements de médecins qui prescrivaient des remontants qu'Emma refusait d'ingurgiter, des régimes qu'elle ne suivait pas. Pire, il avait dû subir les reproches de sa vieille mère et de ses amies, pour ne s'être pas remarié.

« Tu as failli à ton devoir envers Emma, disait la duchesse. Toutes les jeunes filles ont besoin d'une mère. Elle va devenir tellement insupportable qu'aucun jeune homme ne voudra d'elle. Et elle restera vieille fille simplement parce que tu n'as jamais désiré une autre femme que Mary. »

– Je suis ravi de vous entendre dire que les problèmes d'Emma ne sont pas sérieux, dit-il brusquement, néanmoins...

– Je n'ai pas dit qu'ils n'étaient pas sérieux, monseigneur, j'ai dit qu'ils étaient normaux.

Elle avait franchi la frontière qui sépare le maître du serviteur, parlant à Luke comme s'ils étaient sur un pied d'égalité. Il fronça les sourcils. Cette insolence était-elle inconsciente ou délibérée ?

Il y eut un profond silence dans la pièce. Luke s'aperçut qu'il avait oublié la présence des Ashbourne quand il vit Alicia s'affairer autour des coussins de tapisserie qui ornaient le sofa.

Charles, de son côté, semblait contempler un spectacle passionnant par la fenêtre. Luke se tourna de nouveau vers miss Billings. Il excellait depuis des années dans l'art de fixer les gens, et il s'attendait à la voir rougir, balbutier, ou même fondre en larmes. Mais elle le regardait de ses yeux clairs, incisifs, nullement effrayée.

Enfin ce regard descendit sur son bras. Luke y était habitué... Certains étaient étonnés, d'autres dégoûtés. Il avait trois doigts artificiels à la main gauche. On avait dû les lui amputer neuf ans auparavant pour éviter une gangrène, et seul son entêtement l'avait empêché de sombrer dans la fureur et le désespoir. Il s'était adapté à cette infirmité.

Il observa miss Billings, espérant qu'elle serait gênée, mais elle ne manifesta qu'un vague intérêt qui le surprit. Personne ne le regardait ainsi. Personne !

– J'ai décidé, monseigneur, dit-elle d'une voix grave, d'accepter ce poste. Je vais aller chercher mes bagages.

Elle pivota sur ses talons et s'éloigna dans un murmure de jupons amidonnés. Alicia jeta un coup d'œil radieux à Luke avant de se précipiter à la suite de sa protégée.

Il fixa un instant le seuil, bouche bée, avant de se tourner vers Charles, incrédule.

– Elle a décidé d'accepter ce poste...

– Félicitations, risqua Charles.

Luke eut un sourire menaçant.

– Rappelle-la !

Charles se rembrunit.

– Attends, Stokehurst ! Je sais ce que tu vas faire. Tu détruiras miss Billings, et je vais me retrouver avec ma femme en larmes sur les bras ! Tu dois prendre cette jeune fille chez toi pendant quelques semaines, le temps que je lui trouve un autre travail. Je te demande comme une preuve d'amitié de...

– Je ne suis pas stupide, Charles. Dis-moi la vérité. Qui est-elle, et pourquoi *dois-je* t'en débarrasser ?

Charles arpentait la pièce, dans un état d'agitation tout à fait inhabituel chez lui.

– Elle est... Disons qu'elle est dans une situation difficile. Plus elle reste avec nous, plus elle est en danger. J'espérais que tu l'emmènerais aujourd'hui même, pour la garder en sécurité, chez toi, à la campagne.

– Ainsi, elle se cache. Mais de quoi ?

– Voilà ce que je ne puis te dire exactement.

– Quel est son véritable nom ?

– Peu importe. Je t'en prie, ne pose pas de questions...

– *Pas de questions ?* Et tu voudrais que je lui confie mon enfant ?

– Il n'y a aucun danger, s'empressa de répondre Charles. Par Dieu, tu sais combien nous aimons ta fille, Alicia et moi. Comment peux-tu imaginer que nous prendrions pour elle le moindre risque ?

– En cet instant, j'avoue ne plus savoir que penser...

– Juste quelques semaines, supplia Charles. Le temps que je lui trouve un autre poste. Miss Billings a vraiment toutes les qualités requises pour être une parfaite gouvernante. Non seulement elle ne nuira pas à Emma, mais elle peut lui être tout à fait bénéfique. J'ai toujours pu compter sur toi, Luke. Et je te demande de l'aide.

Luke allait refuser une fois encore lorsqu'il se rappela l'étrange regard de miss Billings. Elle avait des ennuis, pourtant elle avait décidé de lui faire confiance. Pourquoi ? Et qui était-elle ? Une épouse en fuite ? Une réfugiée politique ? Luke détestait les mystères... Il possédait cette obstination légendaire des Anglais à organiser les choses, à leur donner un sens. Rien n'était plus énervant à ses yeux qu'une question sans réponse.

– Bon sang ! grinça-t-il entre ses dents avant d'adresser un bref signe de tête à son ami. Un mois, pas davantage. Ensuite, tu m'en débarrasses.

– Merci.

– C'est un service que je te rends, Charles, dit-il. Ne l'oublie pas.

Ashbourne eut un large sourire de reconnaissance.

– Tu ne manquerais pas de me le rappeler, de toute façon...

Tasia contemplait le paysage tandis que l'attelage traversait la sage campagne anglaise. Elle se rappelait son pays natal, les kilomètres de terres incultes, le ciel brumeux, bleu-gris. Quelle différence ! Pour une contrée d'une telle puissance économique et militaire, l'Angleterre lui semblait étonnamment petite.

En dehors de la capitale surpeuplée, ce n'étaient que barrières blanches, haies et vertes prairies. Les gens qu'ils croisaient sur la route avaient l'air plus aisés que les paysans de Russie. Ils étaient habillés de façon plus moderne, leurs grosses charrettes et leur bétail étaient bien entretenus, les bourgs, avec leurs fermes aux charpentes de bois et leurs cottages aux toits de chaume, étaient petits mais propres. Pourtant elle ne voyait pas d'établissements de bains, comme dans les villages russes. Pour l'amour du ciel, où tous ces gens se lavaient-ils ?

Il n'y avait pas de forêts de bouleaux, et la terre était marron, pas noire. Tasia chercha en vain quelques clochers. La Russie regorgeait d'églises, même dans ses recoins les plus isolés. Les larges dômes d'or surmontant des tours blanches brillaient à l'horizon, comme des cierges, pour indiquer le droit chemin aux âmes égarées. En outre, les Russes aimaient le son des cloches, leurs appels à la prière. Leur joyeuse cacophonie lorsqu'elles tintaient manquerait à la jeune fille. Les Anglais ne devaient pas apprécier cette musique...

Lorsque Tasia pensait à son pays, elle avait le cœur

serré. Cela faisait une éternité, lui semblait-il, qu'elle avait débarqué chez sa cousine Alicia.

Epuisée, elle était tout juste parvenue à esquisser un sourire et à murmurer *Zdrasvouïty*, bonjour, avant de tomber à demi évanouie dans les bras de sa parente.

Passé l'effet de surprise, Alicia l'avait accueillie chaleureusement. Il était évident qu'elle aiderait la jeune fille dans toute la mesure de ses moyens. Dans cette famille slave traditionnelle, on avait l'esprit de clan. Bien qu'elle eût été élevée en Angleterre depuis l'enfance, Alicia était restée russe jusqu'au fond de l'âme.

– Personne ne sait que je suis en vie, avait expliqué Tasia. Cependant, si quelqu'un découvrait ce qui s'est passé, on devinerait aussitôt que j'ai cherché refuge auprès des membres de ma famille. Je ne puis rester longtemps avec vous. Il me faut disparaître.

Alicia n'avait pas besoin de demander qui était ce « on ». Les autorités gouvernementales, dépassées par les incessantes révoltes et les intrigues politiques, ne pousseraient pas à ce point leur quête de la justice. Mais si les parents de Mikhaïl soupçonnaient Tasia de s'être échappée, ils n'auraient de cesse de la trouver. Les Angelovsky étaient puissants, et le jeune frère de Mikhaïl, Nicolas, réputé pour son goût de la vengeance.

– Nous allons vous dénicher un poste de gouvernante, avait dit Alicia. Personne ne remarque une gouvernante, pas même les autres domestiques. C'est un emploi terriblement solitaire. A la vérité, un de nos amis pourrait bien vous embaucher. Un veuf avec une adolescente.

Maintenant qu'elle avait rencontré lord Stokehurst, Tasia s'interrogeait à son sujet. D'habitude, elle n'avait pas de mal à déchiffrer le caractère d'une personne, mais là, elle était un peu déconcertée. Personne ne ressemblait à cet homme, à Saint-Pétersbourg, ni les officiels de la cour, avec leurs longues barbes, ni les officiers bouffis de leur importance, ni les languissants jeunes aristocrates qu'elle fréquentait habituellement. Aucun d'entre eux n'était aussi... occidental.

Tasia sentait en lui une force extraordinaire, sous une apparence froide et nonchalante. Lord Stokehurst pouvait devenir brutal, pour obtenir ce qu'il voulait... Elle aurait préféré ne jamais avoir affaire à lui, mais choisir était un luxe auquel elle n'avait plus droit.

Il s'était raidi lorsqu'elle avait regardé les doigts artificiels qui ne l'avaient pourtant pas choquée, au contraire. Sans ce défaut, il lui aurait paru presque inhumain. Tasia avait compris alors que Stokehurst préférait inspirer la peur que la pitié. Quel effort il lui fallait pour camoufler toute pointe de vulnérabilité ! Et quel orgueil...

Durant tout le trajet, lord Stokehurst ne se soucia pas de dissimuler les doigts de métal qu'il laissait reposer sur sa cuisse. C'est certainement délibéré, se dit Tasia, pour voir si cela me rend nerveuse. Elle n'était certainement pas la seule à subir cette épreuve, et d'ailleurs elle *était* nerveuse, même si cela n'avait rien à voir avec l'infirmité de son employeur. Simplement, jamais auparavant elle ne s'était trouvée seule avec un homme.

Mais elle n'était plus une riche héritière destinée à épouser un prince et à régner sur des palais et des armées de serviteurs. Elle était une *servante*, et l'homme assis en face d'elle était son *maître*.

Elle avait été habituée à voyager dans les carrosses familiaux aux sièges recouverts de vison, aux poignées d'or, aux habitacles décorés par des artistes français.

Cette voiture, malgré son luxe, ne pouvait se comparer un instant à celles qu'elle avait connues.

Avec une petite grimace intérieure, Tasia se rendit compte qu'elle n'avait jamais préparé elle-même son bain, ni lavé ses bas... Son seul talent manuel était la couture. Depuis qu'elle était toute petite elle avait toujours eu près d'elle un panier plein d'aiguilles, de ciseaux, de fils de soie multicolores, car sa mère refusait de voir une enfant oisive.

Tasia chassa ces idées de son esprit. Elle ne devait plus jamais songer au passé, et tant pis si elle avait perdu ses privilèges. Les richesses ne signifiaient rien. L'immense fortune des Kapterev n'avait pas empêché son père de mourir, elle n'avait pas consolé Tasia dans ses périodes de solitude. La jeune fille ne redoutait ni la pauvreté, ni le travail, ni la faim. Elle accepterait sans protester ce que l'avenir lui réservait, le destin que Dieu avait prévu pour elle.

Intrigué, Luke observait la jeune fille de ses yeux bleus attentifs. Les plis de sa robe étaient parfaitement ordonnés, pas un muscle ne bougeait tandis qu'elle était assise bien droite contre la banquette de cuir, comme si elle posait pour un peintre.

– Aimeriez-vous savoir de combien seront vos gages ? demanda-t-il tout à trac.

Elle baissa les yeux sur ses mains croisées.

– Ils seront suffisants, j'en suis certaine, monseigneur.

– Cinq livres par mois me semblent acceptables.

Luke fut contrarié par le simple signe de tête de la jeune fille. Il lui offrait bien plus que le tarif normal. Il aurait pu espérer une marque de gratitude, un remerciement pour sa générosité, mais rien ne vint.

Il ne pensait pas qu'Emma aimerait cette gouvernante. Comment une créature d'un autre monde pourrait-elle avoir le moindre point commun avec son garnement de fille ? Miss Billings semblait perdue dans un univers intérieur qui lui convenait infiniment plus que la réalité.

– Si vous ne me donnez pas entière satisfaction, miss Billings, reprit-il, sévère, je vous accorderai le temps de trouver une nouvelle situation.

– Ce ne sera pas nécessaire.

Il eut un petit reniflement contrarié devant cette assurance.

– Vous êtes très jeune. Un jour, vous découvrirez que la vie réserve bien des surprises.

Elle eut un étrange petit sourire.

– Je l'ai déjà découvert, monseigneur. Le « coup du destin », comme disent les Anglais, je crois.

– Et c'est un « coup du destin » qui vous a amenée chez les Ashbourne ?

– Oui, monseigneur.

– Depuis quand les connaissez-vous ?

Le sourire s'évanouit.

– Ces questions sont-elles indispensables, monseigneur ?

Luke s'enfonça davantage dans son siège et croisa les bras.

– Bien que vous n'aimiez guère les interrogatoires, miss Billings, il se trouve que j'ai accepté de vous confier ma fille.

Elle fronça les sourcils, comme si elle cherchait à résoudre quelque énigme.

– Qu'aimeriez-vous savoir, monseigneur ?

– Etes-vous une parente d'Alicia ?

– Une cousine éloignée.

– Russe de naissance ?

Elle ferma les yeux, paraissant ne pas l'avoir entendu. Enfin elle acquiesça de la tête.

– Mariée ?

Elle ne releva pas les paupières.

– Pourquoi me demandez-vous cela ?

– Je veux savoir si je dois m'attendre à voir un beau matin un époux furibond surgir à ma porte.

– Il n'y a pas d'époux, répondit-elle calmement.

– Pourquoi ? Même si vous ne possédez aucune fortune, votre visage est assez séduisant pour vous attirer quelques propositions intéressantes.

– Je préfère rester seule.

Il eut un sourire contraint.

– Moi aussi. Mais vous êtes bien trop jeune pour vous résigner à une vie de solitude !

– J'ai vingt-deux ans, monseigneur.

– Balivernes, dit-il doucement. Vous êtes à peine plus âgée qu'Emma.

Elle le regarda enfin, une expression sévère sur ses traits ravissants.

– Les années ne comptent pas vraiment, n'est-ce pas ? Certaines personnes n'en savent pas davantage à soixante ans qu'à seize. Et il existe des enfants qui ont tout appris par expérience et en connaissent bien plus que les adultes qui les entourent. La maturité ne se mesure pas facilement.

Luke se détourna. Que lui était-il arrivé, pourquoi

était-elle seule ? Elle avait dû avoir quelqu'un – un père, un frère, un tuteur – pour s'occuper d'elle. Par quel hasard se retrouvait-elle sans aucune protection ?

Il passa les doigts sur sa manche gauche, pour sentir les liens de cuir qui retenaient ses doigts artificiels. Cette jeune femme mystérieuse le mettait mal à l'aise. Il maudit Charles Ashbourne en silence. Un mois. Un satané mois tout entier !

Tasia s'absorbait dans la contemplation du paysage, tandis qu'ils abordaient les faubourgs de Southgate.

Southgate, autrefois village domanial, était devenu une véritable petite ville qui possédait le marché le plus important du comté. Il était bordé de prairies, de ruisseaux, et les superbes bâtiments de brique qui abritaient le marché au blé, le moulin et l'école avaient été conçus par le grand-père de Luke. L'église, construction austère ornée d'immenses vitraux, dominait le centre-ville.

L'impressionnante silhouette d'un manoir se découpait au sommet d'une colline et surplombait la campagne sur des kilomètres. Miss Billings lança à Luke un coup d'œil interrogateur.

– Voici Southgate Hall, dit-il. Emma et moi sommes les seuls Stokehurst à y résider. Ma sœur a épousé un Ecossais, avec qui elle vit à Selkirk.

L'attelage monta la route en lacet avant de franchir une porte aménagée dans la muraille qui protégeait à l'origine la forteresse normande sur les ruines de laquelle on avait construit le château actuel. Seule la partie centrale datait du XVIe siècle. Avec ses innombrables tours et pignons, on considérait cette demeure comme l'une des plus pittoresques d'Angleterre. Des étudiants en art y venaient souvent pour faire des croquis de son architecture originale.

L'entrée devant laquelle s'arrêta la voiture était surmontée de moulures trilobées et d'un médaillon portant les armes de la famille. Après qu'un valet de pied en livrée noire l'eut aidée à mettre pied à terre, Tasia leva les yeux vers les armoiries. Elles représentaient un aigle qui tenait une rose entre ses serres.

Elle sursauta quand on lui toucha le coude. Lord Stoke-hurst se tenait à contre-jour, le visage dans l'ombre.

– Entrez, dit-il en lui faisant signe de le précéder.

Un vieux majordome au long menton et au crâne dégarni se tenait près de la porte d'entrée. Lord Stoke-hurst annonça :

– Voici miss Billings, la nouvelle gouvernante, Sey-mour.

Tasia fut surprise d'être citée la première, puis elle se rappela qu'elle n'était plus une dame, mais une servante de modeste rang. Les inférieurs étaient toujours présentés aux supérieurs...

Un petit sourire aux lèvres, elle adressa une brève révérence à Seymour.

Ils pénétrèrent dans un magnifique hall dont le centre était occupé par une table octogonale et où la lumière entrait à flots par de vastes fenêtres.

Tasia fut distraite de sa contemplation par un cri de joie :

– Papa !

Une grande fille dégingandée à l'abondante chevelure rousse se précipita dans la pièce.

Luke fronça les sourcils en voyant Emma courir derrière un gros chien, un bâtard indéterminé qu'elle avait acheté quelques mois plus tôt à un colporteur. Personne à Southgate Hall, même ceux qui professaient l'amour des animaux, n'appréciait beaucoup cet animal au poil hirsute gris et brun. Il avait de petits yeux, un énorme museau et d'immenses oreilles pendantes qui avaient donné à Emma l'idée de l'appeler Samson. Son appétit n'avait d'égal que son refus obstiné de se plier à toute espèce de dressage.

Dès qu'il aperçut Luke, Samson se jeta sur lui avec de sonores aboiements de joie. Puis il se rendit compte qu'il y avait une présence étrangère, et il se mit à gronder en montrant les dents. Emma le saisit au collier et lui ordonna de se tenir tranquille, tandis qu'il gigotait pour se dégager.

– Arrête, Samson ! Du calme, espèce d'idiot ! Tiens-toi correctement...

32

Luke interrompit cette diatribe de sa voix grave :

– Je t'ai déjà interdit, Emma, d'amener ce chien à l'intérieur.

Tout en parlant, il s'était placé devant miss Billings, dont le chien semblait ne vouloir faire qu'une bouchée.

– Il n'est pas méchant, protesta Emma en luttant pour l'immobiliser. Il fait du bruit, c'est tout !

Luke allait traîner le chien au-dehors quand il s'aperçut que miss Billings n'était plus derrière lui. Elle s'approchait de l'animal, les yeux plissés, et lui parlait en russe d'une voix douce et gutturale. Luke ne comprit pas un traître mot, mais il sentit des frissons le parcourir. Samson dut réagir de la même manière, car il se calma, se contentant de fixer la nouvelle venue avec de grands yeux.

Soudain il se laissa tomber sur le ventre et rampa vers elle. Un gémissement s'échappa de sa gorge, tandis que sa queue frappait le sol avec énergie. Miss Billings se pencha pour lui caresser la tête. Alors Samson roula sur le dos, extasié. Bien après que la jeune femme se fut redressée, il demeura couché à ses pieds.

Luke ordonna à un valet de sortir le chien. Samson obéit à contrecœur, la tête si basse que sa langue et ses oreilles traînaient pratiquement sur le sol.

Emma fut la première à retrouver ses esprits.

– Que lui avez-vous dit ?

Les yeux bleu-gris de miss Billings s'attardèrent sur la jeune fille, et elle eut un petit sourire.

– Je lui ai rappelé les bonnes manières.

Méfiante, Emma se tourna vers son père.

– Qui est-ce ?

– Ta gouvernante.

Emma en resta bouche bée.

– Ma *quoi* ? Mais, papa, vous ne m'aviez pas dit...

– Je l'ignorais moi-même, coupa-t-il, ironique.

Tasia observait toujours la fille de Stokehurst. Maigre, un peu gauche, elle franchissait tout juste le seuil de l'adolescence. Avec sa chevelure bouclée, d'un roux ardent, elle ne devait pas passer inaperçue. Sans doute est-elle la cible d'impitoyables moqueries de la part de ses camarades, se dit-elle. Les cheveux auraient suffi – mais en plus elle était très grande. Peut-être atteindrait-elle un jour un mètre quatre-vingts. Elle se tenait voûtée dans un effort pour se rapetisser, cependant, sa jupe était trop courte. Elle avait hérité les beaux yeux saphir de son père, mais ses cils étaient auburn et son visage constellé de taches de rousseur.

Une grande femme aux cheveux gris, à l'air rigide, s'approcha d'eux, portant à la ceinture un énorme trousseau de clés, symbole de son autorité sur la maisonnée.

– Mrs Knaggs, déclara Stokehurst, voici miss Billings, la nouvelle gouvernante d'Emma.

Les sourcils de l'intendante se rejoignirent.

– Vraiment... Il faut préparer une chambre. La même que d'habitude, je suppose ?

A son intonation, on devinait que cette préceptrice ne resterait pas plus longtemps que les précédentes.

– Comme il vous semblera bon, Mrs Knaggs.

Stokehurst déposa un rapide baiser sur les cheveux de sa fille.

– J'ai du travail, murmura-t-il. Nous nous verrons au souper.

Emma hocha la tête, sans quitter Tasia des yeux.

– Je vais m'occuper de votre chambre, dit l'intendante. Voulez-vous une tasse de thé, miss Billings ?

Tasia en mourait d'envie. La journée avait été longue, et elle n'avait pas vraiment recouvré ses forces depuis son arrivée en Angleterre, cependant elle refusa. Pour l'instant, il était important d'accorder toute son attention à son élève.

– Je préférerais visiter la maison. Voudriez-vous m'accompagner, Emma ?

– Oui, miss Billings, répondit poliment la jeune fille. Qu'aimeriez-vous voir ? Il y a quarante chambres à coucher et presque autant de salons. Des galeries, des cours, la chapelle... Il faudrait une journée entière pour tout vous montrer.

– Pour l'instant, contentons-nous de ce que vous trouvez important.

– Bien, miss Billings.

Comme elles traversaient le rez-de-chaussée, Tasia admira la splendeur du château, bien différent de la demeure victorienne des Ashbourne.

Southgate Hall n'était que moulures blanches et marbre de couleur pâle. Les pièces, hautes de plafond, étaient largement éclairées par de vastes fenêtres, et la plus grande partie du mobilier était français, comme celui auquel Tasia était habituée à Saint-Pétersbourg.

Au début, Emma ne parla guère, se contentant de jeter de fréquents coups d'œil à sa compagne. Mais quand elles sortirent du salon de musique pour s'engager dans une longue galerie ornée d'œuvres d'art, la curiosité fut la plus forte.

– Comment papa vous a-t-il trouvée ? demanda-t-elle. Il ne m'avait jamais parlé d'amener une gouvernante aujourd'hui...

Tasia s'était immobilisée devant une toile de Boucher, l'une des nombreuses œuvres modernes de la galerie, toutes choisies avec un goût remarquable. Elle reporta son attention sur l'adolescente.

– Je séjournais chez vos amis, les Ashbourne. Ils m'ont fort aimablement recommandée à votre père.

– Je n'aimais pas la dernière gouvernante. Elle était très sévère, et elle ne voulait jamais parler de sujets intéressants. Seulement les livres, toujours les livres...

– Mais les livres sont des sujets intéressants.

– Je ne trouve pas.

Elles poursuivirent lentement leur chemin le long de la galerie. Emma regardait à présent Tasia sans se dissimuler.

– Aucune de mes amies n'a une gouvernante qui vous ressemble.

– Ah ?

– Vous êtes jeune, et vous parlez d'une drôle de façon. En plus, vous êtes très jolie.

– Vous aussi, dit doucement Tasia.

Emma fit une grimace comique.

– Moi ? Je suis une grande bringue poil-de-carotte !

Tasia sourit.

– J'ai toujours eu envie d'être grande afin que l'on me

prenne pour une reine lorsque j'entrais dans une pièce. Seules les femmes grandes comme vous sont vraiment élégantes.

La jeune fille rougit.

– On ne m'avait jamais dit ça...

– Quant à vos cheveux, ils sont ravissants, poursuivait Tasia. Savez-vous que Cléopâtre et les dames de sa cour se teignaient les cheveux en roux avec du henné ? C'est une merveille d'avoir naturellement cette couleur...

Emma semblait sceptique.

La galerie suivante était fermée par des portes vitrées qui dévoilaient la somptueuse salle de bal blanc et or.

– Vous allez m'apprendre à me comporter comme une dame ? demanda soudain la jeune fille.

Tasia sourit. Emma avait, comme son père, la manie de poser des questions à brûle-pourpoint.

– On m'a laissé entendre que vous aviez besoin de quelques conseils à ce sujet, reconnut-elle.

– Je ne vois vraiment pas pourquoi il faut à tout prix être une dame. Toutes ces satanées règles, ces maniè-res... je n'y arriverai jamais !

Elle fit une nouvelle grimace.

Tasia s'interdit de rire. C'était pourtant la première fois depuis des mois qu'une réflexion éveillait son sens de l'humour.

– Ce n'est pas difficile. Il faut le prendre comme un jeu, et je suis certaine que vous vous débrouillerez par-faitement.

– Je ne fais rien de bien quand je n'y vois pas une raison. Quelle importance si je me sers de la mauvaise fourchette à table, dès lors que je me nourris ?

– Voulez-vous la réponse philosophique, ou la réponse pratique ?

– Les deux.

– La plupart des gens sont persuadés que, sans l'éti-quette, toute civilisation s'écroulerait. D'abord disparais-sent les bonnes manières, puis la moralité, et on arrive à la catastrophe, comme chez les Romains de la déca-dence. Plus important ; si vous commettez une gaffe en société, vous en serez gênée, ainsi que votre père, et cela vous empêchera d'attirer l'attention d'honorables jeunes gens.

– Oh...

Visiblement, Tasia avait éveillé l'intérêt d'Emma.

– Les Romains étaient-ils vraiment décadents ? Je croyais qu'ils se contentaient de faire la guerre, de construire des routes et de composer de longs discours profondément ennuyeux.

– Affreusement décadents ! déclara Tasia. Nous lirons un peu de leur histoire demain, si vous voulez.

– Volontiers.

Emma adressa un grand sourire à sa nouvelle gouvernante.

– Venez à la cuisine. J'aimerais que vous rencontriez la cuisinière, Mrs Plunkett. C'est elle que je préfère, à la maison, après papa.

Elles traversèrent un cellier qui regorgeait de conserves, et la salle des pâtisseries, meublée de tables au dessus de marbre et encombrée de toutes sortes de moules et de rouleaux. Emma prit Tasia par le bras et elles passèrent devant plusieurs servantes curieuses.

– C'est ma nouvelle gouvernante, elle s'appelle miss Billings, annonça la jeune fille sans s'arrêter.

L'immense cuisine était pleine de domestiques affairées à la préparation du souper. Au centre de la pièce trônait une longue table de bois au-dessus de laquelle pendaient des pots, des casseroles et des moules de cuivre. Une femme courtaude se tenait là, munie d'un grand couteau, en train d'apprendre à une des servantes comment on éminçait correctement les carottes.

– Voici miss Billings, Mrs Plunkett, claironna Emma en s'asseyant sur un tabouret. C'est ma nouvelle gouvernante.

– Je n'en crois pas mes yeux ! s'écria la cuisinière. Il est temps d'avoir de nouvelles têtes, par ici. Et celle-là est drôlement jolie ! Mais regardez-moi ça... Elle n'est pas plus grosse qu'un manche à balai !

Elle saisit un plat de gâteaux et ôta le linge qui le couvrait.

– Goûtez-moi ces tartes aux pommes, mon agneau, et dites-moi si la pâte est trop épaisse.

Tasia comprit aussitôt l'affection qu'Emma portait à la joviale Mrs Plunkett avec ses joues rouges comme des pommes, ses pétillants yeux bruns et sa chaleur maternelle.

– Allez-y, insista la brave femme.

Tasia se servit, imitée par Emma qui choisit la plus grosse tarte et y mordit à belles dents.

– Délicieux ! s'écria-t-elle, la bouche pleine.

Elle sourit, sous le regard réprobateur de Tasia.

– Oh, je sais, on ne doit pas parler en mangeant. Mais j'arrive à le faire sans qu'on aperçoive la nourriture.

Elle fit glisser la bouchée dans sa joue.

– Vous voyez ?

Tasia allait rétorquer que ce n'était tout de même pas convenable quand elle vit Emma adresser un clin d'œil à Mrs Plunkett. Elle ne put s'empêcher d'éclater de rire.

– Je crains, Emma, que, malgré vos efforts, vous ne finissiez un jour par postillonner quelques miettes sur un convive important.

Le sourire d'Emma s'épanouit.

– C'est ça ! La prochaine fois que lady Harcourt viendra en visite, je lui enverrai plein de miettes à la figure. Comme ça, nous serons débarrassés d'elle à tout jamais. Vous imaginez la tête de papa ?

Voyant Tasia un peu déconcertée, la jeune fille expliqua :

– Lady Harcourt est l'une des femmes qui voudraient épouser papa.

– L'une d'entre elles ? Combien y en a-t-il ?

– Oh, beaucoup trop. Lors de nos réceptions, je les écoute bavarder. Vous n'imaginez pas ce qu'elles peuvent se raconter ! En général, je n'en comprends pas la moitié, mais...

– Dieu merci ! s'écria Mrs Plunkett. Vous savez très bien qu'il ne faut pas écouter les conversations qui ne vous sont pas destinées...

– Mais c'est *mon* père ! J'ai le droit de savoir qui projette de l'attraper dans ses filets. Et lady Harcourt y est bien décidée. Avant même que je m'en sois rendu compte, ils seront mariés et on m'expédiera en pension...

Mrs Plunkett pouffa.

– Si votre père avait l'intention de se marier, il y a longtemps que ce serait fait. Il n'y a jamais eu pour lui personne d'autre que votre mère, et je doute que cela change.

Emma fronça les sourcils, pensive.

– Je voudrais bien me la rappeler plus clairement. Aimeriez-vous voir son portrait, miss Billings ? Il se trouve dans l'un des boudoirs où elle avait l'habitude de prendre le thé, au premier étage.

– J'en serais ravie, dit Tasia en mordant dans la tarte, bien qu'elle n'eût absolument pas faim.

– Vous serez bien ici, l'informa la cuisinière. Lord Stokehurst entretient fort largement sa maisonnée, rien n'est rationné. Nous avons tout le beurre que nous voulons, et du jambon chaque dimanche. Egalement du savon, des œufs et de bonnes chandelles pour notre usage personnel. Lorsque des visiteurs viennent au château, nous en apprenons de belles, par leurs serviteurs. Certains n'ont jamais mangé un œuf de leur vie ! Vous avez bien de la chance d'avoir été engagée par lord Stokehurst. Mais je suis certaine que vous le savez déjà.

Tasia acquiesça distraitement. Elle se demandait comment ses propres domestiques avaient été traités en Russie, et elle se sentit soudain affreusement coupable. Jamais elle ne s'était souciée de savoir s'ils étaient bien nourris, s'ils mangeaient à leur faim. Sa mère était sûrement généreuse... mais peut-être pensait-elle trop à son confort pour se soucier de celui des autres. Et aucun n'aurait eu le toupet de réclamer quoi que ce soit.

Elle s'aperçut tout à coup que Mrs Plunkett et Emma la fixaient d'un air étrange.

– Votre main tremble, déclara Emma. Vous ne vous sentez pas bien, miss Billings ?

– Et vous êtes si pâle... ajouta la cuisinière, inquiète.

Tasia posa son gâteau.

– Je suis un peu lasse, avoua-t-elle.

– Votre chambre est prête, j'en suis sûre, dit Emma.

Si vous voulez, je vais vous y conduire. Nous finirons notre visite demain.

La cuisinière enveloppa le reste de tarte dans une serviette et le donna à Tasia.

– Prenez cela, mon pauvre agneau. Plus tard, je vous ferai porter un plateau.

– Comme c'est gentil à vous ! répondit Tasia, dans un sourire. Merci beaucoup, Mrs Plunkett.

La cuisinière les suivit des yeux tandis qu'elles quittaient la pièce. Dès que la porte se fut refermée, toutes les servantes se mirent à babiller en même temps.

– Vous avez vu ses yeux ? On dirait ceux d'un chat.

– Comme elle est maigre ! Sa robe pendouille autour d'elle.

– Et la façon dont elle parle... Certains de ses mots sont comme flous.

– J'aimerais avoir cet accent, dit l'une d'elles, rêveuse. C'est joli...

Mrs Plunkett, en riant, leur conseilla de se remettre à la tâche.

– Vous bavarderez plus tard. Hannah, termine tes carottes. Et toi, Polly, n'arrête surtout pas de tourner la sauce, sinon elle sera pleine de grumeaux.

Luke et Emma étaient assis à la grande table couverte d'une nappe damassée. Le feu qui brûlait dans la cheminée éclairait les tapisseries flamandes et les sculptures de marbre le long des murs.

Un valet vint remplir d'eau le verre d'Emma, tandis que Luke buvait du vin français. Le maître d'hôtel ôta la cloche qui couvrait les plats sur la desserte et servit un odorant potage aux truffes dans des assiettes à soupe de porcelaine fine.

Luke sourit à sa fille.

– Tu m'inquiètes toujours quand tu arbores cet air satisfait, Emma. J'espère que tu n'es pas en train de te demander quels tourments tu vas inventer pour tarabuster ta nouvelle gouvernante, comme la précédente...

– Oh, pas du tout ! Elle est bien mieux que miss Cawley !

– Mon Dieu, dit-il, détendu, je suppose que tout le monde serait mieux que miss Cawley !

Emma pouffa de rire.

– C'est vrai. Mais j'aime vraiment beaucoup miss Billings.

Luke haussa les sourcils.

– Tu ne la trouves pas trop sérieuse ?

– Oh, non ! Je suis sûre qu'à l'intérieur, elle a envie de rire.

Luke revit le visage grave de miss Billings.

– Ce n'est pas l'impression que j'avais d'elle, marmonna-t-il.

– Miss Billings va m'enseigner l'étiquette et les bonnes manières, et tout ça. Elle dit que nous n'aurons pas besoin de passer nos journées dans la salle de classe. Que j'apprendrai aussi bien si nous emportons nos livres pour les lire dehors, sous les arbres. Demain, nous attaquerons la Rome antique, et ensuite, nous ne parlerons plus que français jusqu'au souper. Je préfère vous prévenir, papa, parce que si vous m'adressez la parole après 4 heures de l'après-midi, je serai *obligée* de vous répondre dans une langue que vous ne comprenez pas.

Il lui lança un petit coup d'œil sardonique.

– Je parle français.

– Vous *parliez* français, rétorqua-t-elle, triomphante. Miss Billings me dit que si on ne pratique pas une langue, on l'oublie très vite.

Luke posa sa cuillère en se demandant à quel jeu jouait la gouvernante. Peut-être essayait-elle de s'attirer l'amitié d'Emma afin, le moment venu, de se servir de sa fille comme d'une arme contre lui. Et cela ne lui plaisait pas. Karen Billings ferait mieux de surveiller ses actes, ou il lui ferait regretter le jour où elle était née... Un mois seulement, se rappela-t-il en tentant de maîtriser sa mauvaise humeur.

– Ne t'attache pas trop à miss Billings, Emma. Elle risque de ne pas rester longtemps parmi nous.

– Pourquoi ?

– Il peut se passer bien des choses. Elle ne sera peut-être pas une bonne préceptrice. Ou elle risque de décider de prendre un autre poste.

Il but une gorgée de vin.

– Ne l'oublie pas, c'est tout, conclut-il.

– Mais si je veux qu'elle reste, elle restera, s'entêta Emma.

Luke termina son potage sans répondre.

Puis il changea de sujet et parla à sa fille d'un pur-sang qu'il avait l'intention d'acheter. Emma évita soigneusement toute autre allusion à sa nouvelle gouvernante durant la fin du repas.

Tasia faisait le tour de sa chambre, située au deuxième étage et ornée d'une charmante fenêtre en ogive exposée à l'est. Elle était ravie à l'idée d'être réveillée chaque matin par le soleil. L'étroit lit avait des draps tout propres et une simple couverture de patchwork. Il y avait dans un coin de la pièce une toilette d'acajou à la cuvette de porcelaine fleurie. Près de la fenêtre se trouvaient une chaise et une table, sur le mur opposé une armoire à glace ovale. La pièce était petite mais propre et intime.

On avait déposé sa valise sur le lit, et elle en sortit la brosse à cheveux et les savons à la rose qu'Alicia lui avait donnés. C'était aussi grâce à sa cousine qu'elle possédait deux robes, la grise qu'elle portait et une de calicot noir qu'elle pendit dans l'armoire. La croix de sa grand-mère, cachée sous ses vêtements, ne la quittait jamais, et elle avait dissimulé la bague de son père, nouée dans un mouchoir, sous son linge de corps.

Enfin elle apporta la chaise dans un coin de la pièce où elle pourrait la voir de son lit et y posa l'icône, appuyée contre le dossier. Elle suivit du doigt le contour du tendre visage de la Madone. C'était son *krasnyi ugolok*, son « joli coin ». Tous les Russes de foi orthodoxe organisaient ainsi dans leur maison un endroit où ils venaient chercher la paix au début et à la fin de chaque journée.

Elle fut interrompue par un léger coup frappé à sa porte. Une servante, un peu plus âgée qu'elle, se tenait sur le seuil, vêtue d'un tablier amidonné et d'une coiffe qui couvrait partiellement sa chevelure de lin. Elle était jolie, mais dans son regard et ses lèvres pincées il y avait de la méchanceté.

– Je m'appelle Nan, dit-elle en lui tendant un plateau couvert d'un linge. Voici votre souper. Posez ça dans le couloir quand vous aurez terminé, je viendrai tout chercher dans un petit moment.

– Merci, murmura Tasia, troublée par l'attitude de la jeune fille.

Elle semblait en colère. Mais Tasia n'aurait su dire pour quelle raison.

Elle ne tarda cependant pas à l'apprendre.

– Mrs Knaggs dit que c'est moi qui dois m'occuper de vous. J'avais pas besoin de ce travail supplémentaire. J'ai déjà mal aux jambes à force de monter et descendre des escaliers toute la journée. Maintenant, il va falloir en plus que je vous porte votre petit bois, vos brocs d'eau chaude et vos plateaux de dîner !

– Je suis désolée. Je n'aurai pas besoin de grand-chose.

Avec un petit reniflement méprisant, Nan tourna les talons.

Tasia alla poser le plateau sur la table en adressant au passage un petit coup d'œil de biais à l'icône.

– Vous voyez comment ils sont, ces Anglais ? murmura-t-elle.

Le visage de la Madone garda sa placidité douloureuse.

Tasia souleva délicatement le torchon qui couvrait la nourriture et découvrit des filets de canard, un bol de sauce brune, ainsi qu'un petit pain et des légumes bouillis, le tout arrangé avec soin, orné d'un bouquet de violettes. Il y avait également une coupelle de verre qui contenait une sorte de pudding. On servait le même chez les Ashbourne. Curieux comme les Anglais semblaient affectionner les mets insipides !

Tasia prit une des violettes et remit le linge sur le plateau. Elle n'avait pas faim...

Que n'aurait-elle donné pour une tranche de pain noir avec du beurre, ou des champignons noyés sous la crème fraîche ! Ou encore de délicats blinis ruisselants de miel... Des odeurs et des goûts familiers, qui lui rappelleraient l'univers d'où elle venait...

Ces derniers mois, elle avait l'impression d'avoir été entraînée dans un tourbillon. Tout lui avait glissé entre les doigts, comme du sable, et elle n'avait plus rien à quoi se raccrocher.

– A part moi-même, dit-elle à haute voix.

Distraitement, elle se mit à marcher à travers la chambre, puis elle se figea devant l'armoire à glace. Il y avait bien longtemps qu'elle ne s'était pas regardée dans un miroir, à part quelques brefs coups d'œil pour s'assurer que sa chevelure était bien en place, sa robe correctement boutonnée.

Son visage était émacié, les os délicats de ses pommettes saillaient, et son cou semblait trop frêle sous le col montant.

Sans s'en rendre compte, Tasia écrasa entre ses doigts nerveux la violette qui répandit son riche parfum.

Elle n'aimait pas l'image de cette jeune femme diaphane, une inconnue qui la regardait avec toute la confiance d'une enfant. Elle ne se voulait pas vulnérable, et elle s'efforcerait de redevenir forte.

Jetant la fleur abîmée, elle se dirigea résolument vers le plateau.

Elle mordit dans le petit pain qui faillit l'étouffer, mais elle se força à manger. Elle finirait son souper. Elle dormirait toute la nuit sans se réveiller, sans rêver... et au matin, elle commencerait une nouvelle vie.

2

La pièce réservée aux domestiques bourdonnait du bruit des conversations, fleurait bon le café, le pain grillé et la viande frite.

Tasia lissa sa jupe, se passa la main dans les cheveux et, le visage neutre, elle poussa la porte. A la longue table étaient assis des gens qui se turent aussitôt et se tournèrent vers elle. Cherchant un visage familier, Tasia tomba sur celui de Nan, toujours hostile. Le majordome, Seymour, repassait un journal au fer, et il ne leva pas les yeux. Elle allait battre en retraite, un peu perdue, quand le visage avenant de Mrs Plunkett se matérialisa devant elle.

– Bonjour, miss Billings ! Vous êtes debout de bonne heure ! Quelle surprise de vous trouver dans la salle des domestiques...

– Je vois... dit Tasia avec un mince sourire.

– J'avais presque fini de préparer votre plateau de petit déjeuner. Nan vous le montera bientôt. Buvez-vous du thé, le matin, ou du chocolat ?

– Pourrais-je rester ici, avec les autres ?

La cuisinière eut l'air perplexe.

– Ce sont des serviteurs ordinaires, miss Billings. Vous êtes gouvernante. Vous n'êtes pas censée prendre vos repas avec nous autres...

Ce devait être une attitude typiquement britannique. La gouvernante de Tasia, en Russie, n'avait pas vécu dans un tel isolement.

– Je dois donc déjeuner seule ? demanda-t-elle, ennuyée.

– Oui. Sauf lorsque vous êtes invitée à partager la table de Sa Seigneurie et de miss Emma. Il en est ainsi, habituellement.

Elle rit en voyant l'expression de la jeune femme.

– Eh, mon agneau, c'est un *honneur*, pas une punition !

– Je considérerais comme un grand honneur le droit de manger ici avec vous.

– Vraiment ?

Toutes les têtes se tournèrent vers elle, et Tasia se raidit pour demeurer imperturbable, malgré la rougeur qui envahissait ses joues.

Mrs Plunkett l'observa un instant avant de hausser les épaules.

– Après tout, je ne vois pas ce qui vous en empêcherait. Mais je vous préviens, nous sommes des gens très simples.

Elle cligna de l'œil avant d'ajouter :

– Il y en a même parmi nous qui mâchent la bouche ouverte.

Tasia se dirigea vers une place libre sur l'un des bancs.

– Puis-je ? murmura-t-elle.

Quelques servantes se poussèrent pour elle.

– Qu'est-ce que vous prendrez, miss ? demanda l'une d'entre elles.

Tasia regarda la rangée de jattes et de plats alignés sur la table.

– Un toast, s'il vous plaît. Et peut-être un morceau de saucisse... un œuf... et une de ces choses plates...

– Une galette d'avoine, dit gentiment la servante en lui passant les plats.

L'un des valets de pied sourit en la voyant remplir son assiette.

– Elle est pas plus grosse qu'un moineau, mais son appétit est plutôt celui d'un cheval !

Des rires amicaux s'élevèrent, et les conversations reprirent comme avant l'arrivée de Tasia.

La jeune femme était heureuse de baigner dans cette

convivialité, surtout après sa solitude des derniers mois. Il lui semblait merveilleux d'être assise au milieu des gens. Quant aux mets, s'ils avaient un goût étrange, ils étaient chauds et nourrissants.

Hélas ! sa satisfaction disparut rapidement sous le regard agressif de Nan. La servante paraissait déterminée à lui faire comprendre qu'elle n'était pas la bienvenue.

– Regardez comment elle mange, à toutes petites bouchées, comme une dame, ricana-t-elle. Et comme elle se tapote délicatement les lèvres avec sa serviette. Sale prétentieuse ! Moi je sais bien pourquoi elle a envie d'être avec nous. Ça sert à rien de prendre des grands airs quand personne vous regarde !

– Nan ! intervint une servante. Ne sois pas garce !

– Laisse-la tranquille, Nan, renchérit une autre.

Nan se tut, mais elle continuait à fixer Tasia d'un air mauvais.

Tasia avala les dernières bouchées de son petit déjeuner qui avaient soudain un goût de plâtre.

Elle avait été détestée, redoutée, méprisée pendant des mois par des paysans qui ne la connaissaient pas, par des gens de son rang qui l'avaient lâchement abandonnée... et maintenant c'était au tour d'une femme de chambre !

Tasia releva la tête et fixa Nan à son tour, les yeux plissés, du même regard glacial qu'elle avait eu pour le garde de la prison à Saint-Pétersbourg. Et la servante rougit, se détourna, les poings serrés. Alors seulement, Tasia se leva pour porter son assiette dans le grand évier de pierre.

– Bonne journée, murmura-t-elle à la cantonade.

Un chœur de réponses amicales lui fit écho.

Comme elle retournait vers le hall, elle tomba nez à nez avec Mrs Knaggs, qui lui parut un peu moins rébarbative que la veille.

– Emma est en train de se changer après sa promenade à cheval, miss Billings, l'informa-t-elle. Elle aura pris son petit déjeuner et sera prête à travailler à 8 heures précises.

– Monte-t-elle tous les matins ? demanda Tasia.

– Oui, avec son père.

– Ils semblent très proches l'un de l'autre.

Mrs Knaggs jeta un rapide coup d'œil autour d'elle pour s'assurer qu'on ne pouvait l'entendre.

– Lord Stokehurst est absolument fou de cette enfant. Il donnerait sa vie pour elle. Il en est d'ailleurs passé bien près, un jour...

Tasia revit les doigts métalliques et, inconsciemment, elle effleura sa main gauche.

– Est-ce à cause de cela... ?

– Oh oui, répondit Mrs Knaggs qui avait surpris son geste. Un incendie à Londres. Lord Stokehurst s'est jeté dans les flammes sans qu'on pût l'en empêcher. Toute la maison était en feu, et ceux qui ont assisté à la scène croyaient ne jamais le retrouver vivant. Pourtant il est ressorti, sa femme sur l'épaule, l'enfant dans les bras...

L'intendante pencha la tête, comme si elle voyait évoluer des fantômes devant ses yeux.

– Lady Stokehurst est morte dans la nuit. Pendant des jours, lord Stokehurst a été fou de chagrin. En outre, ses blessures le faisaient atrocement souffrir. Surtout celle du bras gauche. La plaie s'est infectée et il n'y avait plus le choix : il fallait l'amputer de trois doigts ou le laisser mourir. Quelle ironie du sort ! Il avait eu tant de chance jusque-là, et soudain il perdait tout...

« La plupart des hommes en auraient été détruits à tout jamais. Mais notre maître est fort. Peu après le drame, je lui ai demandé s'il envisageait de confier Emma aux bons soins de sa sœur, Catherine, qui avait proposé de s'en occuper le temps qu'il faudrait... "Non, m'a-t-il répondu. Le bébé est tout ce qui me reste de Mary. Jamais je ne m'en séparerai, même pour une journée."

Mrs Knaggs s'interrompit et secoua la tête.

– Mais je me laisse aller à trop parler, n'est-ce pas ? C'est un bien mauvais exemple pour les autres, que de rester plantée là à bavarder...

Tasia avait la gorge serrée. Il lui semblait impossible que l'homme décrit par Mrs Knaggs fût l'aristocrate

48

froid et distant dont elle avait fait la connaissance la veille.

– Merci de m'avoir parlé de lui, parvint-elle à articuler. C'est une bénédiction pour Emma d'avoir un père qui la chérisse autant.

– Vous pouvez le dire !

Mrs Knaggs regardait Tasia avec une curiosité non dissimulée.

– Vous n'êtes pas du tout le genre de gouvernante que lord Stokehurst a l'habitude d'engager, reprit-elle. Vous êtes étrangère, n'est-ce pas ?

– Oui, madame.

– On parle déjà beaucoup de vous, à Southgate Hall. Ici, personne n'a rien de bien intéressant à cacher... or il est clair que vous avez une quantité de secrets...

Tasia, prise de court, se contenta de sourire en haussant les épaules.

– Mrs Plunkett a raison, continuait l'intendante. Elle dit que quelque chose en vous pousse les gens à se confier. Peut-être votre calme...

– Je ne le fais pas exprès, madame. Je tiens cela de la famille du côté de mon père. Ils sont tous calmes, presque graves. Ma mère, en revanche, est très bavarde et avenante. J'aimerais lui ressembler davantage.

– Vous êtes très bien ainsi, la rassura Mrs Knaggs avec un bon sourire. Maintenant, je dois vaquer à mes occupations. C'est la grande lessive, aujourd'hui. On n'en finit pas de frotter, amidonner, repasser... Voulez-vous vous rendre dans la bibliothèque ou le salon de musique, en attendant Emma ?

– Volontiers ; merci, madame.

Tasia se mit à errer à travers le manoir, recherchant son chemin. Sa visite de la veille avait été si rapide qu'elle se rappelait seulement où se trouvait la cuisine.

Elle arriva néanmoins, par hasard, au salon de musique, une pièce circulaire éclairée par des fenêtres cintrées à petits carreaux. Les murs bleu pâle ornés de fleurs de lys s'élevaient vers un plafond peint d'angelots jouant de divers instruments.

Tasia s'assit au piano et effleura quelques notes. L'instrument était parfaitement accordé.

Elle laissa ses doigts errer sur le clavier, à la recherche d'une mélodie qui convînt à son état d'esprit. Comme tout le monde à Saint-Pétersbourg, sa famille nourrissait une véritable passion pour tout ce qui venait de France, et elle attaqua une valse. Elle s'arrêta au bout de quelques mesures, tandis qu'un autre air lui venait à l'esprit, une valse de Chopin. Bien qu'elle ne l'eût pas jouée depuis longtemps, elle se la rappelait suffisamment, et, les yeux clos, elle se mit à jouer, lentement d'abord, puis avec plus de confiance tandis qu'elle s'abandonnait entièrement à la musique.

Tout à coup, un bruit l'obligea à ouvrir les yeux et ses mains se figèrent, glacées, sur les touches.

Lord Stokehurst se tenait là, tout près d'elle. Il avait une expression étrange, comme s'il venait de recevoir un choc terrible.

– Pourquoi jouez-vous cela ? aboya-t-il.

Paniquée, Tasia eut du mal à retrouver sa voix.

– Je suis désolée si je vous ai contrarié...

Elle se leva à la hâte et contourna la banquette comme pour se protéger.

– Je ne toucherai plus à ce piano. Je voulais simplement m'exercer un peu...

– Pourquoi cet air-là ?

– Monsieur ? demanda-t-elle, complètement désorientée.

S'il était tellement bouleversé par ce morceau, c'était sans doute qu'il revêtait une signification particulière pour lui. Elle comprit soudain, et les battements de son cœur s'apaisèrent.

– Oh, murmura-t-elle, c'était son préféré, n'est-ce pas ?

Elle ne cita pas le nom de lady Stokehurst, c'était inutile. Il pâlit sous son hâle, et elle sut qu'elle ne s'était pas trompée.

Les yeux bleus lancèrent un éclair inquiétant.

– Qui vous l'a dit ?

– Personne.

50

– Alors, c'était une simple coïncidence ? Vous vous êtes installée au piano et vous avez joué le seul morceau que...

Il s'interrompit, les mâchoires crispées. Tasia recula d'un pas.

– Je... j'ignore pourquoi j'ai choisi celui-là, balbutia-t-elle. Je... je le sentais, c'est tout.

– Vous le sentiez ?

– D... dans le piano.

Silence. Stokehurst la fixait, comme partagé entre la fureur et l'étonnement. Tasia avait envie de ravaler ses paroles, ou de s'expliquer davantage, n'importe quoi pour briser cette insupportable tension. Pourtant elle demeurait paralysée, sachant que tout ce qu'elle dirait ou ferait aggraverait encore la situation.

Enfin Stokehurst s'éloigna en grondant un juron entre ses dents.

– Je suis désolée, répéta Tasia qui continuait à fixer le seuil où il avait disparu.

Soudain elle s'aperçut que la scène avait eu un témoin. Dans sa rage, Stokehurst n'avait pas remarqué sa fille, cachée juste derrière la porte. On ne voyait qu'un de ses yeux, par la fente du chambranle.

– Emma ? souffla Tasia.

L'adolescente disparut, silencieuse comme un chat.

Lentement, Tasia se remit au piano, revoyant le visage de Stokehurst lorsqu'elle avait ouvert les yeux. Il la contemplait avec une sorte de fascination douloureuse. Quels souvenirs cette musique éveillait-elle en lui ? Sans doute peu de gens lui avaient-ils vu cette expression. Le marquis était un homme qui se glorifiait de son sang-froid. Il s'était sans doute convaincu, et avait convaincu les autres, que la vie continuait pour lui, mais intérieurement il souffrait comme un damné.

C'était bien différent de la réaction de la mère de Tasia à la mort de son époux. « Tu sais que ton cher papa aurait voulu me voir heureuse, avait dit Maria à sa fille. Il est au Ciel, maintenant, et moi je suis encore en vie. Garde toujours le souvenir des disparus mais ne t'y arrête pas. Ton papa ne se formaliserait pas que je rencontre des messieurs, et tu ne dois pas t'en soucier non plus. Comprends-tu, Tasia ? »

Tasia n'avait pas compris. Elle en avait voulu à sa mère d'oublier si vite Ivan. A présent, elle commençait à regretter d'avoir formulé sur le comportement de Maria des jugements sans appel. Peut-être aurait-elle dû porter plus longtemps le deuil, peut-être était-elle égoïste et superficielle, peut-être fréquentait-elle trop de messieurs... Mais au moins elle n'avait pas de blessure cachée, pas de plaie qui s'infectait. Mieux valait vivre pleinement que d'être hanté par le souvenir de ce que l'on avait perdu à jamais.

Luke ne savait pas où il allait, pourtant il se retrouva dans sa chambre.

Le lit massif aux draperies de soie ivoire, dressé sur une estrade rectangulaire, n'avait jamais été utilisé que par lui et sa femme. C'était son territoire sacré, et jamais il n'aurait permis à une autre femme d'y pénétrer. Mary et lui avaient passé leur nuit de noces dans ce lit, ainsi qu'un millier d'autres nuits. Il l'avait tenue dans ses bras quand elle était enceinte, il était resté à ses côtés quand elle avait donné le jour à Emma.

Les notes de la valse lui emplissaient la tête. Avec un grondement proche du gémissement, il s'assit sur le bord de l'estrade et se prit la tête entre les mains comme pour empêcher les souvenirs de faire surface.

Cela avait été difficile, mais il avait fini par accepter la mort de Mary, et il avait quitté le deuil depuis long-temps. Il avait une famille, des amis, une fille qu'il ado-rait, une ravissante maîtresse, une vie trop pleine pour avoir le temps de pleurer sur le passé.

Pourtant, dans les instants de solitude...

Mary et lui étaient amis depuis l'enfance, bien avant qu'ils ne tombent amoureux l'un de l'autre. C'était tou-jours vers elle qu'il s'était tourné quand il voulait parta-ger une joie ou un chagrin, se décharger de sa colère, chercher du réconfort. Lorsqu'elle avait disparu, il avait perdu sa meilleure amie en même temps que son épouse.

Et au fond de son cœur restait une place désespérément vide.

Comme dans un rêve, il la revit assise au piano, ses cheveux brillant dans un rayon de soleil. La valse naissait sous ses doigts...

– N'est-ce pas ravissant ? roucoulait Mary, ses mains dansant sur le clavier. Je progresse, il me semble.

– En effet, répondait-il en souriant, la tête sur ses boucles lumineuses. Mais tu joues cette valse depuis des mois, Mary Elizabeth. N'as-tu pas envie d'en jouer une autre ? Juste pour le plaisir de changer ?

– Pas avant d'interpréter celle-ci à la perfection.

– Notre bébé lui-même la connaît par cœur, maintenant, se plaignit Luke. Et je finis par l'entendre dans mon sommeil.

– Pauvre chéri ! répondit-elle gaiement sans cesser de jouer. Tu ne te rends pas compte que tu as bien de la chance d'être torturé par un si joli morceau ?

Luke l'embrassa et murmura :

– Je saurai trouver une torture, moi aussi, pour me venger.

Elle rit.

– Je n'en doute pas, chéri. Mais en attendant, laisse-moi m'exercer. Prends un livre, ou ta pipe, ou encore va tuer quelque malheureuse bête... bref, ce que font les hommes durant leurs heures de loisir.

Il laissa glisser ses mains sur les seins ronds de sa femme.

– En général, ils préfèrent faire l'amour à leurs épouses.

– Comme c'est bourgeois ! protesta-t-elle en se cambrant volontiers contre lui. Tu es censé aller à ton club pour discuter politique, à cette heure-ci. Nous sommes au milieu de l'après-midi.

Il baisa son cou.

– Je veux te voir nue en pleine lumière. Viens au lit avec moi.

Ignorant ses protestations, il l'enleva dans ses bras et elle éclata d'un petit rire surpris.

– Mes exercices...

– Ils attendront.

– Je n'accomplirai peut-être jamais rien d'important dans ma vie, dit-elle, mais après ma mort on pourra dire de moi : « Dieu, elle jouait cette valse à la perfection ! »

Elle regardait par-dessus son épaule le piano abandonné, tandis qu'il la portait vers l'escalier...

Luke eut un sourire doux-amer.

– Tu la jouais à la perfection, Mary, murmura-t-il.

– Monseigneur ?

La voix de son valet de chambre brisa le charme. Luke sursauta et se tourna vers le bureau d'acajou près duquel se tenait Biddle, les bras chargés de chemises blanches amidonnées et de cravates. Petit homme mince d'une quarantaine d'années, Biddle n'était jamais aussi heureux que lorsqu'il mettait de l'ordre.

– Vous m'avez parlé, monsieur ? demanda-t-il.

Luke prit une profonde inspiration, les yeux fixés sur les motifs du tapis. Les échos d'autrefois s'évanouissaient lentement.

– Préparez-moi des vêtements de rechange, Biddle, dit-il d'une voix tranchante. Je passerai la nuit à Londres.

Le valet ne sourcilla pas. C'était une requête à laquelle il avait obéi bien des fois, et tout le monde savait ce que cela signifiait : ce soir, lady Iris Harcourt recevrait une visite.

Tasia était encore assise au piano lorsque Emma revint dans le salon de musique, vêtue d'une robe toute simple d'un bleu qui rappelait celui de ses yeux.

– J'ai pris mon petit déjeuner, dit-elle, docile. Je suis prête pour les leçons.

Tasia acquiesça de la tête.

– Allons choisir quelques livres dans la bibliothèque.

Emma s'approcha du clavier et frappa une touche. La note s'attarda dans l'air.

– Vous jouiez la valse de ma mère. Je me suis toujours demandé ce que c'était.

– Vous ne vous rappelez pas l'avoir entendue la jouer ?

– Non, mais Mrs Knaggs m'a dit qu'elle adorait une

valse tout particulièrement. Papa n'a jamais voulu me dire laquelle c'était.

– Je suis certaine que c'est douloureux pour lui.

– Voudriez-vous me la jouer, miss Billings ?

– Je ne pense pas que lord Stokehurst le permettrait.

– Après son départ, alors. J'ai entendu Biddle – son valet de chambre – dire au cocher que papa allait rendre visite à sa maîtresse, ce soir.

Tasia fut étonnée par la franchise de l'enfant.

– Vous êtes au courant de tout ce qui se passe dans la maison, n'est-ce pas ?

Elle s'était exprimée avec sympathie, et les yeux d'Emma s'embuèrent de larmes.

– Oui, miss Billings.

En souriant, Tasia lui prit la main et la serra bien fort.

– Je jouerai ce morceau pour vous quand il sera parti. Autant de fois que vous le souhaiterez.

Emma renifla, s'essuya les yeux d'un revers de manche.

– Je ne sais pas pourquoi je pleure tout le temps ! Ça contrarie papa.

– Moi, je sais exactement pourquoi, dit Tasia en attirant l'adolescente près d'elle sur la banquette. Parfois, quand on grandit, on a l'impression que nos émotions nous remplissent de l'intérieur et que, quoi que l'on fasse, on ne peut plus les contenir.

– Oui, acquiesça Emma avec un vigoureux hochement de tête. C'est terrible ! Je me sens tellement maladroite !

– Tout le monde se trouve gauche, à votre âge.

– Cela vous est arrivé ? Je ne vous imagine pas en train de pleurer, miss Billings.

– Pourtant... Les années qui ont suivi la mort de mon père, je ne faisais que ça. C'était l'être le plus important au monde, pour moi. Après l'avoir perdu, j'avais l'impression de ne plus avoir personne à qui parler. J'éclatais en sanglots sous le moindre prétexte. Une fois, j'ai pleuré pendant une heure parce que je m'étais cogné le pied.

Tasia sourit.

– Mais cela finit par passer, assura-t-elle. Vous verrez.

– J'espère bien ! Vous... vous étiez très jeune quand votre père est mort, miss Billings ?

– J'avais à peu près votre âge.

– Vous avez eu un crêpe noir ?

– Oui. J'ai porté le deuil pendant un an et un mois.

– Papa n'en veut pas pour moi. Il a même refusé quand ma cousine Letty est morte, parce que cela le rend triste de me voir vêtue de noir.

– Il a raison. C'est très fastidieux d'être en deuil.

Tasia ferma le piano et se leva.

– A la bibliothèque, dit-elle joyeusement. *Le travail nous attend, ma chère demoiselle !* ajouta-t-elle en français.

*
**

Lady Iris se tenait devant la psyché de sa chambre à coucher. Le grand miroir avait été placé à cet endroit pour qu'elle pût s'y voir en pied, mais aussi pour d'autres occasions bien plus intéressantes.

Elle était vêtue ce soir-là d'une robe dorée qui flattait son teint de pêche et ses cheveux roux. Elle avait passé toute la journée à se préparer. Après s'être prélassée dans un bain parfumé, elle s'était soigneusement habillée, avec l'aide de sa femme de chambre, et avait enduré deux heures de séance de fer à friser.

Luke, qui était arrivé à l'élégante demeure d'Iris sans être annoncé, la contemplait, appuyé au chambranle de la porte, un demi-sourire aux lèvres. Iris représentait le genre de femme qu'il avait toujours aimé, une belle rousse pleine d'ardeur et de charme. Sa silhouette voluptueuse était étroitement corsetée, ses longues jambes dissimulées par le drapé de sa jupe, ses seins ronds modestement couverts.

Se sentant tout à coup observée, Iris se retourna d'un bond. Elle haussa les sourcils.

– Chéri ! Tu es si silencieux... je ne t'ai pas entendu arriver. Que fais-tu là ?

– Visite-surprise.

Luke s'approcha lentement d'Iris.

– Bonsoir, murmura-t-il en l'embrassant.

Iris accepta le baiser avec un petit soupir ravi et elle noua les bras autour du cou de son amant.

– Une surprise, en effet. Mais tu le vois, je suis habillée pour sortir.

Elle frissonna quand il lui mordilla légèrement le cou.

– Un dîner, reprit-elle.

– Fais-toi excuser.

– Cela va désorganiser les tables. Et ils m'attendent.

Elle eut un rire de gorge quand Luke défit le premier bouton de sa robe.

– Chéri, non ! Si je promettais de me libérer de bonne heure pour venir te retrouver, cela te conviendrait ?

– Non.

Le second bouton fut libéré.

– Tu n'iras pas du tout.

Iris fronça les sourcils, pourtant sa respiration s'accélérait.

– Tu es l'homme le plus arrogant que je connaisse ! Et tu as une curieuse façon de traiter les obligations mondaines. Je ne dis pas que tu n'as aucun aspect positif, chéri, mais il faut assouplir ton caractère.

Luke glissa la main dans ses cheveux, détruisant l'équilibre savant des boucles.

– Il a fallu des siècles d'éducation pour arriver à un spécimen comme moi. Si tu avais vu les premiers Stokehurst ! Pas de quoi être fier, crois-moi...

– Oh, je te crois, ronronna-t-elle. De parfaits sauvages, j'en suis sûre.

Il la serra dans ses bras, joua doucement avec ses lèvres avant de les prendre passionnément. Iris gémit, toute idée de soirée en ville oubliée.

Elle s'arquait contre lui, avide d'être possédée. Luke était un amant expérimenté et généreux, qui savait la mener au bord de la folie, puis la laisser épuisée et ravie.

– Attends au moins que j'ôte mon corset, souffla-t-elle. La dernière fois, j'ai failli m'évanouir.

Luke sourit dans ses cheveux.

– C'est parce que tu cesses de respirer au moment crucial...

Il finit de déboutonner la robe, qui tomba à terre, puis il tira sur les rubans du jupon et du corset pour dégager le corps sculptural d'Iris dans toute sa splendeur.

– Tu pourrais au moins attendre, en homme bien élevé, dit-elle avec un petit rire. Cela ne se fait pas de déchirer les sous-vêtements d'une femme, espèce de pirate !

– Venge-toi sur les miens, proposa-t-il, diplomate.

– Comme c'est généreux, comme c'est... c'est...

Le reste de sa phrase fut étouffé par les baisers exigeants de Luke.

Quelques heures plus tard, ils gisaient enlacés dans la chambre éclairée seulement par quelques chandeliers, et Luke suivait de la main les courbes somptueuses de ses hanches.

– Chéri, murmura-t-elle en roulant vers lui, j'ai quelque chose à te demander.

– Hmmm ?

Luke, les yeux fermés, continuait à la caresser.

– Pourquoi ne m'épouses-tu pas ?

Luke la regarda, pensif. Durant toutes les années de leur liaison, jamais il n'avait songé à se marier avec Iris. Ils menaient des vies séparées, et n'avaient besoin l'un de l'autre que d'une manière superficielle.

– Tu ne m'aimes pas ? insista-t-elle, câline.

– Bien sûr que si, je t'aime, répondit-il en la regardant dans les yeux. Mais je n'ai pas l'intention d'épouser qui que ce soit, Iris. Tu le sais.

– Nous nous entendons bien. Aucun être au monde ne pourrait nous reprocher cette union, et personne n'en serait surpris.

Luke haussa les épaules, un peu mal à l'aise.

– Est-ce parce que tu n'as pas envie de t'attacher à moi seule ? poursuivait Iris, dressée sur un coude. Je ne t'empêcherais pas d'avoir quelques aventures de temps en temps, si c'est ce que tu souhaites. Je ne te priverais pas de ta liberté.

Surpris, Luke s'assit, se passa la main dans les cheveux.

– La liberté de faire l'amour avec des femmes qui me seraient indifférentes ?

Il eut un sourire forcé.

– Merci bien, mais j'ai déjà donné, et cela ne m'a pas plu. Non, je ne recherche pas ce genre de liberté.

– Dieu ! Tu es vraiment né pour être un époux.

– Celui de Mary, murmura-t-il d'une voix à peine audible.

Iris fronça les sourcils.

– Pourquoi seulement elle ?

Luke demeura silencieux un instant, à chercher soigneusement ses mots.

– Quand elle est partie, j'ai compris... qu'une part de moi s'en était allée pour toujours avec elle. Contrairement à ce que tu crois, je n'ai pas tant à donner à une femme. Je ne ferais pas un bon mari, comme je l'étais pour elle.

– Ta définition du mauvais mari, mon chéri, dépasserait de loin ce dont bien d'autres se contentent. Tu étais si jeune, lorsque tu as perdu ta femme. Comment oses-tu prétendre que tu n'aimeras plus jamais ? Tu as seulement trente-quatre ans, tu pourrais avoir d'autres enfants, une famille...

– J'ai Emma.

– Tu ne penses pas qu'elle aimerait avoir des frères, des sœurs ?

– Non.

– Alors, c'est parfait. Je ne tiens pas non plus à avoir des enfants.

– Iris, reprit Luke gentiment, je n'ai pas l'intention de me marier, ni avec toi, ni avec aucune autre. Je ne demande pas plus que ce que nous partageons déjà. Si cette relation te rend malheureuse, si tu as besoin de plus que je ne puis t'offrir, je le comprendrais. Bien des hommes sauteraient de joie à l'idée de t'épouser, et Dieu sait que je ne voudrais pas me mettre en travers de...

– Non !

Iris eut un petit rire inquiet.

– Je suis sans doute trop exigeante. J'adorerais dormir toutes les nuits avec toi, vivre dans ta maison et que tout le monde sache que je t'appartiens. Mais cela ne veut pas dire que je sois malheureuse de la situation actuelle. Ne te sens pas coupable, tu ne m'as rien promis. Tu t'en es bien gardé ! Si c'est tout ce que je puis obtenir de toi, c'est encore plus que ce qu'aucun autre homme m'a jamais donné.

– C'est faux, marmonna Luke.

Il aurait bien aimé lui offrir ce qu'elle désirait, mais il ne supportait pas l'idée de vivre avec une femme qui l'aimerait sans être payée de retour. Ce serait un mariage fantoche, une parodie du bonheur qu'il avait connu avec Mary.

– C'est vrai ! insistait Iris. Je suis toujours sincère avec toi, Luke.

Il baisa son épaule, en évitant son regard.

– Je sais.

– C'est pourquoi je vais te dire une chose, Luke. Tu t'es interdit de tomber amoureux depuis Mary. Pourtant, un jour cela t'arrivera, tu n'y pourras rien. Et j'espère que je serai l'heureuse élue.

Luke saisit sa main qui s'aventurait le long de son torse, et il embrassa le bout de ses doigts.

– Si j'étais capable d'aimer une seconde fois de cette manière, ce serait toi, Iris. Tu es parfaite.

Elle se fit aguicheuse et s'allongea sur son amant.

– Je vais te faire changer d'avis. Je suis en réalité abominable...

Luke la fit rouler sur le dos en riant et effleura ses lèvres, tentateur.

– Laisse-moi te donner du plaisir...

– Tu m'en donnes toujours.

Elle eut la respiration coupée tandis qu'il la caressait.

– J'ai une idée assez précise...

Ensuite, elle fut trop absorbée par leurs ébats pour achever sa phrase.

Tasia était à Southgate Hall depuis deux semaines, et elle s'était fait sa place dans la confortable routine du domaine. C'était merveilleux de vivre dans un endroit aussi paisible, après les quelques mois traumatisants

qu'elle venait de passer. Elle avait été la cible de soupçons et de condamnations pendant si longtemps qu'elle
était heureuse de pouvoir se fondre dans le décor.

D'autre part, Alicia Ashbourne avait raison, personne
ne remarquait une gouvernante. Les domestiques se
montraient aimables avec elle mais ne tenaient pas vraiment à l'inclure dans leur groupe. Et elle était trop loin –
socialement parlant – derrière lord Stokehurst et ses
aristocratiques invités pour attirer leur attention. Elle
vivait dans un univers intermédiaire.

Non seulement Tasia avait un statut particulier, mais
en outre elle était incapable d'abandonner son extrême
réserve avec quelqu'un d'autre qu'Emma. Peut-être les
quelques mois passés en prison lui avaient-ils donné
l'impression qu'elle était une sorte de hors-la-loi, un être
différent des autres. Il lui était impossible de faire confiance à quiconque, car elle ne se faisait pas confiance à
elle-même. Elle avait peur de ses propres sentiments, et
surtout, elle avait peur de se rappeler ce qu'elle avait fait,
la nuit où Mikhaïl Angelovsky était mort...

Dans ses fréquents cauchemars revenaient des images
de sang, de poignards ; à ses oreilles retentissait la voix
de son cousin. Pire, il lui arrivait, dans la journée,
d'avoir de terrifiants éclairs de mémoire. En une
seconde, elle revoyait le visage de Mikhaïl, ses mains, la
pièce où il avait été tué... Alors, d'un énergique cligne-
ment de paupières, elle chassait cette vision. Mais elle
était nerveuse comme une chatte, car elle ne savait
jamais quand reviendraient la hanter ces images de son
défunt cousin.

Dieu merci, Emma réclamait tout son temps. Il était
bon d'avoir quelqu'un à qui penser, quelqu'un dont les
problèmes et les besoins étaient plus immédiats que les
siens. L'enfant était extrêmement seule, il lui aurait fallu
la compagnie de camarades de son âge, mais il n'y en
avait pas parmi les enfants des propriétaires terriens du
voisinage.

Tasia et Emma passaient six heures par jour à leurs
leçons, qui allaient de la philosophie de Socrate à la
façon d'utiliser une brosse à ongles.

Les prières quotidiennes n'étaient pas oubliées non plus, car l'éducation religieuse d'Emma avait été faite de façon décousue par son père et les domestiques.

La fillette apprenait avec une surprenante rapidité. Elle jouissait d'un don pour les langues et d'une intuition qui ne cessaient d'étonner Tasia. Peu de choses lui échappaient ; sa curiosité effrénée la poussait à épier tout et tout le monde autour d'elle. Elle furetait sans cesse, à l'affût du moindre ragot qu'elle analysait ensuite soigneusement.

C'était tout ce qu'Emma connaissait de l'univers : les quatre-vingts âmes qui passaient leur vie à travailler comme les rouages d'une énorme horloge pour faire fonctionner le domaine. Il y avait quarante employés de maison, tandis que les autres travaillaient aux écuries, dans le parc et au moulin. Deux domestiques étaient occupés à plein temps au seul entretien des vitres.

La plupart des gens servaient chez les Stokehurst depuis des années, et rares étaient ceux qui partaient. Comme Mrs Plunkett l'avait dit à Tasia, le personnel était bien traité, à Southgate Hall.

– Il y a quelque chose qui ne va pas chez Nan ! déclara un jour Emma.

La jeune fille et sa gouvernante étaient installées dans le parc avec une pile de livres et de grands verres de citronnade.

– Avez-vous remarqué son comportement bizarre, ces temps-ci ? reprit-elle. Mrs Knaggs dit que c'est la fièvre du printemps, mais je n'y crois pas. Je suis persuadée qu'elle est amoureuse de Johnny.

– Qui est Johnny ?

– L'un des valets de pied. Le grand avec un nez busqué. Chaque fois qu'elle le voit, Nan disparaît dans un coin avec lui. Parfois ils parlent et ils s'embrassent, mais la plupart du temps, elle pleure. J'espère que je ne tomberai jamais amoureuse. Les gens ont toujours l'air malheureux, quand ils sont amoureux.

– Vous ne devez pas espionner les domestiques, Emma. Tout le monde a droit à sa vie privée.

– Je n'espionne pas ! s'indigna Emma. Je remarque

des choses, c'est tout. Et puis vous n'avez aucune raison de défendre Nan. Tout le monde sait qu'elle est méchante avec vous. C'est elle qui a volé le portrait de la Sainte Vierge dans votre chambre.

– L'icône, rectifia machinalement Tasia. Et il n'y a aucune preuve de sa culpabilité.

Quelques jours auparavant, Tasia s'était aperçue de la disparition de sa Vierge bien-aimée, et elle en avait été infiniment désolée. L'icône avait une valeur sentimentale, pour elle, c'était une partie de son passé. Le voleur ne pouvait savoir à quel point cette perte la désespérait, et il n'y avait aucun moyen de la récupérer. En effet, Tasia avait refusé que Mrs Knaggs entreprît une fouille des quartiers des domestiques.

– Ils m'en voudraient, dit-elle vivement. Je vous en prie, ne les embarrassez pas en cherchant dans leurs chambres. C'était seulement une peinture sur bois, sans grande valeur.

– Mais si, protesta Mrs Knaggs. J'ai bien vu comme vous l'aviez mise en évidence sur votre chaise. C'était important pour vous, ne me dites pas le contraire.

– Je n'ai pas besoin d'images pour me rappeler ma foi. Il me suffit de regarder par la fenêtre et de voir combien tout est beau autour de nous.

– C'est une bonne pensée, ma chère, mais ce problème dépasse vos intérêts personnels. Nous n'avons jamais eu de vol, jusqu'à présent. Si nous ne réagissons pas, cela risque de se reproduire.

– Je ne le crois pas ! déclara fermement Tasia. Je vous en prie, n'éveillez pas de soupçons parmi les serviteurs. Et surtout, n'en parlez pas à lord Stokehurst. Ce n'est pas nécessaire.

Mrs Knaggs avait accepté à contrecœur d'étouffer l'affaire, tout en marmonnant qu'elle aimerait bien aller jeter un coup d'œil sous le matelas de Nan.

La voix d'Emma ramena Tasia à l'instant présent.

– C'est bien fait pour Nan, si elle est malheureuse. C'est une mauvaise fille.

– Nous n'avons pas le droit de juger nos semblables,

dit doucement Tasia. Seul Dieu peut voir à l'intérieur de nos cœurs.

– Vous ne détestez pas Nan ?

– Non, je la plains. C'est terrible d'être malheureux au point de vouloir aussi blesser les autres.

– Sans doute. Mais cela ne me désole pas pour elle. C'est elle qui attire le malheur sur sa tête.

Ce soir-là, après le souper, Tasia en apprit davantage sur la fâcheuse situation de Nan.

Il y avait, à côté de la cuisine, une pièce spéciale où les domestiques de rang supérieur se rassemblaient chaque soir sur l'invitation de Mrs Knaggs. Seymour, Mrs Plunkett et Mr Biddle étaient là, ainsi que l'échanson, le sous-intendant et la première femme de chambre, occupés à grignoter de fines tranches de fromage. Une fille de cuisine apporta du café et des biscuits. Tasia en prit un, silencieuse comme toujours quand les autres bavardaient.

– Des nouvelles de Nan ? demanda la première femme de chambre à Mrs Knaggs. J'ai appris ce qui s'est passé cet après-midi.

Mrs Knaggs fit la grimace.

– Une vraie catastrophe ! Le médecin a prescrit un purgatif et il affirme qu'elle va se remettre. Sa Seigneurie était fort contrariée lorsque je lui en ai parlé. Il veut que je la chasse dès demain et que je la renvoie au village.

– Y a-t-il quelqu'un près d'elle, en ce moment ? demanda Mrs Plunkett.

– Non. On ne peut rien pour elle, sauf attendre que ça passe. En outre, aucune autre fille ne l'apprécie suffisamment pour lui tenir compagnie.

– Et le garçon ? insista Seymour, les sourcils froncés.

L'intendante secoua la tête.

– Il décline toute responsabilité.

Tasia regarda ses compagnons, déconcertée. De quoi parlaient-ils exactement ?

– Quel est le problème de Nan ? demanda-t-elle.

Il était si rare qu'elle se mêlât d'une conversation que les autres la regardèrent, surpris.

– Vous n'êtes pas au courant ? répondit enfin Mrs Knaggs. Non, bien sûr, vous avez passé la journée avec Emma. C'est dégoûtant... Nan a un galant.

Tasia fut troublée par le terme peu courant.

– Un galant ? Vous voulez dire un amant ?

– Exactement, dit Mrs Knaggs en levant les yeux au ciel avant d'ajouter, gênée : Et maintenant, il y a des... conséquences.

– Elle est enceinte ?

Plusieurs sourcils se haussèrent devant ce franc-parler.

– Oui, et elle s'en est cachée. Elle a avalé une poignée de pilules et elle a bu une bouteille d'huile spéciale pour se débarrasser de l'enfant. Elle est tout juste arrivée à se rendre malade, la pauvre sotte. Dieu merci, le bébé n'a rien ! Maintenant, elle va être renvoyée, et elle finira sûrement dans la rue.

Mrs Knaggs secoua la tête, comme si le sujet était trop déplaisant pour que l'on en parlât davantage.

– Au moins, elle ne vous ennuiera plus, miss Billings, dit la première femme de chambre.

Tasia, horrifiée, était pleine de compassion pour la malheureuse.

– Elle est seule ?

– Elle n'a besoin de personne, rétorqua Mrs Knaggs. Le docteur l'a examinée, et je me suis assurée qu'elle prenait bien le médicament qu'il a ordonné. Ne vous tracassez pas, ma chère. Elle avait besoin d'une bonne leçon. C'est sa propre folie qui l'a menée là...

Tasia baissa le nez sur sa tasse de thé tandis que les autres reprenaient la conversation. Au bout de quelques minutes, elle feignit d'étouffer un bâillement.

– Excusez-moi, murmura-t-elle. La journée a été longue. Je crois que je vais aller me coucher.

Tasia n'eut aucun mal à trouver la chambre de Nan, d'où s'échappaient d'horribles bruits de vomissements. Elle frappa tout doucement avant d'entrer.

La pièce était encore plus petite que la sienne, avec une seule fenêtre et des papiers peints d'un gris triste.

Il y régnait une odeur pestilentielle qui saisit Tasia à la gorge.

– Sortez ! siffla Nan, roulée en boule sur le lit, avant de se pencher pour rendre dans une cuvette de fer-blanc.

– Je suis venue voir si je pouvais vous être utile, dit Tasia en se dirigeant vers la fenêtre qu'elle entrouvrit pour laisser entrer un peu d'air pur.

Elle fronça les sourcils en retournant vers le lit où était allongée une Nan au teint verdâtre.

– Partez, gémit-elle. Je vais mourir.

– Sûrement pas !

Tasia alla à la toilette où se trouvait un tas de linges souillés. Elle fouilla dans sa manche à la recherche d'un mouchoir propre qu'elle humecta à l'eau du broc.

– Je vous déteste, grommela faiblement Nan. Allez-vous-en !

– Je vais vous laver le visage, puis je vous laisserai.

– Alors vous pourrez raconter aux autres que vous êtes un sacré ange descendu du Ciel... l'accusa Nan.

De nouveau, elle fut prise de nausée et cracha dans la cuvette. Quand elle se rallongea, des larmes sillonnaient ses joues pâles.

– J'ai l'impression de me vider de mes entrailles.

Tasia s'assit délicatement sur le bord du matelas.

– Ne bougez pas. Vous êtes toute sale.

Nan ricana.

– On se demande pourquoi ! Je rends tripes et boyaux depuis des heures...

Elle se tut en sentant la fraîcheur du mouchoir sur son visage.

Tasia n'avait jamais vu quelqu'un de si malade. Gentiment, elle repoussa les mèches poisseuses du front de la servante.

– Avez-vous quelque chose pour attacher vos cheveux ? demanda-t-elle.

Nan lui désigna une boîte en carton sur la commode. Tasia y trouva un peigne, quelques vieux rubans, et entreprit de démêler la chevelure de Nan qu'elle parvint tant bien que mal à rassembler sur sa nuque.

– Voilà, murmura-t-elle. Ça ne vous gênera plus.

– Pourquoi êtes-vous venue ? demanda Nan d'une voix éraillée en la fixant de ses yeux rouges et bouffis.

– Je ne trouvais pas bien que vous restiez seule.

– Vous êtes au courant de... tout ? insista Nan avec un petit geste vers son ventre.

Tasia acquiesça.

– Il ne faut plus prendre aucun médicament, Nan. Plus de pilules, ni de remontants. Vous pourriez faire du mal au bébé.

– C'était bien ce que je souhaitais. J'ai envisagé de me jeter du haut d'un escalier, de sauter du pigeonnier... N'importe quoi pour m'en débarrasser.

Elle frissonna.

– Restez encore un peu, s'il vous plaît. Je ne mourrai pas, si vous êtes là.

– Bien sûr que non, vous ne mourrez pas, promit Tasia en lui caressant les cheveux. Tout ira bien, vous verrez.

Nan fondit en larmes.

– Vous ressemblez à un ange, chuchota-t-elle, malheureuse. Comment pouvez-vous avoir un visage aussi doux ? On dirait la petite image de bois que je vous ai prise. Vous savez...

Tasia la fit taire.

– Chut ! Ce n'est pas grave.

– J'ai cru qu'elle me rendrait sereine, comme vous. Mais ça n'a pas marché, avec moi...

– Tout va bien. Ne pleurez plus.

Nan s'accrochait à la jupe de Tasia comme à une bouée de sauvetage.

– Je ne veux pas vivre si Johnny me quitte. Il dit que c'est ma faute, pas la sienne. Je vais être renvoyée. Mes parents sont pauvres, ils me prendront pas, surtout avec un bâtard sur les bras. Mais je suis pas une mauvaise fille, miss Billings. Je l'aime.

– Je comprends. Ne vous agitez pas, Nan. Restez tranquille.

– Pourquoi ? demanda Nan, amère, en reposant la tête sur l'oreiller.

– Vous allez avoir besoin de toutes vos forces.

– Je n'ai ni argent, ni travail, ni mari...

– Vous aurez un peu d'argent, lord Stokehurst y veillera.

Il ne me doit pas un shilling...

– Tout s'arrangera, promit fermement Tasia. Je m'y engage.

Elle se leva, un sourire rassurant aux lèvres.

– Je vais m'occuper de faire changer vos draps, qui en ont bien besoin. Je reviens dans quelques minutes.

– Très bien, murmura la servante.

Tasia alla trouver Mrs Knaggs qui donnait des instructions à une fille de cuisine.

– Vous avez rendu visite à Nan, dit l'intendante dès qu'elle vit le visage de la jeune fille. J'en étais sûre.

– Elle est très malade, répondit gravement Tasia.

– Il est inutile de se donner du mal pour elle, de toute façon, elle sera bientôt morte.

Tasia fut étonnée par la réaction de Mrs Knaggs.

– Je ne vois pas pourquoi on n'essaierait pas de soulager ses souffrances, madame. Voudriez-vous demander à une servante de m'aider à porter des draps propres et à changer son lit ?

Mrs Knaggs secoua la tête.

– J'ai prié les autres de ne surtout pas s'occuper d'elle.

– Ce n'est pas une lépreuse ! Elle est seulement enceinte...

– Je refuse d'exposer les autres à son influence de fille perdue.

Tasia eut envie de lancer une réponse sarcastique, mais elle se mordit la langue et reprit, prudente :

– Le Deuxième Commandement, Mrs Knaggs, ne dit-il pas : « Tu aimeras ton prochain comme toi-même » ? Et quand les pharisiens ont amené la femme adultère devant Notre-Seigneur, pour lui demander si elle devait être lapidée, n'a-t-Il pas répondu...

– Je sais : « ... Que celui qui n'a jamais péché lui jette la première pierre. » Je connais ma Bible, comme tout le monde.

– Alors vous n'ignorez pas non plus ce verset : « Bienheureux les miséricordieux, car ils obtiendront la miséricorde... »

– Vous avez tout à fait raison, miss Billings, se hâta de déclarer l'intendante, qui sentait venir un interminable sermon. Je vais envoyer une servante avec des draps propres et de l'eau fraîche.

Tasia sourit.

– Merci, madame. Encore une chose... Sauriez-vous par hasard si lord Stokehurst rentre, ce soir ?

– Il passe la nuit à Londres, répondit Mrs Knaggs d'un air entendu. Vous voyez ce que je veux dire...

– Parfaitement.

Tasia ressentait toute l'amère ironie de la situation. Les incartades d'un homme étaient accueillies avec un clin d'œil complice, voire encouragées. Même Johnny, le valet de pied, n'était pas tenu pour responsable de l'existence du bébé. Nan seule aurait à en payer le prix.

Mrs Knaggs la regardait, intriguée.

– Vous vouliez lui parler d'un sujet particulier ? demanda-t-elle.

– Cela peut attendre demain.

– J'espère que vous n'avez pas l'intention de l'entretenir de l'état de Nan. Notre maître a déjà pris sa décision, or personne ne discute ses ordres. Vous ne seriez pas assez sotte pour risquer de lui déplaire en abordant ce sujet.

– Certes non. Merci beaucoup, Mrs Knaggs.

*
**

Luke rentra de Londres trop tard pour sa promenade quotidienne avec Emma, et il se rendit directement à la bibliothèque pour travailler.

La gestion de ses trois domaines lui demandait une correspondance sans fin avec des gérants, des régisseurs, des hommes de loi. Entre deux lettres, il se plongeait dans les livres de comptes et des piles de quittances.

L'atmosphère studieuse était encore soulignée par le tic-tac régulier de la pendule, sur la cheminée. Luke était si absorbé qu'il entendit à peine le léger coup à la porte. Cependant on frappa de nouveau, plus fort.

– Entrez, dit-il sans cesser d'écrire. Je suis occupé, marmonna-t-il. Sauf en cas d'extrême urgence, je ne veux pas être dér...

Il s'interrompit net quand, en levant les yeux, il découvrit miss Billings devant lui.

Jusqu'à présent, leurs rencontres avaient toujours été brèves et impersonnelles : ils se croisaient par hasard dans le hall, ou échangeaient quelques mots au sujet d'Emma. Luke avait remarqué que la gouvernante s'efforçait de l'éviter, qu'elle n'aimait pas se trouver dans la même pièce que lui. Jamais il n'avait connu une femme aussi froide à son égard, aussi... indifférente.

Comme toujours, son petit visage était pâle, tendu. Elle était menue, avec la taille si fine qu'il aurait pu en faire le tour avec ses mains. Lorsqu'elle bougea la tête, un rayon de soleil éclaira de reflets dorés sa chevelure d'ébène. Elle le fixait de ses longs yeux exotiques, avec l'air d'un chaton mal nourri.

Après s'être réveillé aux côtés de la voluptueuse Iris Harcourt au teint de pêche, Luke fut presque choqué par la différence entre les deux femmes.

Il ne comprenait pas pourquoi Emma aimait tant sa gouvernante, pourtant sa fille semblait plus heureuse qu'elle ne l'avait été depuis des mois, et il craignait qu'elle ne s'attachât trop à elle. En effet, miss Billings ne tarderait pas à s'en aller ; le mois était presque écoulé, et Emma devrait bien s'habituer à quelqu'un d'autre. Quelle que fût sa réussite avec l'adolescente, miss Billings ne resterait pas. Elle n'inspirait pas confiance à Luke. Rusée, mystérieuse, hautaine... elle possédait toutes les caractéristiques d'un chat. Or, Luke détestait les chats.

– Que voulez-vous ? demanda-t-il sèchement.

– J'aimerais, monsieur, vous entretenir d'un problème concernant l'une des domestiques, Nan Pitfield.

Luke plissa les yeux. Il ne s'attendait absolument pas à ça.

– Celle qui a été renvoyée...

– Oui, monseigneur.

Une légère rougeur monta aux joues de la jeune fille.

– Tout le monde sait pourquoi elle est obligée de partir. Le jeune homme dont elle porte l'enfant – l'un de vos valets de pied, si j'ai bien compris – décline toute responsabilité. Je suis venue vous demander de donner un peu d'argent à cette jeune femme, pour l'aider à subsister jusqu'à ce qu'elle puisse travailler de nouveau. Sa famille n'a guère de ressources. Il lui sera difficile de trouver une situation.

– Miss Billings, coupa-t-il, Nan aurait dû y songer avant de se lancer dans une aventure clandestine.

– Cela ne vous coûterait pas très cher, insista la gouvernante. Quelques livres, pour vous...

– Je n'ai pas l'intention de récompenser une servante qui n'a pas rempli correctement sa fonction.

– Nan travaille dur, monseigneur...

– Ma décision est prise. Vous feriez mieux de vous occuper de ce pour quoi vous êtes payée, miss Billings, c'est-à-dire l'éducation de ma fille.

– Et quel genre d'éducation lui donnez-vous, monsieur ? Que peut-elle penser de votre attitude ? Vous agissez sans la moindre compassion, sans la moindre pitié. Vos domestiques devraient-ils être punis pour céder à des pulsions humaines ordinaires ? Je n'approuve pas la conduite de Nan, mais je ne la blâme pas non plus d'avoir cherché quelque bonheur. Elle était seule, elle a succombé au charme d'un jeune homme qui prétendait l'aimer. Doit-elle en pâtir pour le reste de ses jours ?

– Ça suffit, dit Luke d'une voix dangereusement douce.

– Vous ne vous souciez pas de vos domestiques, poursuivait Tasia, téméraire. Oh, vous leur donnez du beurre et des chandelles... C'est un modeste prix à payer pour que tout le monde loue la générosité du maître du manoir. Mais quand il s'agit de les aider réellement, de s'occuper personnellement d'eux, vous refusez toute responsabilité. Vous allez jeter Nan dehors et oublier jusqu'à son existence, qu'elle meure de faim ou qu'elle soit obligée de se prostituer pour survivre...

– Sortez.

Luke bondit sur ses pieds, ses doigts métalliques rayant la surface bien polie du bureau ancien.

La gouvernante ne bougea pas.

– Votre vie est-elle si irréprochable que vous vous arrogiez le droit de la juger ? Si je ne me trompe, vous rentrez à l'instant de chez votre maîtresse !

– Vous risquez bien d'être chassée en même temps que Nan !

– Je m'en moque, riposta Tasia avec passion. Je préférerais arpenter les trottoirs moi-même plutôt que vivre sous le toit d'un homme si dénué de cœur... d'un hypocrite !

Luke perdit soudain patience. Il contourna vivement son bureau et empoigna Tasia par son corsage. Elle eut un petit cri apeuré tandis qu'il la secouait, comme un chien qui aurait attrapé un rat.

– Par le diable, j'ignore ce que vous étiez avant de venir ici, gronda-t-il, mais vous êtes une employée, maintenant. *Mon* employée. Vous me devez une obéissance sans restriction. On ne discute pas mes ordres. Si vous me défiez de nouveau...

Luke s'interrompit, trop en colère pour continuer.

Tasia soutenait son regard, malgré la terreur qui se lisait dans ses yeux. Il sentait son souffle contre son menton, et ses petites mains essayaient en vain de le repousser. Le mot « non » se forma en silence sur les lèvres pleines.

Luke sentit le besoin de la dominer. Dans son sang montait un désir mâle et primitif. Elle était si petite, si frêle entre ses mains. Il la déséquilibrait, l'obligeant à s'appuyer sur lui, et il sentait son parfum, mélange de savon et de pétales de roses. Il ne put s'empêcher de pencher un peu la tête pour le savourer, et tout son corps en fut embrasé.

Il avait envie de la renverser sur le bureau, de retrousser ses jupes, de la prendre immédiatement. Il voulait la tenir écartelée sous lui, la sentir se cambrer vers lui pour mieux l'accueillir en elle... Il pensa à ses jambes fines nouées autour de ses reins... et il ferma les yeux.

– Je vous en prie... murmura-t-elle.

Il la sentit avaler sa salive.

Brusquement, il la lâcha et se détourna, gêné par le désir violent qui s'était emparé de lui.

– Sortez ! ordonna-t-il.

Il perçut le murmure de ses jupes tandis qu'elle s'enfuyait, l'entendit tourner maladroitement la poignée de la porte avant que le battant ne se referme brutalement derrière elle.

Luke se laissa tomber dans son fauteuil et s'essuya le front d'un revers de manche.

– Dieu ! marmonna-t-il.

Quelques minutes auparavant, tout était normal, et soudain son univers venait d'exploser.

Du bout du doigt, il suivit la rayure toute fraîche dans le bois du bureau.

Pourquoi miss Billings avait-elle pris la peine de plaider la cause d'une servante renvoyée ? Pourquoi l'avait-elle défié, au risque de perdre sa situation ?

Déconcerté, il s'appuya au dossier de son siège. Il voulait la comprendre, et cette curiosité qu'il avait d'elle le contrariait.

– Qui es-tu ? murmura-t-il. Bon sang, je vais bien finir par le découvrir !

Tasia courut jusqu'à sa chambre. Elle ferma précipitamment la porte et s'y adossa, haletante, étourdie par sa folle course dans l'escalier.

Elle allait être chassée, c'était certain. Elle s'était conduite comme une sotte, et elle méritait ce qui lui arrivait. De quel droit avait-elle adressé au maître du château une semonce sur son comportement ? C'était absurde, d'autant plus qu'elle ne s'était jamais donné la peine de défendre la cause de ses propres domestiques... C'était elle qui méritait le qualificatif d'hypocrite, finalement.

– Tout semble tellement différent lorsqu'on fait partie des serviteurs, dit-elle à haute voix en grimaçant un sourire.

Elle se regarda dans le miroir pour remettre nerveusement de l'ordre dans sa chevelure. Elle devait se calmer. C'était bientôt l'heure des leçons d'Emma... si lord Stokehurst ne la renvoyait pas à l'instant même où elle ferait son apparition.

Mais d'abord, elle avait une tâche à accomplir.

Elle ouvrit son armoire et, derrière ses sous-vêtements, elle saisit le mouchoir noué où elle cachait la lourde bague de son père.

– Merci, papa, murmura-t-elle. Je vais en faire bon usage.

Dès qu'elle eut franchi le seuil de la chambre, Tasia vit que Nan, vêtue de pied en cap, avait nettement meilleure mine que la veille.

– Miss Billings ! s'écria la servante, surprise.

– Comment allez-vous, ce matin ?

Nan haussa les épaules.

– Plutôt bien. Pourtant, j'ai l'impression que je ne pourrais pas avaler une goutte de thé. Et je suis assez faible.

Elle eut un geste vers une vieille malle d'osier.

– J'ai presque fini mes bagages.

– Le bébé ?

Nan baissa les yeux.

– Il se porte bien, il me semble.

– Je suis venue vous dire au revoir, déclara Tasia dans un sourire.

– C'est très gentil à vous, miss.

Un peu penaude, Nan souleva un coin de son matelas et en sortit l'icône.

– Voilà.

Religieusement, elle suivit du doigt le pur visage de la Madone.

– C'est à vous. Je regrette de vous l'avoir volée, miss Billings. Vous êtes la bonté même, alors que vous devriez me détester...

Tasia prit l'image sacrée en s'efforçant de dissimuler sa joie.

– Je voulais vous donner quelque chose, dit-elle en

tendant le mouchoir à Nan. Vous pourrez la vendre et garder l'argent...

Curieuse, Nan déplia le tissu, et ses yeux s'écarquillèrent devant la lourde bague d'or.

– Oh, miss Billings, ce n'est pas possible !

Elle essaya de la lui rendre, mais Tasia refusa catégoriquement.

– Vous en aurez besoin, pour vous et le bébé.

Nan hésitait.

– Où l'avez-vous eue ?

Tasia rit de bon cœur.

– Ne vous inquiétez pas, je ne l'ai pas chapardée. Cet anneau appartenait à mon père. Je sais qu'il m'approuverait. Je vous en prie, acceptez-le.

Nan referma la main sur le bijou et se mit à renifler.

– Pourquoi faites-vous ça, miss Billings ?

La réponse à cette question était bien délicate. Tasia n'avait pas les moyens de se montrer généreuse, pourtant elle était heureuse d'aider Nan. Pendant quelques minutes au moins, quelqu'un la regardait avec reconnaissance... et elle se sentait forte, utile. Et puis, il y avait l'enfant. Tasia détestait l'idée qu'une petite vie vînt au monde dans d'aussi désastreuses conditions : pas de père, pas de nourriture, pas de foyer... Un peu d'argent ne résoudrait pas tout, mais au moins cela donnerait-il quelque espoir à Nan.

Tasia s'aperçut que la jeune fille la fixait toujours, intriguée.

– Je me suis trouvée, moi aussi, seule dans une situation pénible.

Nan baissa les yeux sur son ventre.

– Vous voulez dire que vous...

– Ce n'était pas ce genre d'ennui, dit Tasia avec un petit rire contraint. Mais d'une certaine manière, c'était aussi grave.

La bague bien serrée dans sa main, Nan vint impulsivement prendre Tasia dans ses bras.

– Si c'est un garçon, je l'appellerai Billings !

– Ô mon Dieu ! gémit Tasia, une étincelle amusée dans les yeux. Je vous conseille plutôt Billy !

– Et une fille, Karen. C'est bien votre prénom, je crois.

Tasia sourit.

– Appelez-la Anna, dit-elle doucement. Ça sera très bien.

Emma se montra distraite durant les leçons du matin, répondant à demi aux questions de Tasia.

Etendu à leurs pieds, Samson se tenait tranquille, comme s'il avait compris qu'il valait mieux ce jour-là rester à l'écart des intendantes hostiles et des pères irritables.

De temps en temps, Emma caressait son ventre tout blanc du bout du pied, et il tournait vers elle sa bonne tête de chien heureux, la langue pendante sur le côté de sa gueule.

– Miss Billings ? demanda soudain Emma en s'interrompant au beau milieu d'un paragraphe sur la stratégie militaire des Romains, Nan va avoir un bébé, n'est-ce pas ?

Stupéfaite, Tasia se demanda comment l'adolescente pouvait déjà être au courant.

– Ce n'est pas un sujet de discussion convenable, Emma.

– Pourquoi est-ce que personne ne veut m'expliquer ? N'est-il pas plus important que j'apprenne la véritable vie plutôt que ces vieilles histoires ?

– Quand vous serez plus grande, sans doute quelqu'un vous parlera-t-il de tous ces problèmes, mais en attendant...

– Ça arrive quand un homme et une femme dorment dans le même lit, non ?

Les yeux d'Emma brillaient de curiosité.

– C'est ce qui s'est passé... reprit-elle devant le silence de sa gouvernante. Nan et Johnny ont dormi ensemble, et maintenant, il va y avoir un bébé. Pourquoi Nan a-t-elle pris un homme dans son lit, si elle savait qu'un bébé naîtrait ensuite ?

– Vous ne devez pas me poser de telles questions, Emma, dit doucement Tasia. Ce n'est pas mon rôle de vous informer à ce sujet. Je n'ai pas l'autorisation de votre père...

– Mais alors, comment l'apprendrai-je ? Est-ce un terrible secret que seules les grandes personnes sont capables de comprendre ?

– Ce n'est pas terrible, dit Tasia, les sourcils froncés. Seulement... C'est très personnel. Il y a certainement une femme à qui vous faites confiance, que vous aimez – votre grand-mère, par exemple –, pour répondre à vos interrogations.

– J'ai confiance en vous, miss Billings. Et je suis très angoissée quand je pense aux choses que je ne connais pas. Lorsque j'avais huit ans, ma tante m'a vue embrasser un petit garçon du village, et elle était furieuse. Elle m'a dit qu'on pouvait avoir un bébé à cause de ça. Est-ce vrai ?

Tasia n'hésita qu'un instant.

– Non, Emma.

– Pourquoi m'a-t-elle menti ? Est-ce mal d'embrasser un garçon ?

– Elle vous trouvait sûrement trop jeune pour entendre la vérité. Non, ce n'était pas mal. Vous étiez curieuse, voilà tout.

– Et si j'embrassais un garçon maintenant, ce serait mal ?

– Eh bien, pas exactement, mais...

Tasia eut un petit sourire gêné.

– Vous devriez dire à votre père que vous aimeriez parler de... certains problèmes avec une femme, Emma. Il trouvera quelqu'un qui convienne. A mon avis, il ne souhaiterait pas qu'il s'agisse de moi.

– Parce que vous vous êtes disputée ce matin avec lui au sujet de Nan...

Emma jouait avec une boucle de cheveux roux en évitant le regard de sa gouvernante.

– Vous écoutez aux portes, Emma ? demanda Tasia, sévère.

– Tout le monde en parlait dans la maison. Personne ne discute *jamais* avec papa. Les domestiques en sont stupéfaits. Ils vous trouvent courageuse et folle. Ils disent que vous allez sûrement être chassée. Mais soyez tranquille, miss Billings. Je ne laisserai pas papa vous renvoyer.

Tasia sourit, touchée par la candide assurance de l'adolescente. C'était vraiment une enfant charmante. Il serait si facile de se laisser aller à l'aimer...

— Merci, Emma, mais vous et moi devons nous plier aux décisions de votre père, quelles qu'elles soient. J'ai commis une grave erreur, tout à l'heure, en essayant de lui imposer mes opinions. Je me suis montrée grossière et ingrate. Si lord Stokehurst décide de me congédier, je l'aurai bien mérité.

Emma grogna, soudain fort semblable à son père, et elle tapa du pied.

— Papa vous gardera ici si je le veux ! Il se sent coupable parce que je n'ai pas de mère, et grand-maman dit que c'est pour ça qu'il m'a toujours gâtée. Elle aimerait qu'il épouse lady Harcourt, mais pas moi.

— Pourquoi ?

— Lady Harcourt souhaitera éloigner papa de moi, afin de l'avoir pour elle toute seule.

Tasia ne répondit pas. Elle commençait à comprendre l'attachement qui liait le père et la fille, scellé par la perte de la femme qu'ils avaient tous deux aimée et qui laissait une plaie béante en eux.

On avait l'impression qu'ils se servaient l'un de l'autre comme excuse pour éviter d'aller vers les gens, de risquer d'avoir de nouveau le cœur brisé. Il vaudrait sans doute mieux qu'Emma grandisse dans un collège où elle se ferait des amies de son âge, où elle trouverait des exutoires à son trop-plein d'énergie, plutôt que de passer ses journées dans un manoir de campagne à épier les domestiques.

— Nous devrions terminer ce chapitre et aller nous promener, dit enfin Tasia. L'air frais nous éclaircira les idées.

— Vous ne m'expliquerez rien au sujet de Nan, soupira Emma, résignée, avant de reporter sagement son attention sur le livre d'histoire.

Lord Stokehurst ne se manifesta pas de toute la journée.

Il resta dans la bibliothèque et reçut de nombreux villageois et paysans.

– Les techniques agricoles, répondit Seymour lorsque Tasia lui demanda de quoi étaient venus parler les visiteurs. Le maître réalise des améliorations sur son domaine, afin de s'assurer que les fermiers travaillent la terre aussi efficacement que possible. Certains ont encore des pratiques médiévales. Le maître les tient au courant des méthodes modernes et leur donne en même temps l'opportunité de régler leurs différends éventuels avec les régisseurs.

– C'est très généreux de sa part, murmura Tasia.

En Russie, les propriétaires terriens étaient bien loin des affaires de leurs domaines. Ils employaient des gérants pour s'épargner les corvées et les soucis. Jamais Tasia n'avait entendu parler de paysans qui recevaient conseils et aide de la part de leur châtelain.

– C'est de bonne politique, fit remarquer Seymour. Plus Sa Seigneurie investit sur ses terres, plus elles deviennent profitables pour tous.

Le raisonnement ne manquait certes pas de logique.

– Et il est admirable que Sa Seigneurie ne soit pas trop fière pour s'adresser directement aux paysans... Dans le pays d'où je viens, un homme de sa position sociale ne communique avec eux que par l'intermédiaire d'un régisseur.

Une lueur d'amusement passa dans les yeux du majordome.

– En Angleterre, ils n'aiment guère être traités de paysans. Mieux vaut dire fermiers.

– Fermiers, répéta-t-elle, docile. Merci, monsieur Seymour.

L'homme la gratifia de l'un de ses rares sourires avant de s'éloigner sur un signe de tête.

Le soir approchait, et lord Stokehurst n'avait toujours pas donné signe de vie. Sans doute faisait-il délibérément attendre Tasia, pour qu'elle eût bien le temps de s'interroger sur la date de son renvoi.

Pour la première fois depuis son arrivée, elle soupa seule dans sa chambre, afin d'éviter les questions et les regards curieux des autres employés. Elle mangea lentement, tendue, les yeux perdus sur le ciel qui s'assombrissait.

Elle serait bientôt chassée de Southgate Hall, et il lui fallait songer à l'avenir. L'idée de retourner chez Charles et Alicia était assez vexante, mais peut-être ne seraient-ils pas étonnés qu'elle eût échoué dans son premier poste. Les Kapterev n'avaient jamais été réputés pour leur humilité ! En silence, Tasia se promit de tenir sa langue avec son prochain employeur.

Un coup impérieux fit trembler sa porte sur ses gonds.

– Miss Billings ! Miss Billings !

– Nan ? demanda Tasia, surprise d'entendre la voix de la jeune servante. Entrez.

La femme de chambre fit irruption dans la pièce, les yeux brillants, les joues roses, transfigurée.

– On m'a dit en bas que vous étiez là, miss Billings. Il fallait que je vienne vous voir tout de suite...

Elle s'interrompit un instant pour reprendre son souffle.

– Je vous croyais partie, Nan. Vous avez dû monter l'escalier en courant, ce n'est pas bon pour vous...

– C'est vrai, mais je voulais vous dire...

Nan éclata d'un rire joyeux.

– Je me marie ! lança-t-elle tout à trac.

Tasia ouvrit de grands yeux.

– Vous vous mariez ? Mais avec qui ?

– Johnny ! Il a fait sa demande il y a pas dix minutes, et il a imploré mon pardon pour tout. Il a promis qu'il serait un aussi bon mari qu'il en serait capable, et je lui ai répondu que ça me suffisait ! Maintenant, mon bébé va avoir un nom, et moi un vrai époux !

Nan, les bras serrés autour d'elle, sautait d'excitation.

– Mais comment ? Pourquoi ?

– Johnny a eu une conversation cet après-midi avec lord Stokehurst.

– Lord Stokehurst ? répéta Tasia, stupéfaite.

– Le maître a dit comme ça à Johnny qu'aucun

homme sain d'esprit avait envie de se marier, mais qu'il fallait quand même bien en passer par là un jour ou l'autre, et qu'un vrai homme devait assumer ses actions, et que si Johnny avait mis une fille enceinte, il devait leur donner son nom, à elle et à l'enfant. Même que Sa Seigneurie nous a donné de l'argent pour démarrer dans la vie. On vá louer un lopin de terre près du village. C'est pas merveilleux ? Comment les choses peuvent-elles changer si vite ?

– Je l'ignore, répondit Tasia en souriant. C'est splendide, je suis ravie pour vous, Nan.

– Je suis venue vous rendre ça.

La servante mit le mouchoir avec la bague dans la main de Tasia.

– J'en ai pas parlé à Johnny – il aurait été capable de me dire de la garder. Mais vous en avez besoin, miss Billings. Votre bonté vous perdra...

– Vous êtes sûre de ne pas vouloir la vendre ?

– Tout ira bien, maintenant, pour le bébé et pour moi. Reprenez-la, miss Billings, s'il vous plaît.

Tasia referma la main sur l'anneau de son père et serra Nan dans ses bras.

– Que Dieu vous bénisse ! murmura-t-elle.

– Vous aussi, miss Billings.

Comme Nan quittait la chambre, Tasia s'assit au bord de son lit, l'esprit en ébullition. Elle était sidérée par le geste de lord Stokehurst. Elle ne l'aurait jamais cru capable de changer si vite d'opinion. Qu'est-ce qui l'y avait poussé ? Pourquoi avait-il pris la peine de décider Johnny à épouser Nan, ajoutant même une petite dot ? Elle avait beau retourner le problème dans sa tête, elle ne trouvait pas la réponse.

Il se faisait tard, pourtant Tasia savait qu'elle serait incapable de trouver le sommeil, avec toutes ces questions qui la tracassaient. En soupirant, elle posa son plateau dans le couloir et décida de descendre à la bibliothèque chercher un gros livre bien ennuyeux pour s'endormir. C'était vraiment ce dont elle avait besoin.

Silencieuse, elle emprunta l'escalier de service, avant de traverser le grand hall comme une ombre. La maisonnée s'était retirée pour la soirée, selon une routine immuable.

Toute la vaisselle était rangée, les ustensiles nécessaires le lendemain à Mrs Plunkett étaient préparés, Biddle avait ciré les bottes et les souliers de son maître. Mrs Knaggs était sans doute installée près de sa corbeille de raccommodage, et il n'y avait presque plus de lumière au long des couloirs.

Dans la bibliothèque, Tasia alluma une lampe et monta la flamme, faisant briller les dos reliés des nombreux volumes qui tapissaient les murs. Tasia adorait l'odeur des livres, mêlée à celle du tabac et du cognac qui s'attardaient dans l'air. L'endroit était une sorte de sanctuaire masculin, utilisé pour des discussions d'affaires ou de politique, ou pour des problèmes d'intérêt hautement privé. Elle était imprégnée d'intimité, d'histoire familiale.

Elle erra d'une étagère à l'autre, à la recherche d'un ouvrage qui lui donnerait envie de dormir... Elle sélectionna quelques volumes.

– *Les Différents Aspects du progressisme,* lut-elle à haute voix en plissant le nez. *Révolution et réformes de l'Europe moderne. Les Prodiges de l'expansionnisme britannique.* Mon Dieu, n'importe lequel de ceux-là devrait faire l'affaire...

Une voix moqueuse, sortie de l'ombre, la fit sursauter :
– Vous êtes venue pour le deuxième round ?

3

La pile de livres tomba des mains de Tasia. Retenant son souffle, elle se tourna en direction de la voix.

– *Oh*...

Lord Stokehurst se leva d'un vaste fauteuil près de la cheminée, où il s'était tenu dans l'ombre, un cognac à la main. Nonchalant, il posa le verre sur un guéridon de bronze avant de s'approcher de la jeune fille.

Le cœur de Tasia battait la chamade.

– Pou... pourquoi ne vous êtes-vous pas manifesté ?

– Je viens de le faire.

Stokehurst semblait avoir passé toute la journée à son bureau. Son col dur, défait, était taché d'encre, sa chemise déboutonnée en haut laissait voir un triangle de peau hâlée à la base de sa gorge, et quelques mèches de cheveux tombaient sur son front, adoucissant ses traits austères.

Les yeux d'un bleu profond étaient chargés d'une intense curiosité qui fit frissonner Tasia. Elle ne put s'empêcher de penser à l'instant qu'elle avait essayé de chasser de son esprit toute la journée... Le moment, durant leur altercation, où il l'avait agrippée par le devant de sa robe. Sa virilité agressive l'avait terrifiée. Mais en même temps que cette peur il y avait eu autre chose, une émotion fiévreuse qui avait mis bien longtemps à disparaître.

Elle s'absorba dans la contemplation des livres, à ses pieds, espérant qu'il ne la voyait pas rougir.

– Vous avez eu peur, on dirait...

– Ce n'est pas étonnant, avec un homme qui... qui jaillit ainsi de l'ombre.

Tasia avala sa salive, essaya de se calmer. Elle devait une excuse à lord Stokehurst.

– Nan est venue me voir, monseigneur...

– Je ne tiens pas à en parler, coupa-t-il sèchement.

– Mais je vous ai mal jugé...

– Non.

– Je... j'ai dépassé les limites...

Là, Stokehurst ne protesta pas. Il se contentait de la regarder, les sourcils levés, moqueur. Il la rendait affreusement nerveuse, à se tenir aussi immobile... il n'était qu'ombre et puissance diabolique sous une forme humaine.

Tasia s'obligea à poursuivre :

– Vous avez été très bon d'aider Nan, monseigneur. Le bébé et elle s'en sortiront plus facilement ainsi.

– Sauf si vous considérez qu'un homme qui se marie contre son gré vaut mieux que pas d'homme du tout. Il n'a aucune envie de l'épouser.

– Pourtant vous l'avez convaincu que c'était son devoir.

– Ce qui ne veut pas dire qu'il ne le fera pas payer cher à Nan.

Il haussa les épaules.

– Au moins l'enfant naîtra-t-il avec un père.

Tasia l'observa, prudente, entre ses cils.

– Vous... vous avez l'intention de me renvoyer, monsieur ?

– Je l'ai envisagé.

Il laissa délibérément passer un bref silence.

– Mais j'y ai renoncé, continua-t-il enfin.

– Alors je reste ?

– Provisoirement.

Tasia fut tellement soulagée que ses genoux se mirent à trembler.

– Merci, murmura-t-elle.

Elle s'accroupit afin de ramasser les livres.

Malheureusement, lord Stokehurst se pencha pour l'aider. Il glissa deux gros volumes sous son bras gauche.

Comme ils tendaient en même temps la main vers un autre livre, leurs doigts s'effleurèrent. Surprise par ce contact, Tasia sursauta et perdit l'équilibre. Elle se retrouva affalée sur le dos, aussi stupéfaite qu'humiliée. Elle n'était *jamais* maladroite ! Et le rire paisible de Stokehurst ne fit rien pour la rasséréner !

Luke alla ranger les livres sur l'étagère avant de revenir vers elle afin de l'aider à se relever. La petite main de Tasia disparut dans la sienne, et si le geste était gentil, il cachait une force inquiétante. Il aurait pu lui briser le poignet comme une allumette.

Elle s'écarta vivement de lui, lissa sa jupe, tira sur son corsage.

– Quel ouvrage vouliez-vous lire ? demanda lord Stokehurst, une lueur d'amusement dans le regard.

A l'aveuglette, Tasia en prit un sur l'étagère, sans se donner la peine d'en déchiffrer le titre. Elle le serra bien fort contre sa poitrine, comme si c'était un bouclier contre l'air moqueur de Luke.

– Celui-là sera parfait...

– Très bien. Bonne nuit, miss Billings.

Tasia ne bougea pas.

– Si vous avez un moment, monsieur, risqua-t-elle, hésitante, il y a un sujet dont j'aimerais vous entretenir...

– Encore une femme de chambre maltraitée ? demanda-t-il, ironique.

– Non, monseigneur. Il s'agit d'Emma. Elle... elle a découvert ce qui est arrivé à Nan. Evidemment, elle a posé des questions, et j'ai pensé, monsieur... eh bien, cela m'a rappelé... j'ai demandé à Emma si quelqu'un l'avait avertie de... Voyez-vous, elle est assez grande pour... C'est l'âge auquel les jeunes filles... Vous comprenez.

Stokehurst secoua la tête sans la quitter des yeux.

Tasia s'éclaircit la voix.

– Je fais allusion à la période du mois où les femmes...

Elle s'interrompit de nouveau. Elle aurait voulu rentrer dans un trou de souris. Jamais elle n'avait abordé de sujet aussi intime avec un homme.

– Je vois...

Il avait une étrange intonation, et Tasia leva enfin les yeux pour découvrir sur ses traits un mélange comique d'étonnement et de contrariété.

– Je n'avais pas pensé à ça, grommela-t-il. C'est encore une petite fille.

– Douze ans, précisa Tasia en se tordant nerveusement les mains. Monsieur, je ne... Ma mère avait omis de m'expliquer, et un jour... je... j'ai eu très peur. Je n'aimerais pas qu'Emma soit aussi mal préparée.

Stokehurst alla récupérer son verre de cognac.

– Moi non plus.

Il termina l'alcool d'une seule gorgée.

– Alors vous me permettez de lui parler ?

– Je ne sais pas.

Il avait refusé de voir sa fille grandir. L'idée qu'elle devînt femme, avec un corps de femme, des émotions de femme, des désirs... c'était trop tôt, cela le désorientait. Il avait écarté tous ces problèmes jusqu'à présent. Cependant il fallait que quelqu'un prévienne Emma des changements qui allaient se produire en elle.

Mais qui ? Sa sœur vivait trop loin. Quant à sa mère, elle serait capable de lui raconter n'importe quelles sornettes au lieu de la vérité. La duchesse était une femme prude, qui désapprouvait jusqu'à la décoration de Southgate Hall, trouvant les courbes du style rococo trop suggestives, presque indécentes. Elle détestait voir les pieds des sièges sans la protection des franges... Tout bien considéré, elle n'était certes pas la personne la plus qualifiée pour expliquer à une jeune fille les secrets de l'anatomie féminine...

– Qu'avez-vous l'intention de lui dire ? demanda-t-il brusquement.

Tasia cligna des yeux, surprise, et tenta de prendre un ton raisonnable.

– Seulement ce qu'une adolescente doit savoir. Si vous ne voulez pas que je lui parle, monseigneur, je pense que quelqu'un d'autre devrait s'en charger très bientôt.

Luke la contemplait intensément. La sollicitude de la jeune fille pour Emma paraissait sincère, sinon elle n'aurait pas abordé ce sujet qui, visiblement, la mettait si mal à l'aise. Et Emma aimait beaucoup sa gouvernante. Alors pourquoi pas elle ?

– Je vous fais confiance, dit-il, soudain déterminé. Mais n'en profitez pas pour lui citer la Genèse. Emma n'a pas besoin d'endosser le poids de plusieurs siècles de culpabilité sur le péché originel.

Tasia pinça les lèvres, vexée.

– Très bien, monseigneur.

– Toutes vos informations sont fiables, j'espère ? insista-t-il.

Elle hocha brièvement la tête, cramoisie.

Luke souriait. Elle semblait si vulnérable, tandis qu'elle luttait pour ne pas perdre contenance... il ne pouvait s'empêcher de prendre plaisir au spectacle.

– Comment pouvez-vous en être sûre ? demanda-t-il pour prolonger l'instant.

Elle refusa de mordre à l'hameçon.

– Avec votre permission, monseigneur, j'aimerais me retirer...

– Pas encore !

Luke se conduisait en mufle, il le savait, mais ne s'en souciait pas. Il voulait qu'elle reste. La journée avait été fastidieuse, il avait besoin de se changer les idées.

– Voulez-vous prendre un verre, miss Billings ? Un peu de vin ?

– Non, je vous remercie.

– Alors, tenez-moi compagnie pendant que je m'en sers un.

Elle secoua la tête.

– Je suis au regret de refuser votre invitation, monsieur.

– Ce n'est pas une invitation.

Luke désigna un fauteuil près de la cheminée.

– Asseyez-vous.

Elle demeura un moment immobile.

– Il est fort tard, murmura-t-elle.

Enfin elle se dirigea vers un siège sur le bord duquel elle se percha. Elle posa son livre sur une table basse avant de serrer ses mains sur ses genoux.

Il remplit lentement son verre.

– Racontez-moi à quoi ressemble la vie en Russie.

Elle se raidit, inquiète.

– Je ne puis...

– Vous avez déjà avoué venir de là-bas, dit Luke en s'asseyant, ses longues jambes étendues devant lui. Vous devriez pouvoir m'en dire un peu plus, sans me révéler tous vos précieux secrets. Décrivez-moi votre pays.

Elle l'observait, en alerte, comme si elle le soupçonnait de lui jouer un tour.

– En Russie, on se sent tout petit. Les terres sont immenses, et le soleil moins vif qu'ici, en Angleterre... Tout paraît un peu gris. A cette époque de l'année, à Saint-Pétersbourg, le soleil ne se couche jamais. On appelle cela les nuits blanches... Seulement le ciel n'est pas blanc, mais rose et violet de minuit jusqu'au matin... Les formes sombres des maisons se découpent sur le ciel, c'est magnifique. Les églises ont un clocher rond, comme ça...

Les petites mains délicates dessinèrent un dôme.

– A l'intérieur des églises, il n'y a pas de statues, mais des icônes – des peintures religieuses du Christ, des apôtres, de la Vierge, des saints. Ils ont de longs visages étroits et tristes, une apparence très spirituelle. Les saints des églises anglaises me paraissent trop fiers.

Luke le lui accorda bien volontiers. Il sourit en se disant que les saints de sa propre chapelle avaient même l'air vaguement prétentieux.

– Nous n'avons pas de bancs, dans nos églises, poursuivait la jeune fille. Il est plus respectueux envers le Seigneur de rester debout, même si l'office dure des heures. L'humilité est très importante, pour les Russes. Le peuple est modeste, il travaille dur. Quand l'hiver s'attarde plus que de coutume, les gens se rassemblent autour du feu pour plaisanter et raconter des histoires afin d'oublier qu'ils ont faim. L'Eglise russe nous enseigne que Dieu est toujours avec nous, et que tout ce qui arrive, bon ou mauvais, représente Sa volonté.

Luke était fasciné par le changement d'expression de la gouvernante. Pour la première fois, il la voyait détendue en sa présence. Sa voix était douce, et ses yeux plus félins que jamais, dans la pénombre.

Elle continuait à parler, mais il ne l'écoutait plus. Il avait envie de caresser la masse soyeuse de ses cheveux bruns, de l'embrasser, de la tenir sur ses genoux. Elle semblait si légère...

Pourtant, malgré cette fragilité apparente, elle était douée d'une volonté et d'une témérité qu'il admirait. Même Mary n'osait lui tenir tête quand il était en colère.

— Lorsque cela va vraiment mal, poursuivait-elle, les Russes ont un adage : *Vsyo proïdyot*. Tout passe. Mon père avait coutume de dire...

Elle s'interrompit brusquement, reprit sa respiration.

Il était clair qu'aborder le sujet de son père la bouleversait.

— Parlez-moi de lui, murmura Luke.

Les yeux de Tasia brillaient de larmes contenues.

— Il est mort voilà quelques années. C'était un homme bon, honorable, à qui les gens faisaient confiance pour régler leurs différends. Il savait considérer tous les points de vue. Depuis sa disparition, rien n'a été pareil.

Elle eut un sourire doux-amer.

— Parfois, j'ai terriblement envie de lui parler, et je ne parviens pas à me dire que cela n'arrivera plus jamais. Et c'est encore pire de vivre loin de mon pays. Tout ce que je connais de lui est resté là-bas.

Luke la fixait, gêné, oppressé par une intense émotion, trop dangereuse pour qu'il prît le risque de l'analyser.

Après le décès de Mary, il avait concentré tous ses efforts pour survivre. Certains besoins pouvaient être assouvis ; les autres, il les avait enfouis pour toujours. Il ferait mieux de congédier pour de bon cette jeune personne, avant que cela n'empire... La discussion au sujet de la servante enceinte était le prétexte parfait pour la remercier, et que les Ashbourne aillent au diable ! Pourtant, Luke n'avait pu s'y résoudre.

— Y retournerez-vous ? réussit-il à demander, malgré sa gorge nouée.

— Je...

Elle lui lança un regard si perdu, si pathétique, qu'il en eut le souffle coupé.

– Je ne peux pas, dit-elle.

Une seconde plus tard, elle s'était enfuie en courant, oubliant le livre qu'elle était venue chercher.

Luke n'osa pas la suivre. Il demeura paralysé par son émotion, par le désir, à fixer le plafond d'un œil mauvais. Dieu sait qu'il n'était pas un jouvenceau, en matière de femmes ! Il était bien le dernier homme capable de tomber amoureux d'une mystérieuse jeune fille en détresse. Elle était trop jeune, trop étrangère, trop l'opposé de tout ce qu'avait été Mary.

A la pensée de son épouse, Luke se leva, se détendit. Comment pouvait-il ainsi trahir Mary ? Il se rappela le plaisir qu'il avait eu à partager son lit, la façon dont elle se lovait contre lui la nuit, ses baisers du matin. Ils avaient toujours été bien ensemble. Après sa mort, la nature l'avait poussé à chercher des contacts féminins, mais cela n'avait pas été pareil.

Il ne se serait jamais imaginé capable de désirer une autre personne. Pas comme ça, pas de cette façon incontrôlable, purement émotionnelle. Cette jeune fille l'obsédait de plus en plus, et il ne voyait aucune échappatoire.

Or, il ne connaissait même pas son véritable nom.

Avec un petit rire de dérision à son égard, il reprit son cognac.

– A toi, murmura-t-il en levant son verre en direction du fauteuil qu'elle avait occupé. Qui que tu sois...

Tasia claqua la porte de sa chambre. Elle avait monté les trois étages en courant, et elle s'appuya au mur pour retrouver sa respiration.

Elle n'aurait pas dû s'enfuir ainsi de la bibliothèque, mais si elle était restée elle aurait fini par fondre en larmes. A parler de son pays, elle avait senti une terrible nostalgie la submerger. Elle avait envie de voir sa mère, de retrouver des visages et des lieux familiers... D'entendre parler sa langue, d'être appelée par son vrai nom...

– *Tasia.*

Elle eut l'impression que son cœur s'arrêtait de battre.

Affolée, elle parcourut du regard la pièce vide. Avait-on murmuré son nom ? Du coin de l'œil, elle perçut un bref reflet dans la glace de l'armoire, et elle fut terrorisée. Elle mourait d'envie de s'en aller en courant, pourtant une force irrésistible la poussa à faire un pas, puis un autre, les yeux rivés au miroir.

– *Tasia*, entendit-elle de nouveau.

Elle recula, horrifiée, la main sur la bouche pour étouffer un hurlement.

Le prince Mikhaïl Angelovsky la regardait de l'intérieur du miroir, avec deux trous noirs à la place des yeux dans son visage ensanglanté. Ses lèvres bleuâtres s'étirèrent dans un sourire immonde.

– *Meurtrière*.

Tasia était clouée sur place par l'atroce vision, ses oreilles bourdonnaient. Ce n'était pas réel... Une hallucination, née de son imagination, de sa culpabilité. Elle ferma les yeux pour la chasser, mais quand elle les rouvrit, l'image était toujours là. La tête basse, elle parvint à murmurer :

– Je... Je ne voulais pas vous tuer, Micha.

– Tes mains...

En tremblant, Tasia les regarda. Elles étaient couvertes de sang. Un cri étranglé lui échappa. Elle ferma les poings, les paupières.

– Laissez-moi, sanglota-t-elle. Je ne vous écouterai pas. Laissez-moi...

Elle était trop terrorisée pour fuir, pour prier, pour faire quoi que ce fût d'autre que rester là, pétrifiée.

Puis, lentement, le bourdonnement s'éteignit à ses oreilles. Elle ouvrit les yeux, regarda ses mains, propres et blanches. Le miroir était vide.

Comme dans un rêve, elle alla s'asseoir sur le lit sans se soucier des larmes qui ruisselaient sur ses joues.

Elle mit longtemps à se calmer, et quand la peur eut enfin disparu, elle était à bout de forces.

Etendue sur le dos, elle fixait le plafond.

Peu importait qu'elle n'eût aucun souvenir d'avoir tué Micha, la culpabilité lui pesait chaque jour davantage. Elle aurait d'autres visions, d'autres cauchemars... Sa conscience ne lui permettrait pas d'oublier ou d'ignorer ce qu'elle avait fait, le meurtre serait sans cesse une partie d'elle-même.

Le cœur retourné, elle gémit de désespoir.

– Arrête ! ordonna-t-elle.

Si elle laissait le souvenir de Mikhaïl Angelovsky la tourmenter, elle allait devenir folle.

Le 1ᵉʳ mai fut une journée claire et lumineuse. Toute trace d'hiver avait disparu.

Allongée sur le tapis d'un salon, à l'étage, Emma martyrisait sa chevelure rousse, épouvantée par ce que sa gouvernante venait de lui apprendre.

– C'est dégoûtant ! s'indigna-t-elle. Pourquoi faut-il que tout soit si empoisonnant pour une femme ? Les serviettes tachées de sang, les douleurs au ventre, l'obligation de compter les jours chaque mois... Pourquoi les hommes ne connaissent-ils pas cette corvée ?

Tasia sourit.

– Ils ont leurs propres fardeaux, je suppose. Et ce n'est pas dégoûtant, Emma. Dieu nous a créées ainsi. Et en échange de ces « corvées », comme vous dites, nous avons la chance de pouvoir donner le jour à nos enfants.

– Quelle blague ! dit Emma, amère. Vivement que j'aie la « chance » d'expérimenter les douleurs de l'accouchement !

– Un jour, vous voudrez un bébé, et vous ne vous soucierez plus de ça.

L'adolescente fronça les sourcils, pensive.

– A partir du moment où je serai indisposée, je serai assez grande pour avoir un bébé ?

– Oui, si vous partagez le lit d'un homme.

– Juste partager un lit, ça suffit ?

– C'est plus compliqué, mais vous apprendrez le reste plus tard.

– J'aimerais mieux le savoir tout de suite, miss Billings. Sinon, je suis capable d'imaginer des choses horribles.

– Ce qui se passe au lit entre un homme et une femme

n'est pas horrible. On m'a même dit que c'était fort plaisant.

– Sans doute, renchérit Emma, rêveuse. Ou alors il n'y aurait pas tant de femmes pour inviter papa dans leur lit.

Elle ouvrit de grands yeux, soudain effrayée.

– Oh, vous ne pensez pas qu'il leur a fait des enfants à toutes, n'est-ce pas, miss Billings ?

Tasia rougit.

– Sans doute pas. Il y a des moyens d'empêcher les bébés de venir, si on fait attention.

– Attention à quoi ?

Tasia cherchait un moyen d'éluder la question lorsqu'on vint frapper à la porte. C'était Molly, une plantureuse femme de chambre aux cheveux bruns, au sourire chevalin.

– Miss Emma, dit-elle, le maître m'envoie vous dire que lord et lady Pendleton sont arrivés. Il demande que vous descendiez immédiatement.

– Flûte ! s'écria l'adolescente en se précipitant à la fenêtre. Oui, c'est bien eux, ils sortent de voiture.

Elle se tourna vers Tasia en levant les yeux au ciel.

– Chaque année, ils insistent pour venir assister aux danses du Premier-Mai avec papa et moi. Lady Pendleton *adore* positivement les fêtes « rustiques », cette vieille snob !

Tasia vint la rejoindre et vit une petite femme ronde, boudinée dans une robe de brocart, qui fronçait les sourcils.

– Elle semble plutôt revêche, reconnut-elle.

– Il faut que vous veniez avec nous au village, miss Billings, ou je vais mourir d'ennui !

– Ce ne serait pas convenable, Emma.

Tasia n'avait aucune envie de participer à une bruyante fête villageoise. Il n'était pas séant pour une gouvernante, supposée garder sa dignité en toutes circonstances, de se trouver dans un tel environnement.

En outre, les rassemblements la mettaient mal à l'aise. Le souvenir de la foule hurlante à son procès était encore trop vif à son esprit.

– Je reste ici, déclara-t-elle fermement.

Emma et Molly protestèrent à l'unisson.

– Papa accorde un congé à tous les domestiques pour qu'ils aillent au village.

– Ça porte malheur de ne pas assister à la fête du Premier-Mai ! renchérit Molly. Il faut venir accueillir l'été avec nous. Ça se fait depuis des centaines d'années !

Tasia sourit.

– Je suis certaine que l'été arrivera, que je lui aie ou non souhaité la bienvenue.

La femme de chambre secoua la tête, impatientée.

– Au moins, venez ce soir, c'est le moment le plus important.

– Que se passe-t-il, ce soir ?

Molly semblait stupéfaite par l'ignorance de la gouvernante.

– La danse du Premier-Mai, bien sûr ! Après, deux hommes déguisés en cheval vont dans les maisons du village. Les autres suivent en farandole. Ça porte chance, si la parade passe chez soi.

– En cheval ? demanda Tasia, amusée. Pourquoi pas en chien ou en chèvre ?

– C'est comme ça ! répondit Molly, pincée. Ça a *toujours* été en cheval.

Emma pouffait.

– Je vais raconter ça à papa ! Miss Billings propose que notre cheval du Premier-Mai devienne une chèvre !

Le son de son rire résonna dans l'escalier tandis qu'elle descendait rejoindre son père et les Pendleton.

– Ne lui racontez pas, Emma ! cria Tasia.

Mais la jeune fille ne répondit pas. Tasia se tourna vers Molly en soupirant.

– Je n'ai pas l'intention d'assister aux fêtes du printemps. Si j'ai bonne mémoire, ce n'est rien de plus qu'un rite païen – l'adoration des druides, des fées, et tout cela ?

– Vous ne croyez pas aux contes de fées, miss Billings ? demanda naïvement Molly. Vous devriez. Vous êtes justement le genre de personne qu'elles adorent enlever...

94

Elle s'éloigna dans un grand rire, laissant derrière elle une Tasia décontenancée.

Les Stokehurst passèrent l'après-midi au village avec les Pendleton.

Pour la plupart, les domestiques ne se présentèrent pas au repas froid qu'avait préparé Mrs Plunkett. Ils étaient bien trop occupés à se faire beaux avant la nuit de fête. Tasia était persuadée que la célébration du printemps n'était qu'un prétexte pour boire et se courtiser librement les uns les autres, autant de distractions qui ne l'intéressaient pas.

Enfermée dans sa chambre, elle s'installa près de la fenêtre d'où elle entendait les chants, la musique. L'air était vif, et elle regarda au-dehors, imaginant que des fées se promenaient dans la forêt, et que les lumières clignotantes des torches étaient le reflet de leurs ailes.

– Miss Billings !

La porte s'ouvrit à la volée sur trois jeunes filles qui se précipitèrent à l'intérieur sans y avoir été invitées.

Tasia ouvrit de grands yeux en découvrant Molly, Hannah et Betsy, vêtues pareillement de blouses blanches et de jupes multicolores, coiffées de couronnes enrubannées et fleuries.

– Miss Billings, commença joyeusement Molly, nous sommes venues vous chercher pour vous emmener au village.

Tasia secoua la tête.

– Merci, mais je n'ai rien à me mettre. Je reste ici. Amusez-vous bien, tous.

– Nous vous avons apporté des vêtements...

Une brassée de chemisiers et de jupes tomba en un tas chamarré sur le lit.

Hannah, une fille de cuisine blonde et menue, lui adressa un timide sourire.

– Il y en a à nous et à miss Emma. Vous pouvez les garder si vous voulez, ce sont des vieilles affaires. Essayez d'abord la jupe rouge, miss Billings.

– Je ne viens pas, répéta Tasia avec fermeté.

Les filles se mirent à la bousculer, à la cajoler.

– Vous *devez* nous accompagner, miss Billings. C'est le seul moment de l'année où on s'amuse...

– Il fait nuit, dehors, personne ne vous reconnaîtra...

– Tout le monde y va. Vous ne pouvez pas rester toute seule !

Tasia, surprise, vit soudain Mrs Knaggs sur le seuil, les bras chargés de fleurs. L'intendante avait l'air sévère.

– Qu'est-ce que j'entends au sujet de miss Billings ?

Tasia fut soulagée de se trouver enfin une alliée.

– Elles insistent pour que je vienne avec elles, or vous savez, Mrs Knaggs, combien cette idée est inconvenante...

– En effet.

Le visage de Mrs Knaggs s'épanouit en un sourire inattendu.

– Néanmoins, si vous ne sortez pas avec les autres ce soir, je serai fort contrariée, miss Billings. Quand vous serez une vieille femme, comme moi, vous aurez le droit de rester dans votre chambre à regarder par la fenêtre. Mais pour l'instant, vous vous devez d'aller danser.

– Mais... mais... balbutia Tasia, désorientée, je ne crois pas aux rites païens.

Comme tous les Russes, elle avait été élevée dans un mélange complexe de religion et de superstition. Il était normal de respecter la nature et ses forces, mais Dieu n'aimait pas que l'on adorât des idoles. Les coutumes du Premier-Mai étaient inacceptables.

Molly se mit à rire.

– N'y allez pas par conviction, mais tout simplement pour vous amuser. Vous n'avez jamais rien fait juste pour le plaisir ?

Tasia n'avait qu'une envie : rester seule. Elle risqua quelques objections, mais toutes ses excuses furent réfutées.

– D'accord, céda-t-elle enfin dans un soupir. Mais je ne m'amuserai sûrement pas...

Les filles bavardaient gaiement pendant qu'elle se déshabillait.

– La jupe rouge, insista Hannah, tandis que Molly vantait la beauté de la bleue.

– Elle n'a même pas besoin de corset ! dit Betsy en contemplant avec envie la mince silhouette vêtue de lin blanc.

Molly lui passa une blouse à lacets par-dessus la tête.

– Ses tétons sont à peine plus gros que ceux de miss Emma, dit-elle gentiment. Mais ne vous inquiétez pas, miss Billings. Encore quelques mois du régime de Mrs Plunkett, et vous aurez des formes aussi rebondies que les miennes.

– J'en doute, répondit Tasia, sceptique, avec un coup d'œil à la plantureuse poitrine de la jeune femme.

Elle ne protesta pas, résignée, lorsque les filles défirent son chignon. Elles poussèrent un cri d'admiration en voyant l'épaisse chevelure brillante rouler jusqu'à ses reins.

– Que c'est joli ! soupira Hannah.

Elles tressèrent les cheveux de Tasia de rubans et de fleurs, laissant la lourde natte libre dans son dos. Puis elles reculèrent pour contempler, satisfaites, le résultat de leur travail.

– Vous êtes ravissante, la complimenta Mrs Knaggs. Tous les jeunes gens du village vont essayer de vous voler un baiser !

– Comment ? s'écria Tasia tandis qu'on l'entraînait hors de la chambre.

– C'est une coutume, expliqua Molly. Parfois les garçons se précipitent sur vous pour vous voler un baiser. Ça porte chance, il n'y a pas de mal à ça.

– Et si je ne veux pas être embrassée ?

– Vous pouvez toujours vous enfuir en courant... Mais c'est inutile. Si le jeune homme est laid, dites-vous que ça ne dure pas longtemps, et s'il est beau... eh bien, vous n'aurez pas envie de vous sauver.

Il faisait très sombre, au-dehors, par cette nuit sans étoiles, mais le village était illuminé de torches et de lanternes accrochées aux fenêtres des cottages. La musique se fit plus forte tandis qu'elles approchaient du pré communal.

Comme Tasia l'avait prévu, le vin jouait un rôle important dans la fête. Hommes et femmes buvaient directement à la bouteille, pour se désaltérer entre chaque danse effrénée. Se tenant par la main, ils firent une ronde autour du grand mât décoré de fleurs et entonnèrent des chansons païennes à la gloire des arbres, de la terre, de la lune.

Cette impression de liberté et de joie rappela à Tasia la *voila* des Russes, où ils se permettaient de faire n'importe quoi, de boire, de casser ce qui passait à leur portée, d'être fous.

– Venez ! cria Molly en attrapant Tasia par une main tandis que Betsy s'emparait de l'autre.

Elles l'entraînèrent dans la ronde.

– Vous n'avez pas besoin de chanter, miss Billings ! Contentez-vous de faire du bruit et de bouger vos pieds !

Ce n'était pas très difficile. Tasia se laissa porter par le rythme et répéta les chants avec les autres jusqu'à ce que son cœur batte aussi fort que les tambours.

Le cercle se brisa, le temps que chacun aille boire et se reposer. Molly tendit à Tasia une outre à vin. Maladroitement, la jeune fille avala une giclée du liquide rouge sombre.

Quand la musique reprit, un beau garçon blond vint en souriant lui prendre la main pour l'entraîner de nouveau dans la ronde.

Etait-ce le vin ou l'excitation de la danse ? En tout cas, Tasia commençait à s'amuser.

Toutes les femmes s'élancèrent au milieu du cercle et agitèrent leurs couronnes au-dessus de leurs têtes. Le parfum des fleurs, mêlé au vin et à la sueur, donnait à l'atmosphère une odeur particulière, terrienne. Tasia dansa, dansa, jusqu'à ce que tout tourbillonne autour d'elle.

Elle sortit du groupe de danseurs, s'éloigna un peu pour reprendre son souffle. Sa blouse était mouillée de transpiration, et elle s'éventa. Malgré la fraîcheur de la nuit, elle avait chaud, elle était toute rose, ravie. Quelqu'un lui tendit une bouteille, et elle avala une gorgée de vin.

– Merci, dit-elle en s'essuyant la bouche d'un revers de main.

Comme elle levait les yeux, elle vit près d'elle le garçon blond qui reprit la bouteille et, avant qu'elle pût réagir, il déposa un baiser sur sa joue.

– Ça porte chance ! s'écria-t-il gaiement avant de retourner danser.

Tasia cligna des yeux, surprise, porta la main à sa joue.

– Le cheval est là ! cria un homme.

Il y eut un rugissement enthousiaste dans l'assistance.

– Le cheval ! Le cheval !

Tasia éclata de rire en voyant deux garçons dans un vieux déguisement râpé de cheval, l'un d'eux tenant vaillamment le gros masque peint qui lui servait de tête. Le cou de la bête était orné d'une couronne de fleurs, et un jupon cachait les jambes des porteurs.

Après quelques ruades spectaculaires, l'animal se dirigea lourdement vers le centre du village, suivi par la foule en farandole. Tasia fut saisie par la main et le long serpent se déroula à travers les rues. La farandole passa devant un premier cottage où les portes étaient grandes ouvertes.

Comme ils sortaient par l'arrière de la maison, Tasia se laissa entraîner avec les autres. Des gens encombraient les rues, pour regarder les danseurs tout en frappant dans leurs mains au rythme de vieilles ballades.

Un groupe d'hommes se tenaient près du bâtiment du marché au blé, certains lutinant ouvertement leurs compagnes. Comme un obstacle invisible ralentissait la farandole, les danseurs se mirent à taper des pieds sur place en chantant.

Tasia entendit des sifflements et se tourna vers les individus turbulents, au milieu desquels elle eut la surprise d'apercevoir lord Stokehurst, qui souriait à leurs bouffonneries. Tasia se tendit, prête à s'enfuir avant qu'il ne la vît, mais il était trop tard... Il se tourna vers elle à l'instant même où elle prenait son élan. Le sourire éblouissant s'évanouit et elle le vit avaler péniblement sa salive. Ensuite, il resta la bouche entrouverte, aussi étonné qu'elle.

Il était un peu ébouriffé, sa veste et sa chemise étaient

déboutonnées au col. A la lumière des torches, qui jetait des reflets dorés sur sa chevelure brune, il était l'image vivante d'un *bogadyr*, le héros d'un ancien conte russe. Les yeux bleus retinrent ceux de Tasia, directs, diaboliques, comme s'ils contemplaient un spectacle indécent.

La farandole s'ébranla de nouveau, mais Tasia se sentait des pieds de plomb. Elle se tenait là, pétrifiée. L'homme qui était derrière elle protesta :

— Allons, petite ! Remue-toi, ou sors de la file !

— Excusez-moi, dit-elle en reculant d'un bond.

Immédiatement, la place laissée vide se referma.

Avant qu'elle pût s'enfuir, lord Stokehurst était devant elle. Il la saisit au poignet.

Venez avec moi.

Troublée, elle obéit, sans même songer un instant à résister.

Les hommes sifflaient, les danseurs hurlaient de joie tandis qu'ils entraient dans la maison suivante, mais tout ce bruit était assourdi pour Tasia par les battements de son cœur.

Stokehurst avançait à grandes enjambées, la forçant à trottiner derrière lui. Il était en colère, et à juste titre... Elle avait eu tort de se donner ainsi en spectacle, au lieu de se conduire dignement, de rester au manoir. A présent, lord Stokehurst allait lui adresser une semonce bien sentie, peut-être même la renvoyer sur-le-champ...

Il l'emmena vers un bosquet, à la limite du pré communal, loin des lumières du village. Enfin, sous le couvert d'un grand arbre, il la lâcha.

Elle leva les yeux vers lui mais elle distinguait mal ses traits, dans l'ombre.

— Je n'aurais pas dû venir danser, murmura-t-elle faiblement.

— Pourquoi ? Cette nuit, tout le monde a le droit de se distraire.

Tasia ouvrit de grands yeux étonnés.

— Vous n'êtes pas fâché ?

Il se rapprocha d'elle, ignorant la question.

— Vous avez l'air d'une gitane, avec cette coiffure.

La remarque si personnelle décontenança Tasia. Stokehurst n'était pas comme d'habitude, il semblait avoir abandonné cette retenue qui le caractérisait.

Une toute nouvelle menace perçait dans sa voix douce, ses gestes déliés... Elle s'aperçut soudain que, d'une certaine manière, il la courtisait. Effrayée, elle recula, se prit le pied dans une racine. Il la retint à l'épaule, mais ne la lâcha pas quand elle eut retrouvé l'équilibre.

La chaleur de sa paume la brûlait à travers la blouse. L'autre bras de Stokehurst vint se poser contre le tronc de l'arbre, à hauteur de l'oreille de Tasia. Elle était prise au piège. Délicieusement consciente de la proximité du corps de l'homme, elle s'appuya à l'arbre.

Il est ivre, songea-t-elle fugitivement. Il ne se rend pas compte de ce qu'il fait...

– Monsieur... vous... vous avez bu...

– Vous aussi.

Il était assez proche pour qu'elle sentît le doux parfum du vin dans son souffle, et elle recula la tête autant que possible. Le passage d'une torche éclaira un instant le visage de Stokehurst, qui retomba bien vite dans l'ombre.

Elle sentit ses doigts sous son menton et eut un petit cri de protestation.

– Non... souffla-t-elle, terrifiée.

– *Non* ? répéta-t-il, amusé. Alors, pourquoi m'avez-vous suivi ?

– Je... je croyais...

Tasia avait du mal à trouver sa respiration.

– Je vous croyais en colère. Je croyais que vous vouliez me tancer en privé.

– Et vous auriez préféré ça à un baiser ?

– *Oui !*

Il rit de la spontanéité de sa réponse, et sa main se posa sur sa nuque crispée. Elle frémit à la tiédeur de sa peau. Une brise fraîche se levait, mais lord Stokehurst était grand, large, chaud. Malgré l'angoisse qui la faisait claquer des dents, Tasia avait presque envie de chercher refuge contre lui.

– Vous avez peur de moi, murmura-t-il.

Gauche, elle acquiesça de la tête.

– A cause de ça ? demanda-t-il en montrant ses doigts métalliques.

– Non.

A vrai dire, elle ne savait pas au juste de quoi elle avait peur. Une étrange sensation s'était emparée d'elle, elle se sentait en alerte, redoutant un danger qu'elle ne connaissait pas encore.

Les lèvres douces de Stokehurst vinrent saisir une petite mèche de cheveux à sa tempe, et elle eut l'impression de recevoir une décharge électrique. Elle poussa des poings sur la robuste poitrine.

– Un baiser pour attirer la chance ? suggéra-t-il. Par moments, je pense que vous avez besoin de chance, miss Billings.

Un éclat de rire nerveux lui monta à la gorge.

– Je ne crois pas à la chance. Seu... seulement à la prière.

– Pourquoi pas aux deux ? Non, ne vous raidissez pas, je ne vais pas vous faire de mal.

Comme il penchait la tête vers elle, elle se détourna.

– Laissez-moi partir...

Elle commit l'erreur de vouloir passer sous son bras, mais il fut plus rapide et il la serra contre lui, enroulant la longue natte deux fois autour de sa main afin de bien l'immobiliser. Il la dominait de sa haute taille, et elle ferma les yeux. Quand elle sentit ses lèvres se poser doucement au coin des siennes, elle tressaillit.

Il la serra un peu plus fort, effleura ses lèvres closes. Elle s'était attendue à de la violence, à de l'impatience... à n'importe quoi sauf à la douceur de ce contact tiède. La bouche de Stokehurst erra sur sa joue, son oreille, son cou. Le bout de sa langue se posa un instant sur l'artère où battait son pouls, et elle eut soudain envie de se laisser aller contre lui, de céder à l'étrange désir qui montait en elle.

Mais jamais elle n'avait perdu le contrôle d'elle-même, devant qui que ce fût, et cette idée la ramena à la raison.

– Non, dit-elle d'une voix étouffée en enfouissant les mains dans ses cheveux. *Je vous en supplie*, arrêtez !

Il releva la tête, plongea le regard dans ses yeux.

102

– Comme vous êtes douce... murmura-t-il.

Il lâcha sa natte après y avoir prélevé une fleur. Du bout des doigts, il suivit la courbe de sa mâchoire.

– Monseigneur...

Elle prit une profonde inspiration.

– Monsieur... j'espère... qu'il est possible... d'oublier ce qui vient de se passer ?

– Si vous le souhaitez vraiment.

Il lui caressa le menton, ses doigts encore parfumés par les fleurs.

Elle eut un petit geste maladroit de la tête et se mordit la lèvre.

– C'était le vin. Et la danse. Je... je suppose que n'importe qui se serait laissé emporter par l'atmosphère.

– Bien sûr. Les danses folkloriques ont quelque chose de grisant...

Tasia rougit, comprenant qu'il se moquait d'elle. Mais c'était sans importance. Elle avait trouvé une excuse.

– Bonne nuit, dit-elle en se détachant de l'arbre.

Elle avait les jambes en coton.

– Je dois rentrer au manoir...

– Pas toute seule.

– Je veux y aller seule, s'entêta-t-elle.

Il y eut un bref silence, puis Stokehurst éclata de rire.

– Entendu. Mais ne vous plaignez pas si quelqu'un vous aborde. Bien que cela ait peu de chances de se produire deux fois dans la même soirée.

Elle s'élança, légère et vive, sa fine silhouette se fondant dans la nuit.

Luke vint s'appuyer de l'épaule contre le tronc et il enfonça nerveusement à plusieurs reprises le talon de sa botte dans la terre.

Il s'était montré doux envers elle alors qu'il avait envie d'être brutal, d'écraser ses lèvres sous les siennes, de marquer sa peau si tendre.

Les désirs qu'il croyait morts depuis longtemps venaient de ressusciter, plus forts que jamais. Il avait envie de l'emmener dans son lit et de l'y garder une semaine. Ou une vie.

Il lui en voulait de bouleverser son existence, d'éloigner de lui le souvenir de Mary. Bientôt, elle partirait. Le mois serait terminé et Charles Ashbourne lui trouverait un autre poste. Il n'avait qu'à l'ignorer jusqu'à ce que le temps fasse son œuvre.

Frustré, il donna un coup de ses doigts métalliques sur le tronc, arrachant un morceau d'écorce, puis il s'éloigna à longues enjambées, fuyant la danse, la fête.

Tasia se tenait à sa fenêtre, un peu perdue.

Au souvenir des lèvres tièdes sur les siennes, de la douceur, de la force contenue, elle frissonna. Elle était seule depuis si longtemps ! Etre tenue dans les bras de Stokehurst avait été une expérience à la fois effrayante et délicieuse. Le confort, l'illusion de sécurité, l'avait profondément troublée.

Lentement, elle porta la main à sa bouche. Stokehurst avait dû trouver son innocence amusante. Elle n'avait jamais été embrassée auparavant, hormis quelques tièdes baisers échangés avec Mikhaïl Angelovsky juste après l'annonce de leurs fiançailles.

Micha, comme l'appelaient sa famille et ses amis, représentait un extraordinaire mélange de beauté et d'excès. Il était négligé dans sa façon de vivre, toujours habillé avec trop de recherche, noyé de capiteuses eaux de toilette, les cheveux trop longs, le cou sale. La plupart du temps, ses grands yeux dorés ne reflétaient que le vide dû à son amour démesuré de l'opium.

Soudain, des voix emplirent la tête de Tasia, et elle vacilla légèrement, prise de nausée.

– *Je t'aime, Micha. Mille fois plus qu'elle ne pourra jamais t'aimer. Elle ne sera pas capable de te donner ce dont tu as besoin.*

– *Pauvre vieille folle jalouse et décrépite, répondit Mikhaïl. Tu n'as aucune idée de ce que je souhaite.*

Les voix s'évanouirent, et Tasia fronça les sourcils, déconcertée. Etait-ce un souvenir ou le fruit de son imagination ?

Elle s'assit, la tête entre les mains, submergée par la tourmente de ses pensées.

La saison mondaine se terminait, à Londres, et les familles de la haute société commençaient à fermer leurs demeures citadines pour se retirer à la campagne.

Lord Stokehurst donnait l'une des premières réceptions de l'été, un week-end de chasse et de mondanités auquel étaient conviés ses voisins les plus huppés.

Tasia ne se réjouissait guère de cette perspective, qui allait troubler sa chère tranquillité. Cependant, la présence attendue des Ashbourne lui mettait du baume au cœur. Elle était heureuse à l'idée de revoir sa cousine Alicia, seul lien qui la rattachât à son passé. Elle espérait trouver un instant pour bavarder avec elle.

Personne ne fut surpris de voir que lady Harcourt avait été conviée à jouer le rôle d'hôtesse.

– C'est son idée, confia Mrs Knaggs, un soir, à la veillée, aux domestiques de haut rang. Lady Harcourt veut que lord Stokehurst et tous ses invités constatent à quel point elle s'acquitte bien de cette tâche. C'est clair comme de l'eau de roche, elle veut devenir la maîtresse de cette demeure.

Lady Harcourt arriva deux jours à l'avance, afin de s'assurer que tout était à sa convenance. A partir de cet instant, le manoir bourdonna d'une activité fébrile. On composa d'immenses décorations florales, tandis que les musiciens répétaient dans les salons. Lady Harcourt procéda à une foule de changements, qui allaient de l'agencement du mobilier au menu prévu par Mrs Plunkett.

Emma était si mécontente qu'elle eut une dispute avec son père. Le ton monta dans le hall, un matin, comme ils rentraient de leur promenade quotidienne.

– Elle bouleverse *tout*, papa !

– Je lui ai donné carte blanche. Cesse de ronchonner, Emma.

– Mais vous n'avez même pas écouté...

– J'ai dit : assez !

Luke aperçut Tasia, venue chercher son élève, et il poussa l'adolescente vers elle.

– Faites quelque chose ! aboya-t-il avant de s'éloigner à longues enjambées rageuses.

C'était la première fois qu'il lui adressait la parole depuis des jours.

L'air aussi mauvais que son père, Emma fit face à la gouvernante, ses yeux bleus flamboyant de colère.

– C'est un monstre ! lança-t-elle avec un regard furieux en direction de la silhouette de son père.

– Je suppose que vous discutiez de lady Harcourt ? demanda calmement Tasia.

– Je ne veux pas qu'elle ait l'air d'être chez elle, alors que ce n'est pas le cas, maugréa la jeune fille. Je déteste qu'elle prenne la responsabilité de la maison. Et je *hais* la façon dont elle se colle sans cesse à papa, avec sa voix mielleuse. Ça me rend franchement malade !

– Il ne s'agit que d'un week-end. Vous devez vous comporter en personne civilisée, Emma, la traiter avec courtoisie et respect.

– Ce n'est pas seulement le week-end, marmonna l'adolescente. Elle veut l'épouser !

Toute colère soudain disparue, elle leva vers Tasia des yeux pleins de détresse.

– Et si elle y parvenait, miss Billings ? Je l'aurais sur le dos pour le reste de mes jours !

Brusquement, Tasia reçut dans ses bras une petite fille gauche de douze ans. Elle la serra tendrement contre elle, lui caressa les cheveux.

– Je sais combien c'est dur pour vous, murmura-t-elle. Mais votre père est seul depuis la mort de votre mère, vous le savez. La Bible dit : « Que chaque homme ait sa propre femme. » Préféreriez-vous qu'il ne se remarie jamais, qu'il vieillisse seul ?

– Bien sûr que non ! répondit Emma d'une petite voix étouffée. Mais je veux qu'il épouse quelqu'un que j'aime.

Tasia se mit à rire.

– Je ne crois pas, ma chérie, que vous pourriez aimer une personne à qui votre père s'intéresserait.

– Oh, si ! protesta Emma en s'échappant de ses bras, indignée. Je connais celle qu'il lui faut, justement. Elle est jeune, belle, intelligente... Elle lui conviendrait à la perfection.

– Et de qui s'agit-il ?

– Vous !

Tasia en resta un instant bouche bée.

– Vous devez oublier cette idée sur-le-champ, Emma, parvint-elle enfin à articuler.

– Pourquoi ?

– D'abord, les hommes comme votre père n'épousent pas les gouvernantes.

– Papa n'est pas snob. Cela lui serait complètement égal. Vous ne trouvez pas qu'il est beau, miss Billings ?

– Je ne me suis jamais posé la question... Maintenant, c'est l'heure des leçons, Emma.

– Vous êtes toute rouge ! triompha l'adolescente, malgré le regard sévère de Tasia. Il vous plaît !

– La beauté physique n'est rien.

– Papa est beau aussi à l'intérieur, insista Emma. Je n'en pensais pas un mot quand je l'ai traité de monstre... Vous pourriez essayer de vous montrer plus aimable avec lui, miss Billings, lui sourire de temps en temps. Je sais pertinemment que papa tomberait amoureux de vous, si vous vouliez vous donner la peine de le séduire.

– Mais je ne veux pas que quiconque tombe amoureux de moi ! rétorqua Tasia en réprimant un rire intempestif devant l'outrecuidance de l'enfant.

– Alors, vous n'aimez pas mon père, miss Billings ?

– C'est un homme tout à fait respectable.

– Oui, mais est-ce que vous l'aimez bien ?

– Tout cela est ridicule, Emma. Je ne connais pas assez bien lord Stokehurst pour vous répondre.

– Si vous l'épousiez, vous n'auriez plus besoin de travailler. Vous deviendriez duchesse, un jour. Ça ne vous ferait pas plaisir ? Vous n'avez pas envie de vivre tout le temps avec nous ?

– Oh, Emma...

Tasia considérait son élève avec tendresse.

– Vous êtes très gentille de vous occuper de mon bonheur, mais il y a bien des éléments que vous ne comprenez pas, et je crains de ne pouvoir vous les expliquer. Je resterai aussi longtemps que possible, cela, je vous le promets.

Emma allait répondre quand elle vit quelqu'un approcher. Elle ferma la bouche et fixa la femme aux cheveux auburn avec une antipathie mal dissimulée.

– Lady Harcourt, annonça-t-elle entre ses dents.

Iris s'arrêta près d'elle, vêtue d'une robe de soie rouge sombre qui mettait en valeur sa silhouette voluptueuse.

– Présentez-moi à votre compagne, Emma, dit-elle d'une voix légère.

Emma obéit à contrecœur.

– Ma gouvernante, miss Billings.

Lady Harcourt accueillit la révérence de Tasia d'un glacial signe de tête.

– C'est curieux. D'après la description de lord Stokehurst, je vous imaginais nettement plus âgée. Vous êtes encore presque une enfant.

– Si Emma ou moi pouvons vous aider de quelque façon que ce soit dans vos préparatifs, lady Harcourt, dit Tasia, nous en serons ravies. N'est-ce pas, Emma ?

Elle lança à son élève un coup d'œil impérieux.

– Oh oui ! répondit Emma avec un sourire sucré.

– Merci. Le meilleur service que vous puissiez me rendre est de rester toutes les deux à l'écart des invités.

– Certainement, madame. D'ailleurs, nous sommes en retard pour les cours du matin.

– Se tenir à l'écart ? répéta Emma, courroucée. Mais c'est *ma* maison...

Elle fut interrompue par Tasia, qui l'entraîna vivement vers la salle de classe.

– Nous allons commencer par un petit essai sur la politesse, souffla-t-elle en chemin.

– Pourquoi devrais-je me montrer polie envers elle si elle ne l'est pas envers moi ?

Emma lança à sa gouvernante un coup d'œil enchanté.

– On dirait qu'elle ne vous aime pas beaucoup non plus, miss Billings, ajouta-t-elle.

– Je l'ai trouvée plutôt gracieuse, répondit Tasia, indifférente.

Emma la fixa attentivement.

— Je suis sûre que vous avez autant de sang bleu qu'elle, miss Billings. Même plus. Mrs Knaggs en est persuadée. Vous pouvez m'avouer qui vous êtes en vrai, je ne trahis jamais les secrets. Vous devez être quelqu'un d'extraordinaire... une princesse qui se cache... Ou une espionne... Ou encore...

Tasia, en riant, la saisit aux épaules et la secoua légèrement.

— Je suis votre gouvernante, un point c'est tout. Et je n'ai envie d'être personne d'autre.

Emma la gratifia d'un regard sévère.

— C'est idiot ! déclara-t-elle. Vous êtes bien plus qu'une gouvernante, cela crève les yeux.

Les invités arrivèrent tout au long de la journée. Les domestiques passaient leur temps à monter et descendre les escaliers pour veiller au confort des hôtes de leur maître.

Les dames se retiraient un moment pour reparaître vêtues de robes drapées et froufroutantes, ornées de dentelles, délicatement brodées. Munies d'élégants éventails, elles se rassemblaient ensuite dans les salons pour bavarder en sirotant des rafraîchissements.

Tasia les observait, se rappelant les bals et les soirées auxquels elle avait assisté, en Russie, avec sa famille. Quelle existence protégée elle menait alors ! Son univers se limitait à Saint-Pétersbourg. Que de temps gaspillé ! Même les heures qu'elle passait agenouillée à l'église lui semblaient futiles, à présent. Elle aurait mieux fait d'agir dans l'intérêt des pauvres, au lieu de se contenter de prier pour eux... Ici, en Angleterre, pour la première fois de sa vie, elle était utile, et c'était une impression infiniment satisfaisante. Même si elle avait le choix, jamais elle ne retournerait à la vie oisive qu'elle menait naguère.

Le soir, un somptueux souper fut servi dans la salle à manger aux tables richement dressées. Il n'y eut pas moins de trente plats, et l'atmosphère embaumait le gibier, le saumon, les volailles, la pâtisserie.

Lorsqu'elle passait devant le seuil, Tasia entendait porter de nombreux toasts, suivis par des éclats de rire bon enfant.

Elle imaginait lady Harcourt, magnifique, sa chevelure plus flamboyante que jamais sous les candélabres. Lord Stokehurst devait la contempler, heureux et fier, en se félicitant du succès de la soirée...

Tasia effaça le petit froncement de sourcils qui plissait son front avant de monter rejoindre Emma pour dîner. Les enfants n'étaient jamais conviés aux soupers privés, et les gouvernantes non plus...

Après le repas, les invités se séparèrent, les dames se rassemblant dans un salon autour d'une tasse de thé tandis que les hommes restaient à table pour déguster du porto et du cognac.

Enfin, tout le monde se réunit dans le salon d'été pour les attractions. Emma supplia Tasia de la laisser descendre.

— Lady Harcourt a engagé une diseuse de bonne aventure. Elle s'appelle Madame Miracle et c'est une voyante extralucide. Oh, miss Billings, il faut que nous allions voir ça ! Imaginez qu'elle dise quelque chose au sujet de papa... Je resterai assise bien sagement dans un coin. Je me conduirai parfaitement, je le promets.

Tasia sourit.

— Je suppose qu'il n'y a pas de mal à regarder un peu, tant que nous restons discrètes. Mais n'attendez pas trop de cette Madame Miracle, Emma. C'est sans doute une comédienne en mal d'engagements.

— Ça m'est égal ! Je veux entendre tout ce qu'elle dira.

— Très bien, concéda Tasia en examinant son élève d'un œil critique. Mais avant cela, vous devez vous changer, mettre votre robe bleu foncé et discipliner vos cheveux.

— Ils ne veulent pas rester lisses, aujourd'hui. Chaque fois que je les brosse, ils frisent encore plus.

Tasia rit.

— Dans ce cas, nous les attacherons !

Comme elle aidait Emma à s'habiller, Tasia s'inquiétait des réactions qu'allait provoquer leur présence. Après tout, lady Harcourt leur avait recommandé de se tenir à l'écart des invités... Bien que lord Stokehurst n'eût donné aucune consigne particulière à ce sujet, il partageait sans doute l'avis de lady Harcourt.

Cependant, Emma avait été sage comme une image toute la journée, elle avait étudié sérieusement, n'avait pas protesté quand on lui avait fait prendre son repas dans la salle de classe. Elle méritait une récompense.

La foule était brillante, dans le grand salon. Hommes et femmes élégamment vêtus étaient assis par petits groupes sur les sofas et les fauteuils de style, tandis que les lumières tamisées faisaient doucement briller la soie des murs. Les rideaux étaient délicatement soulevés par la brise.

Dès qu'il vit sa fille, lord Stokehurst s'excusa auprès des amis avec qui il s'entretenait pour se diriger vers elle.

Il était magnifique, dans sa stricte tenue sombre éclairée d'un gilet de soie brodé. Il embrassa brièvement Emma.

– Je ne t'ai pas vue de toute la journée, dit-il. Où te cachais-tu ?

– Lady Harcourt nous avait dit de ne pas...

Emma s'interrompit en sentant Tasia lui donner un petit coup de coude discret.

– Nous avons été très occupées par notre travail, papa.

– Qu'as-tu appris, aujourd'hui ?

– Ce matin, il y a eu leçon de maintien, et l'après-midi nous avons étudié l'histoire de l'Allemagne. J'ai été tellement sage que miss Billings dit que je peux regarder Madame Miracle sans me faire remarquer.

– Madame Miracle, dit lord Stokehurst dans un petit rire, n'est rien d'autre qu'un charlatan. Tu peux t'asseoir devant avec moi, Emma, à condition de me promettre que tu n'ajouteras pas foi à un mot de ce qu'elle dira.

– Merci, papa !

Emma allait s'éloigner avec son père quand elle s'arrêta, se retourna vers Tasia.

– Venez avec nous, miss Billings !

– Je préfère rester ici, répondit la jeune femme.

Elle fixa le large dos de Stokehurst, tandis qu'il partait avec sa fille, prise d'un étrange malaise. Il l'avait ignorée délibérément, sans même lui accorder un regard. Cependant, sous sa froideur on sentait quelque chose de terriblement retenu, de menaçant.

Elle cessa d'y penser lorsque lady Harcourt amena une femme toute de noir vêtue au centre de la pièce.

– Si vous le voulez bien, j'aimerais vous présenter une invitée toute particulière. A Londres, Paris et Venise, Madame Miracle est reconnue pour posséder des talents de voyance exceptionnels. On raconte que certains membres de la famille royale la consultent régulièrement. Par chance, elle a accepté de se joindre à nous pour la soirée et de nous faire profiter de ses dons hors du commun.

Il y eut une salve d'applaudissements enthousiastes, et Tasia se réfugia contre un mur, tout au fond, le visage inexpressif.

Madame Miracle était une femme brune d'une quarantaine d'années, aux yeux abondamment soulignés de khôl, aux joues fardées. Elle portait des bagues à chaque doigt et de lourds bracelets tintaient à ses poignets.

Théâtrale, elle désigna le guéridon que l'on avait drapé de tissu noir et orné de chandeliers. Il y avait d'autres objets, sur la table : une coupe pleine de pierres de couleur, un jeu de cartes et quelques statuettes.

– Mes chers amis, commença Madame Miracle d'un ton dramatique, l'heure est venue de rejeter le doute et les barrières terrestres pour accueillir les esprits qui, ce soir, viendront servir de miroirs à nos âmes. Préparez-vous à découvrir avec eux les secrets du passé et de l'avenir.

Comme la femme continuait son discours, Tasia entendit chuchoter son nom.

Un frisson glacé lui parcourut le dos, et elle se retourna vivement. Alicia Ashbourne se tenait derrière elle, souriante. Obéissant à son petit geste, Tasia se glissa par la porte, et elles se réfugièrent rapidement dans le hall désert.

Ravie, Tasia serra Alicia dans ses bras.

– Ma cousine ! Je suis tellement heureuse de vous voir !

– Tasia ! Vous êtes superbe ! Le mois écoulé vous a réussi à merveille !

Tasia eut l'air sceptique.

– Je n'ai remarqué aucun changement...

– Votre visage est reposé, votre silhouette un peu plus pleine.

– J'ai été bien nourrie, en effet.

Elle fit une petite grimace.

– Hormis le blanc-manger... On nous en sert sans arrêt.

Alicia se mit à rire.

– En tout cas, cela vous a bien profité ! Dites-moi, Tasia, comment allez-vous ?

Tasia haussa les épaules, un peu gênée. Elle avait envie de parler de sa vision de Mikhaïl dans le miroir, de ses cauchemars, mais tout cela n'était dû qu'à sa mauvaise conscience. En se confiant à Alicia, elle parviendrait seulement à l'inquiéter.

– Je me porte aussi bien que possible, répondit-elle enfin.

Alicia était pleine de compassion.

– Charles et moi sommes votre famille, Tasia. Nous ferons tout ce qui est en notre pouvoir pour vous aider. Je suppose que lord Stokehurst s'est montré aimable ?

– Il n'a pas été désagréable, dit Tasia sans se compromettre.

– J'en suis enchantée ! s'écria Alicia en lui serrant bien fort les mains avant de jeter un coup d'œil circulaire dans le hall. Nous ferions mieux de retourner au salon. Nous trouverons d'autres occasions de bavarder.

Tasia attendit quelques minutes avant de suivre sa cousine. Elle haussa les sourcils, surprise, en voyant Emma assise à la table de la voyante. Malgré les mises en garde de son père, l'adolescente semblait envoûtée par Madame Miracle.

– Voyez-vous quelque chose ? demandait-elle avec passion.

Madame Miracle étudiait attentivement les pierres de couleur posées sur la nappe.

– Ah, dit-elle enfin avec un grave hochement de tête comme si les cailloux lui révélaient leurs secrets. Tout s'éclaircit. Vous avez un esprit rebelle, et de violentes émotions... mais tout cela va s'équilibrer. D'ici peu, votre capacité d'amour va attirer autour de vous bien des gens qui chercheront à bénéficier de votre force.

Elle s'interrompit, prit les mains d'Emma, ferma les yeux afin de mieux se concentrer.

– Et mon avenir ? insista Emma.

– Je vois un époux. Un étranger. Il apportera avec lui le conflit. Mais à force de patience et de compréhension, vous parviendrez à vivre dans l'harmonie.

Elle ouvrit les yeux.

– Vous aurez de nombreux enfants. Un bel avenir en perspective.

– De quel type d'étranger s'agit-il ? Un Français ? Un Allemand ?

– Les esprits ne l'ont pas dit.

Emma plissa le nez, contrariée.

– Pouvez-vous leur demander ?

Madame Miracle haussa les épaules, lâcha ses mains.

– C'est tout, déclara-t-elle d'un ton définitif.

– Zut ! marmonna Emma. Maintenant, je me poserai des questions dès que je croiserai un étranger...

Stokehurst, souriant, fit signe à sa fille de reprendre sa place à ses côtés.

– C'est au tour de quelqu'un d'autre, maintenant, ma chérie.

– Miss Billings ! suggéra Emma. Je veux savoir ce que disent les esprits sur miss Billings !

Tasia pâlit, tandis que toutes les têtes se tournaient vers elle. Elle devenait le point de mire de deux cents paires d'yeux, et une sueur froide l'envahit. Un instant, elle se crut revenue en Russie, au moment du procès, quand les gens la regardaient avec une curiosité malsaine, hostile.

114

La panique l'envahissait, et elle secoua la tête, incapable de prononcer une parole.

Elle s'enfonçait plus avant dans le cauchemar lorsqu'elle entendit la voix de lord Stokehurst :

– Pourquoi pas ? demandait-il doucement. Venez donc ici, miss Billings.

4

Tasia aurait voulu disparaître sous terre. Un léger brouhaha s'éleva parmi la foule.

– Ce n'est qu'une gouvernante...

– Pourquoi s'occuper d'elle ?

Stokehurst fixait Tasia de son regard perçant.

– Vous ne voulez pas savoir ce que l'avenir vous réserve ?

– Mon avenir n'intéresse personne, monsieur, répondit-elle calmement malgré l'angoisse qui l'étreignait.

Stokehurst semblait vouloir la punir. Mais de quoi ? Qu'avait-elle fait pour le contrarier ?

Emma regardait alternativement Tasia, puis son père, et son sourire s'évanouit.

– C'est vraiment amusant, miss Billings, insista-t-elle, d'une voix un peu hésitante cependant. Pourquoi ne pas essayer ?

Alicia Ashbourne se leva brusquement et déclara, d'un ton péremptoire :

– J'aimerais que l'on me prédise mon avenir. Ne perdons pas de temps avec une personne qui n'en a pas envie.

– Tout à l'heure, lady Ashbourne, répondit doucement Stokehurst. Que les esprits se concentrent d'abord sur notre mystérieuse gouvernante.

Alicia allait protester quand son mari l'obligea à se rasseoir en lui tapotant la main pour la calmer.

Iris Harcourt fronçait les sourcils.

Inutile de tourmenter cette petite, Luke. Si elle n'y tient pas, laissons-la tranquille.

Stokehurst l'ignora. Il ne quittait pas Tasia des yeux.

– Allons, miss Billings, ne nous faites pas languir davantage.

– Je préférerais...

– J'insiste.

Il aurait le dernier mot, dût-il provoquer une scène. Consciente de ne disposer d'aucune échappatoire, Tasia s'avança comme si elle montait à l'échafaud.

– N'ayez pas peur, mon enfant, dit Madame Miracle en lui faisant signe de s'asseoir. Prenez les pierres et chauffez-les dans vos mains.

Tasia était piégée ; elle ne pouvait qu'affronter la situation la tête haute. Elle saisit une poignée de pierres qu'elle serra bien fort dans son poing. Tout le monde avait les yeux fixés sur elle, et elle sentait ces regards comme autant de lames de poignard.

– Maintenant, ordonna Madame Miracle, lâchez-les.

Tasia ouvrit la main, et les cailloux tombèrent sur la table, s'éparpillèrent, roulèrent dans différentes directions.

La voyante hocha la tête, visiblement troublée. Puis elle ramassa les pierres et les remit dans la coupe.

– Mieux vaudrait recommencer.

– Pourquoi ? demanda Tasia d'une voix blanche, bien qu'elle devinât la réponse.

C'était mauvais signe.

Madame Miracle secoua de nouveau la tête sans répondre.

Tasia jeta encore les pierres, dont une roula sur le parquet.

– Ah, souffla la diseuse de bonne aventure, le motif se répète. Deux frères, la mort, le sommeil.

Elle se pencha pour récupérer le dernier caillou qu'elle observa longuement. Il était de couleur rouge sang avec de petites taches noires. Elle le posa enfin et saisit fermement les mains de Tasia.

– Vous avez parcouru bien du chemin, depuis votre

maison natale. On vous a arrachée à votre foyer, à votre histoire.

Elle s'interrompit, les sourcils froncés de concentration.

– Il n'y a pas longtemps, les ailes de la mort vous ont frôlée.

Pétrifiée, Tasia demeurait silencieuse.

– Je vois un pays lointain... Une ville construite sur des ossements, environnée de forêts très anciennes. Je vois des amas d'or et d'ambre... des palais, d'immenses terres, des domestiques... Tout cela vous appartient. Je vous vois vêtue d'une robe de soie, de précieux joyaux au cou.

Lady Harcourt intervint brusquement, comme si elle trouvait l'affaire cocasse.

– Miss Billings est une simple gouvernante, madame. Expliquez-nous, s'il vous plaît, comment elle peut accéder à un avenir si prestigieux ? En réussissant un riche mariage, je présume ?

– Je ne parle pas du futur, répondit la voyante, mais du passé.

Le plus grand silence régnait dans la pièce. Tasia, bouleversée, tenta de libérer ses mains.

– Je veux arrêter, murmura-t-elle d'une voix rauque.

La voyante serra davantage ses doigts sur les siens, et Tasia sentit la transpiration perler entre leurs mains qui se crispèrent soudain comme si un courant électrique les traversait.

– Je vous vois dans une pièce décorée d'or, de tableaux de maîtres, de livres. Vous cherchez quelqu'un. Une ombre tombe sur votre visage. Il y a un jeune homme aux yeux jaunes. Du sang... son sang coule sur le sol. Vous criez son nom... quelque chose comme... Michael... Michael ! répéta la femme en bondissant en arrière, lâchant les mains de Tasia.

La jeune femme demeura assise, glacée, terrorisée.

Madame Miracle recula en vacillant, brandissant sa paume aussi rouge que si elle s'était ébouillantée.

– Elle m'a brûlée ! hurla-t-elle. C'est une sorcière !

Tasia parvint à se lever, bien qu'elle ne sût pas si ses jambes accepteraient de la porter.

– J'ai suffisamment écouté vos ridicules mensonges ! rétorqua-t-elle d'une voix tremblante.

Elle avait les entrailles nouées, pourtant elle parvint à quitter la pièce comme un automate, la tête haute. Il fallait absolument qu'elle se terre quelque part...

– *Ô Dieu, qu'ai-je fait ?*

Les voix du passé tourbillonnaient dans son esprit.

– *Ils devraient te brûler...*

– *Ma pauvre petite...*

– *Je ne voulais pas le faire...*

– *... te réduire en cendres.*

– *Que Dieu me vienne en aide...*

– *Sorcière !*

– Non ! gémit-elle en se mettant à courir.

Trébuchant, elle fuyait les démons hurlants qui la harcelaient.

Dès qu'elle fut sortie, les conversations se déchaînèrent. Les femmes ouvraient leurs éventails pour dissimuler leurs paroles venimeuses, certains invités s'étaient massés autour de Madame Miracle qu'ils assaillaient de questions.

Impassible, Luke sortit à la recherche de la gouvernante.

Comme il arrivait dans le hall, il sentit quelqu'un l'agripper par la manche. Il s'arrêta pour se trouver face à une Alicia Ashbourne furieuse, les joues toutes rouges, la bouche pincée.

– Pas maintenant, dit-il sèchement.

– Avez-vous perdu l'esprit ? demanda Alicia, hors d'elle.

Elle l'attira sous le grand escalier, où ils avaient peu de risques d'être entendus.

– Vous mériteriez que Charles vous rosse ! Comment avez-vous pu faire cela à ma cousine ? La pousser ainsi vulgairement sur le devant de la scène, alors qu'elle doit demeurer cachée, vous le savez...

– Je ne sais rien d'elle, justement. Sauf que j'en ai

assez de la voir errer dans ce manoir comme un fantôme, avec son air de martyre, ses regards tragiques, toute vibrante de sombres secrets. Dieu seul sait quelles répercussions cela risque d'avoir sur ma fille. J'en ai plus qu'assez, répéta-t-il.

Alicia se redressa de toute sa taille.

– Du coup, vous avez décidé de la torturer en public ! Je ne vous aurais jamais imaginé si cruel. Eh bien, je vais retrouver Tasia et l'emmener avec moi sur-le-champ. Je n'oserais infliger à un chien perdu votre prétendue hospitalité. Alors encore moins à ma cousine...

Luke la scrutait avec une brûlante intensité.

– Tasia ? C'est son nom ?

Horrifiée, Alicia porta la main à sa bouche.

– Oubliez-le. Oubliez-le immédiatement. Laissez-moi seulement la ramener à Londres, je vous promets que vous ne la verrez plus jamais.

Il serra les dents.

– Elle n'ira nulle part.

Alicia l'affrontait comme un caniche intrépide face à un chien-loup.

– Vous vous êtes suffisamment mêlé de ses affaires, merci ! Vous étiez censé lui servir de garantie provisoire, or vous l'avez mise en danger. La jeter ainsi en pâture à ces gens... cela pourrait signer son arrêt de mort, et tout cela à cause de votre orgueil blessé. J'ai assuré à Tasia que vous étiez digne de confiance, et vous m'avez donné tort. Dites-moi : comment se sent-on quand on ruine la vie de quelqu'un sur un simple caprice ?

– C'est vous qui m'avez entraîné dans cette aventure, siffla Luke. Je vais devenir fou, si je n'arrive pas à y voir clair. Que voulez-vous dire par « arrêt de mort » ? Bon Dieu, qu'a-t-elle fait ?

Alicia se détourna, les sourcils froncés.

Luke se résignait à ce qu'elle refuse de répondre quand elle prit de nouveau la parole :

– Je l'ignore. Je ne suis même pas certaine qu'elle le sache elle-même.

Luke lâcha un juron de frustration.

– Je vais la trouver. Retournez avec les autres.

– Et qui protégera ma cousine ? demanda Alicia.
– Moi.
– Jusqu'à présent, ce n'est guère probant !

Plongeant dans la mêlée, Emma parvint à s'approcher de Madame Miracle et de lady Harcourt. Elle les regarda toutes les deux, ses yeux bleus pleins de rage, les taches de rousseur nettement visibles sur ses joues pâlies.

– Emma, dit sèchement lady Harcourt, nous n'avons certes pas besoin des accès de mauvaise humeur d'une enfant, en ce moment.

Emma l'ignora pour se tourner vers la voyante.

– Pourquoi aviez-vous besoin de vous servir de miss Billings comme d'un jouet ? Elle ne vous a rien fait !

La femme eut un sursaut indigné.

– Jamais je n'abuserais de mes dons de cette façon ! J'ai révélé la vérité exactement comme les esprits me la montraient.

Emma, autoritaire, croisa ses bras maigres.

– Vous feriez mieux de partir, à présent, déclara-t-elle. Je vais sonner notre majordome pour qu'il vous raccompagne. Si vous n'avez pas de voiture, il en mettra une à votre disposition.

– Ma chère Emma, coupa lady Harcourt, ce n'est pas parce que votre impressionnable gouvernante s'est vexée que les autres invités doivent être privés de divertissement. Ce problème concerne les adultes, pas une enfant. Pourquoi ne montez-vous pas dans votre chambre vous occuper de vos livres et de vos poupées ?

Emma lui lança un regard sournois.

– D'accord. Mais je n'aimerais pas être à la place de votre Madame Miracle quand mon père reviendra. Il est si coléreux ! Qui sait de quoi il est capable ?

Avec un mauvais sourire, l'adolescente porta les mains à sa gorge en émettant une sorte de gargouillis.

La voyante blêmit et entreprit de rassembler son matériel.

– Cessez d'inventer des horreurs sur votre père, Emma, grinça Iris. Filez dans votre chambre. Je ne supporterai plus vos interventions. C'est moi l'hôtesse, et je désire que Madame Miracle reste.

L'air de sale gamine d'Emma fit place à une expression têtue.

– Elle a rendu miss Billings malheureuse. J'exige qu'elle s'en aille. Et c'est *ma* maison. Pas la vôtre.

– Petite insolente !

Iris fit du regard le tour de la pièce.

– Où est votre père ?

Emma haussa innocemment les épaules.

– Je n'en ai pas la moindre idée...

Luke trouva la porte de la petite chambre, au deuxième étage, entrouverte. L'atmosphère était lourde, le silence étouffant. Il y avait une chaise renversée, une petite icône à terre.

La gouvernante... Tasia... se tenait à la fenêtre.

Elle sut tout de suite qui était sur le seuil.

– Monseigneur... dit-elle d'une voix atone sans se retourner.

Il comprit brusquement qu'elle n'était pas en colère, ni gênée, ni même effrayée. Elle était tout simplement brisée. Il lui avait fait bien plus de mal qu'il n'en avait l'intention, et il fut soudain envahi de honte, de remords. Mal à l'aise, il s'éclaircit la gorge, prêt à s'excuser.

– Je suis venu voir comment...

Il s'interrompit. S'il exprimait quelque sollicitude, elle risquait de le prendre comme une moquerie, puisqu'il était la cause de sa douleur.

Elle lui tournait toujours le dos et s'exprimait d'une voix qu'elle s'efforçait de rendre normale.

– Je vais bien, monsieur. Mais j'ai besoin de rester seule quelques minutes. Cette femme était étrange, n'est-ce pas ? Pardonnez-moi mon accès d'humeur. Si vous vouliez bien vous en aller... et me laisser me ressaisir. J'ai seulement besoin de rester seule, répéta-t-elle.

Sa voix s'éteignit comme une boîte à musique, ses épaules s'affaissèrent.

– Partez, s'il vous plaît...

Luke fut près d'elle en quelques enjambées, et il prit dans ses bras le petit corps raidi.

– Je suis désolé, souffla-t-il dans ses cheveux. Tellement désolé !

Tasia se débattit, tenta de le repousser. Mais en même temps, elle était incapable d'ignorer l'odeur de cognac et de cigare qui s'attardait sur la veste de Luke. Un parfum viril, rassurant. Elle renonça à lutter.

Personne ne l'avait tenue ainsi, à part son père quand elle était une petite fille qui avait peur du noir. Sa gorge se serra.

– On ne vous fera plus de mal, dit gentiment Luke en lui caressant les cheveux. J'y veillerai, vous avez ma parole.

On ne lui avait jamais proposé de veiller sur elle, et cette offre eut un étrange effet sur Tasia. Un flot de larmes lui monta aux yeux, qu'elle tenta énergiquement de refouler en clignant des paupières. Lord Stokehurst disait cela simplement pour se montrer aimable. Il ne savait pas ce que cela voulait dire, à quel point elle avait besoin d'aide. Ni combien elle était désespérément seule.

– Vous ne pouvez me le promettre, dit-elle en claquant des dents. Vous ne comprenez pas.

– Alors, expliquez-moi.

Il enfouit les mains dans le chignon serré de la jeune fille et éloigna son visage du sien pour mieux le voir.

– Dites-moi de quoi vous avez peur.

Comment l'aurait-elle pu ? Comment avouer qu'elle craignait d'être prise et punie pour ses crimes, et surtout qu'elle s'effrayait elle-même ?

S'il savait ce qu'elle avait fait, il la détesterait. S'il savait... s'il savait... il la mépriserait.

Les larmes débordèrent soudain, et elle s'y laissa aller avec une douloureuse violence. Plus elle tentait de se calmer, plus son chagrin augmentait. Stokehurst, avec un petit grognement contrarié, la serra davantage, maintint sa tête contre sa poitrine.

Elle sanglotait à fendre l'âme, s'accrochait à son cou, et il murmurait des paroles de réconfort à son oreille, contre sa gorge, son souffle chaud et rassurant parcourant la peau de la jeune fille.

Il la berça ainsi de longues minutes, jusqu'à ce que le plastron de sa chemise fût trempé.

Chut, murmura-t-il enfin. Vous allez vous rendre malade. Chut...

Il caressait ses épaules, son dos.

– Respirez un bon coup. Encore...

– Ils... ils m'ont traitée de sorcière, articula-t-elle enfin, déchirée. Avant.

Il ne voulait pas la questionner. Il lui accorderait le temps qu'il faudrait.

Les mots jaillirent enfin, en torrent tumultueux :

– Parfois, je voyais des choses... sur des gens que je connaissais. Je... je savais quand un accident allait se produire... ou si quelqu'un mentait. J'avais des rêves, des visions. Pas très souvent, mais... je ne me trompais jamais. On en parlait jusqu'à Moscou. On disait que j'étais maudite. Leur seule explication était la sorcellerie. Ils avaient peur de moi. Et la peur s'est transformée en haine. Je représentais un danger.

Elle frissonna, se mordit la lèvre, dans la crainte d'en dire trop.

Il la tenait toujours serrée contre lui.

Peu à peu, les sanglots s'apaisèrent et elle se laissa aller sur la vaste poitrine.

– J'ai mouillé votre chemise, murmura-t-elle d'une petite voix pathétique.

Il sortit un mouchoir de sa poche.

– Tenez...

Il le tint contre son nez et elle souffla avec une énergie enfantine qui le fit sourire.

– Ça va mieux ? demanda-t-il gentiment.

Tasia prit le mouchoir, s'essuya les yeux et acquiesça de la tête. Avec les larmes, elle s'était débarrassée de la boule douloureuse qui l'étouffait depuis des mois.

Stokehurst repoussa une mèche échappée du chignon derrière son oreille.

– Vous étiez fâché contre moi, ce soir, souffla Tasia d'une voix encore embuée. Pourquoi ?

Luke eut envie de lui proposer une des nombreuses réponses insignifiantes qui lui venaient à l'esprit, mais il lui devait la vérité. Il suivit du doigt la trace d'une larme sur sa joue.

– Parce que vous allez disparaître un jour sans m'avoir dit qui vous êtes ni dans quel genre d'ennuis vous vous trouvez. Le mystère que vous représentez s'épaissit chaque jour. Vous êtes à peu près aussi réelle que la brume au clair de lune. J'étais furieux de ne pouvoir obtenir quelque chose – quelqu'un – que je désirais tant. Alors j'ai essayé de vous blesser.

Tasia aurait dû s'éloigner de lui, il ne l'en aurait pas empêchée, elle en était sûre. Mais elle était hypnotisée par le lent mouvement de ses doigts sur sa peau. Un délicieux frisson la parcourut.

Il lui releva tendrement le menton.

– Dites-moi votre âge. Je veux la vérité.

Elle cligna des yeux, prise au dépourvu.

– Je vous ai dit...

– Quand êtes-vous née ? insista-t-il.

Tasia frémit.

– 1852.

Il demeura un moment silencieux.

– Dix-huit ans, dit-il enfin comme s'il prononçait un blasphème. Dix-huit...

Tasia éprouva le besoin de se défendre.

– Les années ne sont rien, si l'on considère...

– Epargnez-moi ce couplet ! Les années sont sacrément importantes pour ce que j'avais dans l'idée !

Il secoua la tête, comme si les événements de la journée le dépassaient.

Troublée par son silence, Tasia remua légèrement. Il semblait avoir oublié qu'il la tenait toujours dans ses bras.

– Je suppose, monseigneur, dit-elle, inquiète, que vous allez me renvoyer, maintenant ?

– Etes-vous obligée d'aborder ce sujet chaque fois que nous avons une conversation ensemble ? grommela-t-il.

Je pensais qu'après ce qui s'est passé ce soir, vous...

– Non, je ne vous congédie pas. Mais bon sang, si vous

me posez encore une fois cette question, je vous raccompagne moi-même à la grille du domaine par la peau du cou !

Il ponctua cette déclaration d'un baiser sur le front de la jeune fille, puis il se redressa.

– Vous vous sentez mieux, à présent ?

Tasia était complètement désorientée par son attitude.

– Je... je ne sais pas.

Elle se détacha de lui, malgré l'envie qu'elle avait de rester ainsi à l'abri du monde pour toujours.

– Merci pour le mouchoir.

Il jeta un coup d'œil au tissu trempé qu'elle lui tendait.

– Gardez-le. Et ne me remerciez pas. C'est à cause de moi que vous en avez eu besoin...

– Non, répondit doucement Tasia. Ce n'est pas votre faute. J'ai tout gardé en moi depuis tant de...

Elle serra ses bras autour d'elle et se tourna vers la fenêtre où se reflétaient leurs images déformées.

– Savez-vous, reprit-elle, que les anciens Russes avaient l'habitude de construire leurs forteresses au sommet des collines ? Quand les envahisseurs tartares attaquaient, ils jetaient de l'eau de tous côtés. Rapidement elle se transformait en glace, et les assaillants ne pouvaient plus grimper. Le siège durait tant que la glace et les provisions tenaient.

Elle suivit du doigt la courbe de la croisée.

– Depuis bien longtemps, je suis seule dans ma forteresse. Personne ne peut m'y rejoindre, je ne puis en sortir. Et parfois... les provisions viennent à manquer.

Elle tourna vers lui ses yeux immenses, lumineux comme des opales.

– Je suis sûr que vous comprenez cela, monsieur.

Luke la regardait intensément, et elle ne cilla pas, mais il voyait une veine battre juste au-dessus du col de soie noire. Il l'effleura du bout du doigt.

– Continuez.

La magie de l'instant fut soudain brisée par une voix pleine d'un entrain factice :

– Ah, vous êtes là !

Iris Harcourt se tenait sur le seuil, un sourire plaqué

sur le visage. Elle s'adressait à Tasia mais ne regardait que lord Stokehurst.

– Nous étions si inquiets pour vous, ma chère...

– Je vais bien, murmura Tasia tandis que Luke laissait retomber sa main.

– C'est ce que je vois... La soirée n'a pas tourné comme je l'espérais. Madame Miracle s'est enfuie, et les invités doivent se contenter à présent de musique. Heureusement, nous avons quelques pianistes de grand talent.

Lady Harcourt parlait maintenant uniquement à lord Stokehurst :

– Votre sollicitude pour les domestiques est tout à votre honneur, très cher, mais il est temps d'aller rejoindre nos amis.

Elle vint glisser un bras sous le sien et, comme elle l'entraînait hors de la chambre, elle se retourna brièvement.

– Votre petite... particularité – quel que soit le nom que vous lui donnez – semble avoir grandement troublé Emma, miss Billings. Si, comme je vous l'avais suggéré, vous vous étiez tenue à l'écart de la réception, rien de tout cela ne...

Luke murmura quelques mots, et elle haussa les épaules.

– Comme vous voudrez, mon ami.

Tasia, le mouchoir serré en boule dans sa main, demeura impassible tandis que le couple sortait. Ils étaient beaux tous les deux, grands, superbes. Stokehurst serait le mari idéal pour Iris Harcourt, et il était clair qu'elle mourait d'envie de l'épouser. Une immense tristesse s'abattit sur Tasia qui se mordit la lèvre pour l'empêcher de trembler.

Très lentement, elle alla redresser la chaise qu'elle avait renversée dans sa hâte de se retrouver seule. Elle posa l'icône à sa place habituelle et passa la main sur ses paupières endolories.

Oh, miss Billings !

Emma faisait irruption dans la pièce, la crinière en bataille, les yeux brillants.

– Cette horrible vieille bique est partie, miss Billings ! annonça-t-elle. Ce qu'elle a dit était-il vrai ? Vous viviez dans un palais ? Ô mon Dieu, vous avez pleuré !

Elle prit sa gouvernante dans ses bras.

Papa ne vous a pas trouvée ?

– Si, il m'a trouvée, répondit Tasia avec un petit rire incertain.

Comme ils descendaient l'escalier, Iris regarda Luke avec une contrariété à peine dissimulée.

– Eh bien, ta timide petite gouvernante s'est bien arrangée pour gâcher notre soirée, avec ses simagrées théâtrales.

– J'en ferais plutôt porter la responsabilité à ta diseuse de bonne aventure !

– Madame Miracle se contente de répéter ce que lui disent les esprits, rétorqua Iris.

– Je me moque de voir les esprits en chapeau haut de forme danser sur la table, on devrait supprimer cette Madame Miracle, déclara Luke, les dents serrées. Et moi avec. A nous deux, nous avons mis la gouvernante sur la sellette, or...

– Miss Billings s'est donnée en spectacle toute seule ! rectifia Iris. Et ce qui s'est passé ce soir prouve qu'elle est totalement immature, Luke. Tu devrais engager quelqu'un d'un âge plus raisonnable pour Emma. Elles font une bonne paire d'intrigantes, toutes les deux. Je n'avais pas l'intention de te le dire, mais je les ai entendues l'autre jour comploter de te marier à miss Billings !

– Quoi ?

– Elles trament un complot, je te dis. Emma veut que tu épouses sa gouvernante. C'est charmant, mais en même temps, tu devrais te demander s'il est bien sage d'engager une gamine naïve tout juste sortie du couvent pour...

– N'en fais pas toute une histoire ! coupa sèchement Luke. Je sais que ma fille est enthousiasmée par sa gouvernante, mais je t'assure que miss Billings n'a aucunement l'ambition de se marier avec moi.

– En tant qu'homme, tu te laisses abuser par son attitude. Mais elle est rouée, et elle essaie de tirer parti de la situation.

Luke lui jeta un coup d'œil ironique.

– D'abord elle est naïve, et maintenant, rouée ? Lequel des deux ? Décide-toi !

Iris se drapa dans sa dignité.

– Visiblement, c'est plutôt à toi de te décider...

– Tu n'as aucunement raison d'être jalouse.

– Vraiment ? Et qu'en est-il de la scène à laquelle je viens juste d'assister ? Oseras-tu prétendre que cette fille t'est indifférente ? L'aurais-tu touchée ainsi si elle avait été une vieille haridelle ? Oh, elle tend bien ses filets... Une jolie jeune personne esseulée, perdue, qui te regarde avec ses grands yeux gris, qui te demande de jouer le rôle du Prince Charmant, de la sauver de sa morne existence... Comment un homme pourrait-il résister ?

– Elle n'a rien demandé, déclara Luke en s'arrêtant pour faire face à Iris. Et ses yeux sont bleus, pas gris.

– Je vois, ironisa Iris, les poings sur les hanches. La couleur de la brume sur le lac... ou des violettes sous le givre matinal. Je suis certaine que tu disposes de nombreuses comparaisons tout aussi romantiques. Pourquoi ne pas te retirer dans ta chambre pour composer un poème ? Et ne me regarde pas de cet air condescendant, comme si je perdais la tête ! Je refuse de disputer tes attentions à une gamine maigrichonne. Je n'aime pas la compétition, et de toute façon, je mérite mieux que ça !

– Est-ce un ultimatum ?

– Jamais ! grinça Iris. Il n'est pas question que je te facilite le travail ! Tu voudrais que ce soit moi qui choisisse, ainsi tout serait parfait ? Plutôt m'arracher la langue. Cependant ne commets pas l'erreur de venir me retrouver dans mon lit cette nuit, ni aucune autre nuit, tant que tu ne m'auras pas convaincue que c'est à moi que tu penses en faisant l'amour, pas à *elle* !

Il promena un regard insolent sur les courbes épanouies de sa maîtresse.

– Je ne risque pas de vous confondre... Quoi qu'il en soit, je ne t'infligerai pas ma présence ce soir.

– Tant mieux ! aboya Iris avant de s'éloigner sans l'attendre, ses jupes oscillant dans son sillage.

Le reste de la soirée fut un véritable fiasco. Luke ne se souciait pas de savoir si ses invités s'amusaient, et tous s'étaient rassemblés dans le salon de musique. Les conversations allaient bon train...

Charles Ashbourne s'approcha de Luke qui se tenait au fond de la pièce.

– Par le diable, Stokehurst, marmonna-t-il, que se passe-t-il ?

Luke haussa les épaules, les dents serrées.

– Je me suis excusé de ma conduite auprès de Tasia. Tu peux rassurer Alicia, tout va bien.

– Je ne saurais la rassurer si je ne suis moi-même convaincu, soupira Charles. Alicia et moi aimerions que Tasia revienne avec nous. Nous lui trouverons une autre place.

– Ce n'est pas nécessaire.

– Si ! Bon sang, vieux, je t'avais demandé de la protéger, de la *cacher*... et tu l'exhibes à tes invités, comme au carnaval ! C'est uniquement par crainte d'attirer encore plus l'attention sur elle qu'Alicia a renoncé à l'emmener d'ici ce soir même !

Le sang monta au visage de Luke.

– Ça ne se reproduira plus. Je veux qu'elle reste.

– Est-ce aussi ce qu'*elle* désire ?

Luke hésita un instant.

– Je le crois.

– Je te connais bien, Stokehurst, reprit Charles, soucieux. Tu me caches quelque chose.

– Je t'ai donné ma parole, je protégerai Tasia. Dis à Alicia que je regrette ce qui s'est passé. Convainc-la qu'il est préférable que Tasia reste ici. Je jure de m'occuper d'elle au mieux, dorénavant.

Charles hocha la tête.

– Parfait. Jamais tu n'as manqué à ta parole... J'espère que tu ne vas pas commencer aujourd'hui.

Ashbourne s'éloigna, et Luke demeura seul, saisi d'un sentiment de culpabilité. Tout le monde lui jetait des

130

coups d'œil intrigués, sauf Iris, qui, assise à quelques pas de lui, mettait un point d'honneur à l'ignorer.

S'il désirait partager son lit ce soir, il devrait déployer des trésors de diplomatie pour y parvenir, s'excuser, promettre une visite chez le bijoutier. Mais il n'avait pas envie de faire l'effort. Pour la première fois depuis le début de leur liaison, l'idée de passer une nuit avec Iris le laissait de marbre.

Il était obsédé par Tasia et son histoire. Elle avait vécu des événements horribles, il en était certain. Elle avait beaucoup d'expérience – bien trop – pour sa jeune existence, et elle avait dû ne compter que sur elle-même. A dix-huit ans, elle refusait de demander de l'aide, ou de se fier à ceux qui lui en proposaient. D'autre part, il était trop âgé pour elle, avec ses trente-quatre ans et sa grande fille. Avait-elle songé une seule fois, même par hasard, à leur différence d'âge ? Il en doutait. Pour l'instant, elle ne semblait aucunement intéressée par lui, d'ailleurs. Il n'y avait pas eu de regards appuyés, pas de contacts qui s'attardent, pas d'efforts pour prolonger leurs rares conversations.

Il n'avait jamais vu son sourire. Non qu'il lui en eût donné l'occasion ! Pour un homme que les femmes disaient séduisant, il s'était montré fort peu charmant avec elle. Une vraie brute. Et il était trop tard pour revenir en arrière, réparer les dégâts. La confiance est un sentiment fragile, qui se construit peu à peu... Ce soir, il avait détruit toute chance de gagner un jour celle de Tasia.

Pourtant, cela ne devrait pas revêtir une telle importance ! Le monde était plein de femmes belles, intelligentes, voluptueuses... Et, sans se vanter, Luke savait qu'un certain nombre d'entre elles lui tomberaient volontiers dans les bras. Mais depuis la mort de Mary, aucune n'avait su éveiller son intérêt comme cette jeune fille.

Sombre, Luke but plus que de raison, devint maussade, à peine poli. Il ignorait ses devoirs d'hôte et se moquait bien de ce qu'on pouvait penser de son attitude. La plupart des visages qu'il croisait étaient ceux qu'il voyait aux réceptions données avec Mary. Le même scénario, année après année, se répétait, comme une roue qui tourne sans fin.

Il fut soulagé quand le groupe se sépara enfin, chacun prêt à aller retroúver le partenaire qu'il s'était choisi pour la nuit.

Biddle attendait dans la chambre, au cas où son maître aurait eu besoin de lui. Luke lui ordonna brutalement d'éteindre les lampes et de disparaître. Puis, affalé dans un fauteuil, tout habillé, il porta une bouteille de vin à ses lèvres et but largement au goulot.

– Mary... marmonna-t-il, comme si en prononçant son nom il pouvait la faire surgir devant lui.

Mais rien ne bougea dans la chambre obscure. Il s'était accroché longtemps à sa douleur, jusqu'à ce qu'elle se dissolve pour laisser derrière elle... le néant. Il avait pensé que la peine durerait toujours, et, Dieu, comme il aurait préféré cela au vide !

Il ne savait plus profiter de la vie. C'était pourtant si facile, lorsqu'il était enfant... Mary et lui riaient sans cesse, jouissant de leur jeunesse, de leurs espoirs, aveuglément confiants en leur avenir. Luke retrouverait-il cette complicité, un jour, avec une autre ?

– Sûrement pas, sacredieu ! gronda-t-il en portant de nouveau la bouteille à sa bouche.

Il ne supportait pas la perspective d'une nouvelle désillusion, du chagrin, des rêves brisés. Il n'avait même pas envie d'essayer.

Vers le milieu de la nuit, Luke posa enfin la bouteille vide et sortit de sa chambre. La lune était pleine, disque doré dans le ciel sombre, et il traversa le manoir désert, attiré par la légère brise qui soufflait au-dehors. Il se dirigea vers un passage dans la haie de troènes qui bordait le jardin pour se retrouver sur une allée de gravier. Le parfum entêtant des jacinthes se mêlait à celui des lys et des héliotropes.

Il s'installa sur un banc de marbre placé au milieu d'une épaisse pelouse, étendit ses jambes devant lui.

Soudain il fut attiré par une frêle silhouette qui se

déplaçait légèrement le long de la haie. Il crut à une hallucination, mais la forme bougea de nouveau, éthérée.

– Qui est là ? demanda-t-il à voix haute, le cœur battant.

Il entendit quelqu'un reprendre sa respiration, puis quelques pas, et *elle* apparut.

– Miss Billings ! dit-il d'un ton surpris.

Elle était vêtue du costume de paysanne qu'elle portait le soir où il l'avait embrassée, une simple jupe et une blouse ample. Sa chevelure libre croulait jusqu'à ses reins et elle avait drapé un châle coloré sur sa tête.

– Monseigneur, souffla-t-elle.

– Vous avez l'air d'un fantôme, à errer ainsi dans le jardin.

– Croyez-vous aux fantômes, monsieur ?

– Non.

– Parfois, je pense que je suis hantée.

– Cela arrive. En général à des gens qui ont un lourd poids sur la conscience.

Il lui fit signe de s'asseoir près de lui, et elle obéit, après une brève hésitation, en prenant grand soin de se tenir à distance respectable.

Tous deux demeurèrent silencieux, conscients de partager un instant hors du temps. Le parc était un sanctuaire qui les isolait du reste du monde.

Tasia se demandait pourquoi elle n'avait pas été étonnée de le trouver là. Son mysticisme inné, mélange de religion et de sang slave, la poussait à accepter aisément la fatalité. Ils étaient là parce qu'ils devaient y être. Et elle trouvait naturel d'être assise près de lui, à regarder la lune qui semblait ne briller que pour leur plaisir.

Il se pencha et tira sur son foulard, incapable de résister à l'envie d'admirer la rivière de cheveux bruns cascadant sur son dos.

– Qu'est-ce qui vous hante ? demanda-t-il.

Tasia baissa la tête.

– N'êtes-vous jamais lasse de porter tous ces secrets ? insista-t-il en jouant avec une mèche soyeuse. Que faites-vous dehors à cette heure-ci ?

– J'étouffais, à l'intérieur. Je ne pouvais plus respirer, je voulais voir le ciel.

Elle s'interrompit, lui jeta un coup d'œil timide.

– Et vous ?

Il lui fit face, se mettant d'un geste vif à califourchon sur le banc. Tasia était terriblement consciente de la proximité de ce grand corps puissant. Mais il ne la toucha pas, il se contentait de la transpercer du regard.

– Vous n'êtes pas la seule à vous rappeler des choses que vous aimeriez oublier, dit-il. Parfois, cela m'empêche de dormir.

– Votre femme ?

Lentement, il fit jouer ses doigts métalliques qui se mirent à briller sous la lune.

– C'est comme une amputation. Il m'arrive encore d'avoir envie de me servir de tous mes doigts... Même après toutes ces années.

– On m'a raconté comment vous aviez sorti votre épouse et Emma de l'incendie. Vous avez été très courageux.

Il haussa les épaules.

– Cela n'avait rien à voir avec le courage. Je n'ai pas pris le temps de réfléchir, je suis allé les chercher, c'est tout.

– D'autres se seraient inquiétés pour leur propre sécurité.

– J'aurais préféré être à la place de Mary. C'est celui qui reste qui souffre le plus.

Il fronça les sourcils.

– Je n'ai pas perdu seulement Mary, je me suis aussi perdu... J'ai perdu celui que j'étais en sa compagnie. Quand il ne vous reste plus que le souvenir, quand, année après année, certains détails deviennent flous... vous essayez de vous accrocher encore plus fort. Vous ne vous abandonnez pas suffisamment pour aller vers quelqu'un d'autre.

– Parfois, Emma me demande de jouer sa valse, dit Tasia, les yeux fixés au loin sur le jardin tout bruissant du chant des grillons et des minuscules créatures cachées dans l'herbe. Elle m'écoute les yeux fermés en pensant à sa maman. Mary – pardon, lady Stokehurst – fera toujours partie intégrante d'elle. Et de vous. Je ne vois pas ce qu'il y a de mal à ça.

Comme elle sentait une sorte de chatouillement, Tasia eut un geste distrait pour le dissiper, quand elle vit une araignée aux grandes pattes remonter délicatement le long de son bras.

Elle cria, bondit sur ses pieds, chassa l'intruse puis se mit à secouer frénétiquement ses vêtements dans un flot rapide de phrases russes.

Luke s'était levé aussi, stupéfait. Lorsqu'il comprit ce qui se passait, il se laissa retomber sur le banc, pris d'un énorme fou rire.

– Ce n'était qu'une araignée, dit-il enfin entre deux hoquets. En Angleterre, nous les appelons des faucheux. Ils ne piquent pas.

Tasia se remit à parler anglais.

– Je hais *toutes* les araignées !

Elle continuait à brosser énergiquement sa jupe, ses manches, tous les endroits où la petite bête aurait pu se réfugier.

– Tout va bien, dit lord Stokehurst d'une voix amusée. Elle est partie.

La jeune fille ne fut pas rassurée pour autant.

– Et s'il y en a d'autres ?

Il la saisit au poignet.

– Cessez de vous agiter dans tous les sens, et laissez-moi regarder.

Il la parcourut d'un long regard attentif.

– Je crois pouvoir affirmer que vous avez envoyé toute créature vivante se terrer à l'abri.

– Sauf vous.

– Je ne suis pas facile à effrayer. Approchez-vous, miss Muffet.

Il l'obligea à se rasseoir.

– Restez bien près de moi, au cas où elle reviendrait.

– Qui est miss Muffet ?

– Un personnage important de la littérature anglaise. Je suis étonnée qu'une jeune femme aussi cultivée que vous ne la connaisse pas.

Il glissa un bras autour de sa taille et la serra contre lui. Tasia était habillée plus légèrement que d'habitude, sans corset ni tournure, et elle sentit les muscles puissants contre elle, les calmes battements du cœur de Luke.

– Lâchez-moi, dit-elle à voix basse.

– Et si je refuse ?

– Je crie.

Il eut un sourire éblouissant.

– Vous l'avez déjà fait...

Tasia ne résista pas lorsqu'il pencha la tête vers elle, lui cachant la lune. Elle se tendit, non de peur, mais d'anticipation, les yeux clos.

La douce pression de sa bouche fit naître en elle de longs frissons de plaisir. Tout étourdie, elle posa les mains à plat sur les robustes épaules et il la serra davantage, il l'embrassa encore, jusqu'à ce que toute idée de péché, de raison, de prudence vole en éclats. Elle ouvrit ses lèvres contre les siennes et l'embrassa en retour avec passion.

Luke ne s'attendait pas à cette ardeur, et le désir monta en lui, sauvage, irrépressible, emportant tout sur son passage. L'illusion qu'il gardait son libre arbitre en ce qui concernait la jeune fille disparut pour toujours. Elle lui était aussi indispensable que le sang qui coulait dans ses veines. Elle emplissait le vide en lui, pour quelque mystérieuse raison que son cœur comprenait, alors même que son esprit en était incapable.

Il tenta d'assagir leur étreinte, de la rendre plus chaste, mais elle ne le voulait pas. Elle caressait fiévreusement son dos, comme pour mieux en sentir la chaleur à travers le fin tissu de la chemise.

Il l'attira sur ses genoux, et elle gémit lorsque leurs lèvres se séparèrent. Luke la regardait, ébloui par sa beauté, l'éclat de sa chevelure, la douceur de sa bouche pleine, l'arc pur de ses sourcils. Son corps était léger, souple, jeune. Il lâcha sa taille fine pour remonter vers le décolleté de la blouse paysanne, et il dégagea son épaule. Le cœur de Tasia manqua un battement quand sa main vint se mouler sur son sein.

Il prit de nouveau sa bouche en un interminable baiser, suivi aussitôt de milliers d'autres plus brefs, comme des éclats de baisers, doux, ou tendres, ou exigeants. Contre ses doigts, le petit bout de sein était devenu délicieusement dur.

Tasia enfouit ses mains dans les cheveux épais.

Toutes les sensations qu'elle avait connues, du plaisir le plus profond à la peine la plus immense, pâlissaient à côté de la satisfaction intense qu'elle ressentait auprès de cet homme. Il était si fort, si bon. Il incarnait ce dont elle avait toujours rêvé.

Mais tout avait été détruit avant même qu'ils se rencontrent. Elle avait tout détruit.

Elle se rejeta en arrière avec un petit cri de désespoir.

Il ouvrit les yeux et, avant qu'elle pût se détourner, il avait surpris l'angoisse dans son regard. Tasia avait envie de se sauver, de fuir les questions, les demandes d'explications auxquelles elle ne pourrait répondre.

Les bras de Luke se firent d'acier et il l'emprisonna contre lui.

– Cela ne nous mènera nulle part, murmura-t-elle.

Il caressait les longues mèches brunes, et il eut une sorte de petit rire, mais lorsqu'il parla, sa voix ne contenait pas trace d'amusement.

– Si nous avions eu le choix, vous et moi, nous ne serions pas allés si loin. Qu'est-ce qui pourrait nous arrêter, à présent ?

– Mon départ. Vous voulez que je vous dise tout, or je ne le puis. Je ne veux pas que vous sachiez qui je suis, ce que j'ai fait.

– Pourquoi ? Croyez-vous que je serais choqué ? Je ne suis ni un rêveur ni un hypocrite. Dieu, pensez-vous vraiment que vos péchés puissent être pires que les miens ?

– Je sais qu'ils le sont, rétorqua Tasia, amère.

Quoi qu'il eût fait, elle doutait que le crime en fît partie.

– Vous êtes une petite folle arrogante, grommela-t-il.

– Une... ?

– Seuls vos sentiments comptent. Personne n'a de peine, que vous. Eh bien, vous avez tort. Il ne s'agit plus seulement de vous, à présent. J'existe, moi aussi. Et que je sois damné si je vous laisse me filer entre les doigts simplement parce que vous avez décidé que je n'avais pas de place dans vos projets.

– *Vous* êtes la personne la plus arrogante que je connaisse ! Vous vous posez comme une autorité sur des sujets dont vous ignorez tout !

L'ardeur de ses origines slaves refaisait surface. Elle tremblait du besoin de hurler. Pourtant elle poursuivit, avec un calme mortel :

– Je me moque de vos sentiments. Je ne veux rien de vous. Lâchez-moi. Je partirai demain. Je ne peux plus rester, après ce qui vient de se passer. Je ne suis plus en sécurité, chez vous.

Elle avait l'impression qu'il allait lui briser les os.

– Ainsi vous continuerez à vous cacher, à fuir, à refuser que l'on vous aime... Quelle existence ! Celle d'une morte-vivante.

Tasia frémit.

– C'est la seule que je puisse avoir.

– Vraiment ? A moins que vous ne soyez trop lâche pour essayer d'en obtenir une autre...

Elle se débattit soudain comme un chat en colère.

– Je vous hais !

Luke n'eut aucun mal à la maîtriser.

– Moi, je vous désire. Suffisamment pour me battre afin de vous avoir. Si vous me fuyez, je vous retrouverai.

Il eut un sourire carnassier.

– Par Dieu, que c'est bon d'avoir de nouveau envie de quelqu'un ! Je n'échangerais pas cette sensation contre tout l'or du monde.

– Je ne vous dirai rien ! lança-t-elle avec passion. Je disparaîtrai, et dans un mois vous m'aurez oubliée, tout redeviendra comme avant.

– Vous n'abandonnerez pas Emma, vous savez quel malheur ce serait pour elle. Elle a besoin de vous.

Il était déloyal de parler de l'adolescente, ils en étaient tous les deux conscients.

– *Nous* avons besoin de vous, ajouta-t-il, bourru.

– Je sais qu'Emma a besoin de moi, mais vous... tout

ce que vous voulez, c'est la... f... fornication ! s'exclama Tasia, outragée.

Il se détourna et un petit son étouffé lui échappa. Durant un bref instant de triomphe, Tasia crut qu'elle lui avait fait honte, puis elle s'aperçut qu'il pouffait de rire.

Furieuse, elle se débattit de plus belle, mais il la serra davantage contre lui. Elle sentit son désir et, troublée, elle ne bougea plus.

Il effleura sa joue brûlante.

– Je n'oserais prétendre le contraire. La... fornication, comme vous dites, tient une place importante. Mais ce n'est pas tout ce que je veux de vous.

– Comment osez-vous parler ainsi, alors qu'une femme vous attend dans sa chambre ? Auriez-vous déjà oublié lady Harcourt ?

– J'ai quelques problèmes à régler, admit-il.

– En effet.

– Iris et moi n'avons aucun droit l'un sur l'autre. C'est une femme de qualité, que je respecte et que j'apprécie. Mais il n'y a pas d'amour entre nous, elle serait la première à le reconnaître.

– Elle souhaite vous épouser, dit Tasia d'un ton accusateur.

Il haussa les épaules.

– Mon Dieu, l'amitié peut être un excellent moteur dans un mariage. Mais cela ne me suffit pas, et Iris est au courant de mon opinion à ce sujet. Je ne m'en suis jamais caché.

– Peut-être imagine-t-elle que vous avez changé d'avis...

– Les Stokehurst ne changent jamais d'avis, déclara Luke dans un sourire. Nous sommes terriblement entêtés, et je crains d'être le pire de la famille...

Soudain, Tasia eut une impression d'irréalité. Etait-elle vraiment en train de parler ainsi avec lui, assise sur ses genoux, dans le noir ? Elle avait osé le critiquer, et il l'avait accepté volontiers. C'était un signe indubitable et alarmant du changement qui s'était produit dans leurs rapports.

Il dut lire dans ses pensées, car il se mit à rire et desserra son étreinte.

– Je vous tiens quitte pour l'instant, dit-il. Si nous restons plus longtemps dans cette position, je ne réponds plus de rien...

Tasia se dégagea mais elle demeura assise sur le banc, près de lui.

– Je pensais vraiment ce que j'ai dit... pour mon départ. Je ne dois pas tarder. J'ai... j'ai un mauvais pressentiment.

Luke lui lança un regard perspicace.

– Et où irez-vous ?

– Dans un endroit que personne ne connaîtra, pas même les Ashbourne. Je trouverai du travail. Tout ira bien.

– Vous ne pourrez pas vous cacher, objecta-t-il. Les gens vous remarqueront toujours, où que vous alliez, si fort que vous tentiez de vous fondre dans le décor. Vous ne pourriez changer ni votre apparence ni votre port de tête, dussiez-vous essayer pendant cent ans.

– Je n'ai pas le choix.

Il lui prit gentiment la main.

– Si. Serait-ce si terrible de sortir de votre forteresse ?

Tasia secoua la tête, et ses cheveux ondulèrent doucement autour de son visage.

– Ce ne serait pas prudent.

– Et si j'étais là pour vous venir en aide ?

Elle avait tellement envie d'y croire ! Tasia était horrifiée de voir à quel point elle perdait vite son bon sens. Quelques baisers au clair de lune, et elle était presque prête à confier sa sécurité, sa vie, à un homme qu'elle connaissait à peine.

– Que me demanderiez-vous en échange ? demanda-t-elle d'une petite voix mal assurée.

– Je vous croyais des talents de divination. Servez-vous de votre intuition...

Il l'embrassa, et Tasia, bouleversée, ne songea pas à le repousser. Elle lui répondit même avec une sensualité qu'elle n'aurait jamais soupçonnée en elle. Leurs corps se parlaient. Elle sentit les mains de Luke se glisser dans ses cheveux, lui maintenir la nuque, et c'était tellement bouleversant qu'elle en tremblait d'émotion.

Elle se serrait contre lui avec une ardeur maladroite, et il releva la tête.

– Bon Dieu, murmura-t-il, vous ne me rendez pas les choses faciles, vous savez.

Elle cherchait sa bouche, couvrait son visage de petits baisers rapides, puis elle toucha la lèvre de Luke du bout de la langue, et il céda dans un gémissement.

Leur baiser dura longtemps, trop longtemps. Luke était au supplice. Néanmoins, par miracle, il trouva la force de mettre un terme à leur étreinte.

– Allez dormir, dit-il en la repoussant. Tout de suite, pendant que je peux encore vous laisser partir.

Elle rajusta le décolleté de sa blouse, en le fixant avec des yeux de sorcière, puis elle se leva lentement, silhouette fantomatique sous les rayons de la lune.

Luke la regarda, puis il baissa les yeux.

Il demeura immobile bien longtemps après que le son léger de ses pas se fut éteint.

Il essayait de comprendre ce qui lui arrivait. Si l'absence de sentiments l'avait tracassé jusqu'à présent, il vivait exactement l'inverse. Trop de sentiments, trop vite. Sans compter le risque de souffrir, dont il avait tant cherché à se préserver. Un petit rire enroué lui échappa.

– Bienvenue dans le monde des vivants, se dit-il avec une grimace.

Il n'avait pas le choix. Il devait saisir la chance qui lui était offerte et aller jusqu'au bout.

*
**

Le samedi soir, ils purent admirer dans toute leur splendeur les talents d'Iris Harcourt.

La salle de bal blanc et or regorgeait de somptueux arrangements floraux qui se reflétaient à l'infini dans les immenses miroirs accrochés aux murs. De divines valses étaient jouées par des musiciens de qualité, et quand Emma et Tasia jetèrent un coup d'œil par la fenêtre de la galerie attenante, elles virent des gens élégants qui dansaient, se courtisaient, s'admiraient mutuellement, conscients de participer à un spectacle exceptionnel.

– C'est magnifique ! dit Emma, émerveillée.

Tasia acquiesça, sans perdre une miette de la scène. Les toilettes étaient somptueuses, et elle ne voulait manquer aucun détail. Le style des robes était différent de celui de Saint-Pétersbourg... A moins qu'elle ne fût restée assez longtemps indifférente à la mode pour ne pas remarquer qu'elle avait changé.

Les décolletés carrés étaient d'une profondeur presque indécente, à peine masqués par d'arachnéennes « modesties ». Les tournures étaient réduites – voire inexistantes – et les jupes collaient étroitement aux jambes. Comment les femmes pouvaient-elles danser ainsi serrées ? Elles parvenaient tout de même à évoluer, gracieuses, aux bras de leurs cavaliers, en relevant les longues traînes de leurs mains gantées.

Tasia baissa les yeux sur sa stricte robe noire boutonnée jusqu'au cou, sous laquelle elle portait des bas épais et de robustes bottines.

Elle ne put s'empêcher de ressentir un pincement de jalousie à contempler l'élégance des autres. Elle-même avait autrefois possédé des toilettes bien plus belles encore... celle de satin blanc à peine teinté de rose, de soie bleu glacier qui mettait ses yeux en valeur, le délicieux ensemble de crêpe de Chine lavande... Ses cheveux étaient alors ornés d'épingles à tête de diamant, sa taille de sautoirs de rubis et de perles. Que dirait lord Stokehurst, s'il la voyait ainsi parée ? Elle imaginait sur elle son regard brillant d'admiration...

– Ça suffit, murmura-t-elle pour chasser ces pensées vaniteuses. « La sagesse est plus précieuse que tous les joyaux du monde. »

Comme cela ne la consolait pas, elle appela au secours d'autres maximes de son pays.

– « Heureux le pauvre qui marche la tête haute », « La grâce est trompeuse et la beauté, vaine »...

Emma l'observait, intriguée.

– Pourquoi parlez-vous toute seule, miss Billings ?

Tasia soupira.

– Je me remettais en mémoire quelques préceptes importants. Attendez, une de vos boucles s'est échappée. Ne bougez pas.

Elle remit en place la mèche rebelle.

– Ça va, maintenant ? demanda l'adolescente.

– Vous êtes parfaite.

Tasia sourit, contente de l'apparence de son élève. Avec l'aide d'une des femmes de chambre, elle avait passé plus d'une heure à discipliner l'opulente chevelure d'Emma, à dégager son visage, à tresser et attacher les longues boucles rousses. La jeune fille portait une robe longue de satin vert clair ornée de dentelle et d'une ceinture d'un vert plus foncé. Le jardinier s'était efforcé de dénicher ses plus belles roses, délicieusement parfumées, que l'on avait épinglées à l'épaule d'Emma, dans ses cheveux et à sa taille. L'adolescente, rayonnante, déclarait qu'elle se sentait dans la peau d'une princesse.

Les yeux étincelants de plaisir, elle tentait pour l'instant d'apercevoir son père par la fenêtre.

– Papa a dit qu'il viendrait de ce côté après avoir ouvert le bal avec lady Harcourt. Et il a promis que je pourrais donner une fête pour les enfants dans cette galerie, l'an prochain, pendant que les adultes danseront dans la grande salle de bal.

Elle fut interrompue par une voix grave.

– Bientôt, tu seras dans le grand salon avec nous...

Emma fit volte-face en entendant son père et posa avec une assurance comique.

– Regardez-moi, papa !

Luke sourit.

– Mon Dieu, tu es magnifique, Emma ! Une vraie jeune femme. C'est dur pour ton pauvre vieux père...

Il la serra brièvement contre lui.

– Tu ressembles beaucoup à ta mère, ce soir, murmura-t-il.

– C'est vrai ? demanda Emma, épanouie. Tant mieux !

Tasia contemplait le père et la fille, et elle se raidit contre le frisson qui la parcourait soudain au souvenir de la chevelure de Stokehurst brillant au clair de lune, de la douceur de sa bouche.

Il était superbe, en veste noire et gilet blanc. Se sentant sans doute observé, il se tourna pour la saluer, et elle rougit comme une écolière prise en faute.

– Bonsoir, miss Billings, dit-il avec une amabilité excessive.

Inutile de le regarder pour deviner la lueur moqueuse qui pétillait dans ses yeux.

– Monseigneur, souffla-t-elle.

Emma n'était pas d'humeur à perdre du temps.

– Voilà *des heures* que j'attends de danser avec vous, papa !

Il éclata de rire.

– Vraiment ? Eh bien je vais te faire valser si longtemps que tu demanderas grâce !

– Jamais !

Elle posa une main sur son épaule, l'autre sur son poignet, et il l'enleva d'abord dans une joyeuse farandole qui la fit pouffer de rire, avant de s'élancer avec elle dans une danse élégante et gracieuse. De toute évidence, il avait fait prendre des cours à l'enfant et l'avait perfectionnée en pratiquant avec elle.

Enchantée, Tasia recula vers le seuil pour mieux jouir du spectacle.

– Joli couple, n'est-ce pas ? murmura derrière elle la douce voix d'Iris Harcourt.

Tasia sursauta. La jeune femme se tenait à quelques pas, vêtue d'une robe de satin jaune pâle rebrodée de perles d'or dont le décolleté laissait voir la naissance de ses seins. Des peignes ornés de diamants et de topazes brillaient dans sa chevelure auburn, retenue en chignon souple. A son cou scintillait le plus beau des colliers, un treillis de petites fleurs aux pétales de pierres précieuses et aux cœurs de diamants.

– Bonsoir, lady Harcourt, murmura Tasia. Ce bal est une splendide réussite.

– Je ne suis pas venue vous trouver pour parler du bal. Je suis certaine que vous savez exactement ce que j'ai à vous dire.

– Pas du tout, madame.

– Parfait.

Iris joua un instant avec le gland qui pendait à son éventail.

– La franchise ne me fait pas peur. J'ai toujours préféré aborder les problèmes de front.

– Jamais je ne voudrais vous créer le moindre problème, madame.

– Pourtant, c'est fait.

Iris se rapprocha sans quitter des yeux les Stokehurst qui dansaient à présent à l'autre bout de la galerie.

– *Vous êtes* le problème, miss Billings. En fin de compte, votre présence ici n'apportera que chagrin et complications à tout le monde : moi, Emma, et surtout Luke.

Consternée, Tasia la regarda sans ciller.

– Je ne vois guère comment ce serait possible.

– Vous perturbez Luke. Vous le détournez de ce qui pourrait lui apporter le vrai bonheur : la compagnie de quelqu'un de son monde. Je le comprends, je le connais depuis des années, depuis l'époque où Mary était encore en vie. Leur relation était tout à fait spéciale – et ce que je puis lui offrir s'en rapproche fort. Je suis en réalité une femme agréable, miss Billings, malgré ce que vous pensez.

– Qu'attendez-vous de moi ?

– Dans l'intérêt de Luke, je vous demande de partir. Si vous avez la moindre affection pour lui, c'est ce que vous ferez. Quittez Southgate Hall sans un regard en arrière. Aimeriez-vous avoir ce collier ? ajouta Iris en soulevant le bijou qui scintilla sous les lumières. Vous n'avez sans doute jamais imaginé posséder une telle richesse, n'est-ce pas ? En le vendant, vous pourriez vivre confortablement pour le reste de vos jours. Vous acheter un petit cottage à la campagne, et même engager une domestique...

– Je ne veux pas de votre collier, rétorqua Tasia, horriblement mortifiée.

Iris abandonna son ton mielleux.

– Vous êtes une fille intelligente, on dirait, et arriviste. Vous avez décidé qu'Emma serait l'instrument de votre réussite. En gagnant l'affection de la fille, vous espérez vous attirer l'intérêt du père. Vous avez peut-être raison, mais ne vous leurrez pas, cette aventure ne durera pas plus de quelques semaines. Votre jeunesse a une chance de le charmer un moment, pourtant vous ne possédez pas ce qu'il faudrait pour le garder.

– Qu'est-ce qui vous en rend si sûre ?

Tasia fut surprise elle-même de sa réplique, et elle se mordit la lèvre. Les mots lui avaient échappé avant qu'elle pût les retenir.

– Ah ! murmura Iris. La vérité, enfin ! Vous le voulez, et vous nourrissez le fol espoir de vous l'attacher pour de bon. Cela devrait m'ennuyer... mais j'ai seulement pitié de vous.

Les mots étaient ironiques, pourtant Tasia sentit la profonde détresse qui les dictait, et elle en eut le cœur serré. Cette femme connaissait lord Stokehurst intimement, elle avait frémi sous ses baisers, ses caresses, elle avait rêvé de devenir son épouse, et elle se trouvait obligée de lutter pour avoir une chance de le garder.

Tasia chercha les paroles capables de la rassurer. Après tout, lady Harcourt voulait qu'elle fasse ce qu'elle envisageait justement : partir. Elle n'aurait pu rester, même si elle l'avait souhaité.

– Vous n'avez rien à craindre, lady Harcourt, croyez-moi. Je ne...

– *Craindre ?* riposta Iris, hautaine. Bien sûr, je n'ai rien à *craindre* de vous – une gouvernante sans dot, sans famille, à la silhouette insignifiante !

– J'essaie seulement de vous expliquer...

– Ne gaspillez pas vos airs de martyre pour moi, ma petite. J'ai dit ce que j'avais à dire. Réfléchissez-y, c'est tout ce que je vous demande.

Avant que Tasia pût répondre, Iris s'éloignait. Sur le seuil, elle se retourna, scintillante dans sa robe dorée.

– Quel magnifique couple vous formez, tous les deux ! lança-t-elle à Luke et à sa fille. Emma, vous dansez comme un ange. A la fin de cette valse, toutefois, vous devrez retourner avec moi dans la salle de bal, Luke. C'est vous qui recevez, après tout...

La danse fut interrompue pour un festin de minuit qui dura deux heures, suivi encore de musique, encore de valses, jusqu'à ce que la nuit pâlisse à l'approche de l'aurore.

Repus, vaguement ivres, les invités regagnèrent leurs chambres, et on entendit les parquets craquer sous les pas fatigués des gens heureux d'aller retrouver des lits moelleux. Ils dormirent une bonne partie de la journée, prirent leur petit déjeuner au milieu de l'après-midi. Quelques-uns partirent le dimanche soir, d'autres préféraient voyager le lundi.

Iris Harcourt était parmi les premiers.

Elle fit irruption dans la chambre de Luke pour l'en informer alors qu'il s'habillait.

– Je rentre à Londres sur l'heure, déclara-t-elle tandis que Biddle attachait les boutons de manchettes de son maître.

Luke haussa les sourcils devant son calme. Il enfilait une veste bordeaux, et prit son temps pour répondre, s'absorbant d'abord dans le choix de cravates que lui proposait Biddle, puis décidant de ne pas en porter. Il congédia enfin son valet de chambre avant de se tourner vers Iris.

– Pourquoi cette hâte ? demanda-t-il. Tu semblais bien t'amuser, hier soir.

– Je refuse de passer une autre nuit à guetter en vain le bruit de tes pas ! Pourquoi n'es-tu pas venu me retrouver après le bal ?

– Tu m'as interdit l'accès de ta chambre, rappelle-toi.

– Je t'ai dit qu'il était inutile de venir si tu continuais à penser à cette petite Billings. De toute évidence, c'est le cas. Chaque fois que tu me regardes, c'est elle que tu as envie de voir. Et voilà des semaines que cela dure ; j'essaie de lutter, mais je ne sais comment m'y prendre !

Iris retint son souffle en voyant l'indifférence s'effacer des traits de Luke. Elle se tendit un instant, prise d'un fol espoir. Puis la voix contrite de Luke vint éteindre la fugitive étincelle de bonheur.

– Iris, je voudrais te dire...

– Pas maintenant, dit-elle en reculant. Pas maintenant.

Et elle s'éloigna à pas rapides, déterminée, les poings serrés.

En hôte parfait, Luke passa la soirée avec ses invités. Il bavarda, sourit de leurs plaisanteries, applaudit aux saynètes improvisées, aux déclamations de poèmes, aux chants accompagnés de piano...

Il était de plus en plus impatienté et, pour se calmer, il tapait nerveusement du pied. Quand il fut incapable de demeurer davantage immobile, il se leva et s'éclipsa discrètement sur un murmure poli.

Il erra dans le château, apparemment sans but. Il ne voulait qu'*elle*, fût-ce pour s'asseoir et la regarder en silence. C'était un véritable besoin, comme il n'en avait jamais connu auparavant. Elle était la seule personne de son entourage qui le vît, qui le *connût*, réellement.

Iris croyait le comprendre. La plupart des femmes, d'ailleurs, se targuaient de posséder une profonde connaissance de l'âme masculine et de pouvoir ainsi manipuler les hommes à leur gré. Mais Iris n'avait jamais su la douleur qui le ravageait. La peine, la colère, la volonté de survivre... et l'isolement qui en découlait.

Tasia ne comprenait que trop bien. C'était cela, le lien entre eux, le fondement d'un tacite et mutuel respect, la reconnaissance intime qui le tourmentait depuis qu'ils s'étaient rencontrés. Elle et lui étaient semblables, sur ce plan.

Comme il arpentait un corridor du premier étage, il croisa Mrs Knaggs, chargée d'une pile de draps propres. Elle s'arrêta pour le saluer.

– Bonsoir, monseigneur.

– Bonsoir, Mrs Knaggs. Où est...

– En haut, monsieur. Avec Emma, dans le salon vert.

Luke fronça les sourcils.

– Comment savez-vous ce que j'allais vous demander ?

L'intendante eut un petit sourire satisfait.

– Après toutes ces années passées au service des Stokehurst, il n'y a pas grand-chose que Seymour, Biddle et moi ne sachions *pas*, monseigneur.

Luke lui lança un regard d'avertissement, et elle poursuivit son chemin, paisible, comme de coutume.

Le salon vert était confortable, bien éclairé, plus féminin que les autres pièces du manoir, avec ses bibelots, ses coussins, ses draperies.

Luke entendit la voix claire de sa fille qui lisait un roman à haute voix. Tasia était lovée sur un sofa de brocart, le bras posé sur son dossier sculpté. Dès qu'elle le vit, elle se redressa légèrement, mit les mains sur ses genoux. Les deux premiers boutons de sa robe étaient défaits, laissant apercevoir sa gorge blanche, à peine dorée par la lumière.

Emma adressa un bref sourire à son père puis poursuivit sa lecture.

Luke s'assit dans un fauteuil en face de Tasia. Belle, troublée, têtue. Il la voulait, il voulait chaque pouce de son corps, chaque secret de ses pensées. Il voulait se réveiller le matin en la tenant dans ses bras. Il voulait la protéger, la garder en sécurité, jusqu'à ce que les ombres disparaissent de ses yeux.

Elle se tourna vers lui, avec une très légère interrogation des sourcils.

Tu ne m'as jamais souri, pensa-t-il avec une sorte de sauvagerie. Pas une seule fois.

Il eut l'impression qu'elle lisait en lui à livre ouvert. La courbe de ses lèvres se releva légèrement, comme s'il avait provoqué ce faible sourire par la seule force de sa volonté, malgré elle.

Luke était infiniment troublé. Pour la première fois de sa vie, il était dépendant de quelqu'un. Il ne pouvait tenter de briser ses défenses, elle n'en résisterait que davantage. La seule façon d'obtenir ce qu'il désirait était la patience. Cela demanderait plus de patience qu'il ne croyait en posséder, mais il y parviendrait, à n'importe quel prix. Rien ne serait trop dur, rien ne serait trop cher, si seulement elle finissait par l'aimer.

5

Les derniers invités partirent donc le lundi.

L'après-midi, Luke fut libre de se rendre chez Iris, à Londres. Il était temps de mettre un terme à leur liaison, Iris en était certainement consciente. Luke désirait une femme, une seule, et tout ce qu'il avait à donner était pour elle. Sans doute Iris en serait-elle déçue, mais elle se consolerait bien vite. Elle possédait une solide fortune, un cercle d'amis fidèles... ainsi qu'une bonne douzaine d'hommes plus que désireux de la courtiser et de lui faire oublier son aventure malheureuse. Elle se débrouillerait sans lui, Luke en était convaincu.

Iris le reçut dans sa chambre et l'accueillit d'un baiser langoureux, son corps à peine voilé sous une soie noire arachnéenne. Avant que Luke eût le temps d'ouvrir la bouche, elle se lança dans un discours longuement préparé sans lui laisser la moindre chance de l'interrompre.

– Je t'accorde quelques semaines pour te distraire avec elle ! déclara-t-elle gaiement. Quand tu en auras assez, tu pourras me revenir, et nous ne prononcerons plus jamais son nom. Ne t'ai-je pas promis toute la liberté que tu souhaitais ? Je ne veux pas que tu te sentes coupable le moins du monde. Les hommes aiment le changement, et je le comprends. Il n'y a rien à pardonner. Du moment que tu reviens...

– Non ! coupa enfin Luke, un peu trop brutalement.

Il se reprit, respira profondément.

Elle eut un petit geste impuissant de la main.

– Qu'y a-t-il ? demanda-t-elle, plaintive. Tu as une expression que je ne te connais pas. Que se passe-t-il ?

– Je ne veux pas que tu m'attendes. Je ne reviendrai pas.

Iris eut un rire qui frisait l'hystérie.

– Mais faudrait-il tout gâcher pour un engouement passager ? Ne te fie pas aux apparences, chéri. C'est une jolie petite fille aux airs d'enfant abandonnée qui semble avoir besoin de toi... Mais j'ai autant besoin de toi qu'elle. Et quand tu t'en seras lassé...

– Je l'aime.

Un silence pesant s'installa dans la pièce. Iris avala sa salive et se détourna pour cacher son visage.

– Tu ne dirais pas cela à la légère, murmura-t-elle enfin. Miss Billings doit être fort contente d'elle !

– Je ne le lui ai pas encore dit. Elle n'est pas prête.

– Je suppose, grinça Iris, furibonde, que la fragile créature s'évanouirait d'émotion sur-le-champ. Dieu, quelle mascarade ! Qu'un homme au sang chaud comme toi tombe amoureux d'une petite personne insignifiante comme *elle* !

– Elle n'est pas aussi fragile que tu l'imagines.

Dans un éclair, Luke se rappela Tasia sur le banc de marbre, la douce avidité de sa bouche sous la sienne, ses ongles dans son dos... Il se mit à arpenter la chambre comme un ours en cage.

– Pourquoi elle ? demanda Iris en le suivant. Parce que Emma l'aime bien ? Parce qu'elle est jeune ?

– La raison importe peu, coupa-t-il sèchement.

– Mais si, elle importe !

Iris se planta au milieu de la pièce et se mit à renifler.

– Si elle n'était pas venue t'ensorceler, nous serions encore ensemble. J'ai besoin de comprendre pourquoi elle et pas moi ! Je veux savoir ce que j'ai fait de mal !

Avec un soupir, Luke l'attira dans ses bras. Il se sentait à la fois coupable et plein de tendresse pour cette femme qu'il avait connue depuis si longtemps, d'abord comme amie puis comme maîtresse. Elle méritait bien davantage que ce qu'il avait été capable de lui donner.

– Tu n'as rien fait de mal, dit-il.

Iris posa le menton sur son épaule et renifla un peu plus fort.

– Alors pourquoi me quittes-tu ? Tu es cruel !

– C'est involontaire, assura-t-il gentiment. J'aurai toujours beaucoup d'affection pour toi.

Iris se rejeta en arrière, le regard mauvais.

– « Affection » est le mot le plus inutile que je connaisse ! Je préférerais que tu t'en fiches, ainsi je pourrais te haïr. Mais tu m'aimes bien... et pourtant pas assez. Va au diable ! Pourquoi faut-il qu'elle soit jeune et belle ? Je ne peux même pas dire du mal d'elle avec mes amis. Toutes mes paroles me feraient passer pour une vieille harpie jalouse.

– Impossible ! protesta Luke en souriant.

Iris se dirigea vers le miroir au cadre doré et remit de l'ordre dans sa chevelure, faisant bouffer les petites mèches auburn autour de son visage.

– Tu vas l'épouser ?

Luke regretta silencieusement que les choses ne soient pas aussi simples.

– Si elle veut de moi.

Iris prit l'air dégoûté.

– Je ne pense pas qu'il y ait le moindre doute là-dessus, mon chéri. Elle ne trouvera jamais une autre occasion de séduire un homme de ta qualité.

Luke s'approcha d'elle et saisit sa main. Leurs yeux se croisèrent dans la glace.

– Merci, dit-il calmement.

– Pour quoi ?

La voix d'Iris tremblait un peu.

– D'être si généreuse, et si belle. De m'avoir fait oublier ma solitude pendant tant de nuits. Je n'en regrette pas une seule. Et j'espère que toi non plus.

Il serra brièvement ses doigts avant de la lâcher.

– Luke...

Elle se tourna vers lui, le regard lourd d'émotion contenue.

– Promets-moi que si tout cela tourne mal... Si tu te rends compte que tu t'es trompé... Promets de me revenir.

Luke lui embrassa le front.

– Adieu, murmura-t-il.

Iris pencha la tête, une larme roula sur sa joue.

Puis elle se détourna, les yeux fermés, pour ne pas voir Luke sortir de sa vie.

Luke atteignit la grille du château au moment où le soleil se couchait. Il avait poussé son étalon arabe depuis la demeure d'Iris, heureux de sentir le vent de la course sur son visage, de voir le sol filer sous lui. Il était couvert de poussière et de sueur, ses muscles lui brûlaient agréablement.

Il tendit les rênes à un valet de pied.

– Veille à ce qu'il soit bien soigné, dit-il tandis que le domestique menait le cheval vers les écuries.

– Monseigneur...

Seymour se tenait sur le seuil avec une expression légèrement contrariée, ce qui, chez le majordome impassible, était signe de grande catastrophe.

– Monseigneur, les Ashbourne...

– Papa !

Emma dégringolait les marches pour venir se jeter dans les bras de son père.

– Papa ! Je suis si contente que vous soyez de retour ! Il se passe quelque chose de terrible ! Lord et lady Ashbourne sont là. Ils parlent avec miss Billings dans la bibliothèque depuis au moins une heure !

Luke fut stupéfait. Les Ashbourne avaient quitté Southgate Hall le matin même. Il n'était absolument pas normal qu'ils fussent revenus si vite.

– Qu'ont-ils dit ?

– Je n'ai pas entendu, mais ils avaient l'air bizarre quand ils sont arrivés, et depuis il n'y a plus un bruit. Je vous en prie, allez voir ce qu'il y a, assurez-vous que miss Billings va bien...

Luke la serra un bref instant contre lui.

– Je m'en occupe. Grimpe dans ta chambre, et cesse de te tracasser.

Il se recula un peu pour la regarder dans les yeux, l'air sévère.

– Et n'écoute plus aux portes, Emma.

Elle eut un petit rire contrit.

– Alors, comment apprendrai-je ce qui se passe à la maison ?

Il la prit aux épaules et ils pénétrèrent ensemble dans le hall.

– Tu devrais être suffisamment occupée par tes propres tâches pour ne pas t'inquiéter des adultes, chérie.

– Mais je suis très occupée. J'ai les chevaux, et Samson, et mes livres, et miss Billings. Papa, vous ne laisserez personne emmener miss Billings, n'est-ce pas ?

– Non, murmura-t-il en posant un baiser sur ses cheveux. Maintenant, file dans ta chambre, mon ange.

Docile, Emma obéit, tandis que Luke se dirigeait vers la bibliothèque. A travers les lourdes portes, on entendait le bruit discret d'une conversation. Les mâchoires serrées, il pénétra dans la pièce sans prévenir.

Les Ashbourne étaient assis dans de profonds fauteuils de cuir, tandis que Tasia s'était lovée sur un coin du sofa.

Le visage de Charles exprimait une grande anxiété.

– Stokehurst, dit-il, ennuyé, nous pensions que tu étais...

– Sorti pour la soirée ? termina Luke, aimable. J'ai modifié mon emploi du temps. Explique-moi pourquoi vous êtes là.

– Mauvaises nouvelles du front, je le crains, répondit Charles sur un ton qu'il voulait léger. Nous avons convaincu miss Billings de partir avec nous. Le mois est presque terminé, Luke, et je tiens toujours mes promesses.

Devant l'air désorienté de Tasia, il expliqua :

– Lord Stokehurst a accepté de vous prendre pour un mois, ce qui me donnait le temps de vous trouver une autre situation.

– J'ai changé d'avis ! dit Luke sans quitter la jeune fille des yeux.

Très pâle, immobile, elle avait les mains crispées sur ses genoux.

– Miss Billings ne s'en ira pas de Southgate Hall.

Il se dirigea vers la desserte d'acajou, en sortit une

carafe de cristal et versa une bonne rasade de cognac qu'il vint offrir à Tasia.

Elle déplia lentement ses doigts et prit le verre. Luke lui releva le menton, l'obligeant à le regarder en face. Ses yeux étaient fixes, vides, ses pensées dissimulées derrière une sorte d'écran.

– Dites-moi ce qui s'est passé, dit-il doucement.

Ce fut Charles qui répondit.

– Mieux vaut pour tout le monde que tu l'ignores, Luke. Laisse-nous partir sans poser de questions...

– Vous pouvez partir, Alicia et toi, mais miss Billings reste.

Charles soupira, exaspéré.

– J'ai déjà entendu ce ton cent fois, Luke, et je sais ce qu'il signifie...

– Cela n'a plus d'importance, désormais, coupa Tasia.

Elle but une grande gorgée de cognac, fermant les paupières lorsque l'alcool bienfaisant lui enflamma la gorge.

Puis elle retourna à Luke, les yeux brillants, et lui offrit un sourire tremblant.

– Vous ne voudrez plus que je reste, quand vous saurez...

Luke s'empara du verre vide.

– Un autre ? demanda-t-il froidement.

Elle acquiesça.

Tasia attendit qu'il tournât le dos pour parler d'une petite voix tendue.

– Je suis lady Anastasia Ivanovna Kaptereva. L'hiver dernier, à Saint-Pétersbourg, on m'a accusée du meurtre de mon cousin, le prince Mikhaïl Angelovsky.

Elle vit Luke se raidir et s'interrompit un instant avant de conclure :

– Je me suis évadée de prison et je me suis réfugiée à Londres pour échapper à la pendaison.

*
**

Tasia avait eu l'intention de s'en tenir là mais, presque malgré elle, elle se mit à raconter sa vie à Saint-Pétersbourg après la mort de son père. Elle avait presque oublié qu'elle parlait, que d'autres écoutaient. Le passé l'envahissait, elle le revivait. Elle revoyait sa mère, Maria Petrovna, dans une cape de lynx, les bras et le cou ornés d'énormes joyaux. Et les hommes qui lui tournaient autour lors des réceptions, à l'Opéra, au théâtre, au cours d'interminables soupers...

Tasia se rappela le bal des débutantes, où on présentait la fine fleur des jeunes filles de l'aristocratie. Elle portait ce soir-là une robe de soie blanche ceinturée d'une parure de rubis et de perles roses. Les hommes la courtisaient avec ardeur, sans oublier un moment qu'elle serait un jour immensément riche. Parmi tous ses chevaliers servants, c'était le prince Mikhaïl Angelovsky le plus étonnant.

– Mikhaïl était une bête, déclara Tasia avec un regain d'intensité. A jeun, c'était un homme vicieux. Il n'était supportable que lorsqu'il était abruti par l'opium. Il ne se séparait jamais de sa pipe. Et il buvait aussi énormément.

Elle hésita, rougit.

– Mikhaïl n'aimait pas les femmes. Ses parents étaient au courant, mais ils fermaient les yeux. Lorsque j'ai eu dix-sept ans, ils sont venus voir ma mère, et ils se sont mis d'accord : j'épouserais Mikhaïl. Tout le monde savait que je ne voulais pas de ce mariage. J'ai supplié ma mère, la famille, notre confesseur, tous ceux qui voulaient bien m'écouter, de ne pas m'obliger à l'épouser. Mais on me répondait que ce serait bien d'unir deux fortunes de cette importance. En outre, les Angelovsky espéraient que ce mariage remettrait Mikhaïl sur le droit chemin.

– Et votre mère, que disait-elle ?

Pour la première fois depuis qu'elle avait commencé son récit, Tasia leva les yeux vers Luke. Il était assis près d'elle sur le sofa, le visage impassible. Comme elle serrait le pied du verre à le briser, Stokehurst, prudent, le lui prit des mains.

– Ma mère voulait que je me marie, dit-elle en le regardant bien en face. Elle n'aimait pas du tout que ses soupirants commencent à s'intéresser à moi. Je ressemblais fort à ce qu'elle avait été, et cela la dérangeait. Elle m'a dit que j'avais le devoir de me marier au mieux des intérêts de la famille, qu'ensuite, je pourrais bien tomber amoureuse de qui je voudrais, avoir des aventures. Elle prétendait que je serais très heureuse en épousant un Angelovsky... surtout s'il préférait les garçons.

Stokehurst eut un petit rire étonné.

– Et pourquoi donc ?

– Elle affirmait que Mikhaïl ne m'ennuierait pas de ses attentions, et que je serais libre de faire ce qui me plairait.

Devant le regard furibond de Stokehurst, Tasia haussa les épaules.

– Si vous connaissiez ma mère, vous comprendriez.

– Je comprends parfaitement, grinça-t-il. Continuez.

– En désespoir de cause, j'ai décidé d'aller voir Mikhaïl en secret et de le prier de m'aider. Je pensais pouvoir le raisonner ; il y avait une chance qu'il m'écoute. Alors... alors je me suis rendue chez lui.

Tasia s'interrompit. Les mots s'entrechoquaient en elle, se mélangeaient, l'étouffaient, elle n'était plus capable de prononcer une parole. Un filet de sueur froide coula sur sa tempe, qu'elle essuya d'un revers de main. Cela lui arrivait toujours quand elle essayait de se souvenir. Elle suffoquait, prise de panique.

– Que s'est-il passé ? demanda Stokehurst à voix basse.

Elle secoua la tête, haletante, à la recherche d'oxygène.

– Tasia...

Il prit ses mains dans les siennes.

– Dites-moi ce qui est arrivé ensuite.

Elle parvint à articuler, tout en claquant les dents :

– Je n'en sais rien. Je suis allée chez lui, je crois... mais je ne m'en souviens pas. On m'a trouvée dans le palais des Angelovsky un couteau à la main... et le corps de Mikhaïl... Les domestiques hurlaient, il avait la gorge... Du sang ! Ô Dieu, il y avait du sang partout...

Tasia s'accrochait aux mains de Luke comme si un

abîme s'ouvrait devant elle et qu'il fût la seule personne qui pût la retenir d'y tomber.

Elle avait envie de se jeter contre lui, de se fondre dans son odeur virile, de sentir ses bras robustes autour d'elle. Pourtant elle ne bougea pas, se contentant de le regarder tandis qu'un flot de larmes brûlantes lui montait aux yeux. Il était étrangement calme, solide comme un roc, sans la moindre expression d'horreur ou de stupéfaction.

– Il n'y avait pas de témoins du meurtre ? demanda-t-il.

– Non. Seulement les domestiques qui m'ont découverte après.

– Donc pas de preuve. Vous ne pouvez être certaine d'avoir commis cet acte.

Luke se tourna vers Charles.

– Il en aurait fallu davantage. On ne condamne pas quelqu'un sur des suppositions.

Charles secoua la tête, navré.

– Leur justice ne fonctionne pas comme la nôtre, hélas. Les autorités russes ont tout pouvoir. Elles n'ont besoin ni de preuves, ni même de témoignages pour condamner quelqu'un.

– Je l'ai sûrement fait, sanglotait Tasia. J'en rêve tout le temps. Je me réveille en me demandant si je me souviens ou si j'invente. Par... parfois, j'ai l'impression de devenir folle. Je haïssais Mikhaïl. J'ai passé des semaines en prison à y réfléchir, sachant que je méritais d'être exécutée. La pensée est aussi grave que l'acte, ne le comprenez-vous pas ? J'ai prié pour trouver la force d'accepter, l'humilité, jusqu'à ce que j'aie les genoux en sang, mais cela n'a pas marché. Je voulais *vivre*... Je ne pouvais m'empêcher de vouloir vivre.

– Alors, qu'est-il arrivé ? demanda Luke en nouant ses doigts à ceux de Tasia.

– J'ai avalé une sorte de somnifère, en prison, pour faire croire que j'étais morte. Ils ont rempli le cercueil de sable et il y a eu un enterrement, pendant que je... que mon oncle Kirill m'emmenait en Angleterre. Mais le bruit a couru que j'étais encore en vie. Les officiels ont décidé l'exhumation de mon corps, afin de tirer les choses au clair. Ils ont découvert que je m'étais échappée, et c'est pourquoi oncle Kirill a envoyé un message aux Ashbourne.

– Qui vous recherche ?

Tasia, sans répondre, fixait leurs mains unies.

Charles s'installa plus confortablement dans son fauteuil. Les rides d'angoisse avaient disparu de son visage, comme s'il était soulagé qu'ils se fussent enfin confiés à quelqu'un. Même enfant, Charles avait toujours eu horreur des secrets, et il était incapable de ne pas se trahir par son expression.

– C'est une question plutôt compliquée, dit-il enfin à Luke. Le gouvernement impérial dispose de tant de divisions secrètes, de départements spéciaux que personne ne sait exactement qui est responsable de quoi. J'ai lu la lettre de Kirill une bonne douzaine de fois, en essayant de comprendre. Il semblerait que Tasia n'ait pas seulement commis une faute civile, mais qu'elle ait aussi bafoué le code criminel en sapant l'autorité souveraine... Ce qui représente un crime politique puni de mort. Le gouvernement impérial ne se soucie guère de justice, il tient à une apparence d'ordre. Jusqu'à ce que Tasia soit exécutée publiquement, les ennemis du tsar vont l'utiliser comme un moyen de ridiculiser la couronne...

– Et tu crois qu'ils seraient capables de venir chercher Tasia ici et de la ramener en Russie ? coupa Luke. Juste pour l'exemple ?

– Non, intervint Tasia à voix basse, ils n'iraient pas jusque-là. Tant que je reste exilée, je suis en sécurité. Le problème, c'est Nicolas.

Luke la vit s'essuyer le front de sa manche, et ce geste enfantin le bouleversa. En silence, il attendit qu'elle continuât, malgré l'impatience qui bouillait en lui.

– Nicolas est le jeune frère de Mikhaïl, continua-t-elle. Les Angelovsky veulent venger la mort de Mikhaïl, et Nicolas me cherche. Il me trouvera, même s'il doit y consacrer le reste de ses jours.

Luke fut soulagé. S'ils ne s'inquiétaient que pour Nicolas Angelovsky, le problème serait vite réglé.

– Qu'il y parvienne et je le renvoie tout droit en Russie !

– Comme ça, tout simplement ? demanda Tasia, les sourcils froncés.

Luke sourit, imaginant quelque joli petit prince efféminé en culotte de satin.

– Ne vous tracassez pas.

– Si vous connaissiez Nicolas, vous ne parleriez pas ainsi.

Tasia dégagea sa main et se rencogna davantage dans le sofa.

– Je dois partir avant que vous n'aggraviez la situation. Jamais vous ne comprendriez un homme comme le prince Angelovsky ; vous ignorez jusqu'où il est capable d'aller. Maintenant que Nicolas me sait en vie, ce n'est plus qu'une question de temps. Il ne pourrait cesser sa quête, même s'il le souhaitait. Tout ce qu'il représente, son sang, sa famille, son histoire, tout l'oblige à me faire payer la mort de son frère. C'est un individu puissant, dangereux.

Luke voulut parler, mais elle l'en empêcha d'un petit geste de la main avant de se tourner vers Charles et Alicia.

– Je vous remercie pour tout ce que vous avez fait, cependant je ne veux pas vous impliquer davantage. Je trouverai seule un nouveau poste.

– Vous ne pouvez pas disparaître ainsi sans nous dire où vous serez, Tasia ! s'écria Alicia. Je vous en prie, laissez-nous vous aider !

Tasia se leva avec un sourire amer.

– Vous avez été merveilleuse, ma cousine. Maintenant, je dois me débrouiller seule. *Spassibo*.

Elle lança à Luke un regard inexpressif, mais il sentit sa fatigue, son besoin de réconfort... Il sut le prix qu'elle avait déjà payé pour sa survie.

Les mots manquaient à la jeune fille, aussi se détourna-t-elle brusquement.

Les hommes se levèrent d'un bond quand elle quitta la pièce. Luke allait s'élancer à sa suite, mais Alicia l'en empêcha.

– Laissez-la partir.

Il fit volte-face, sombre, furieux, prêt à se battre.

– Un détail m'aurait-il échappé ? demanda-t-il, acide. Cet Angelovsky n'est qu'un homme, après tout. Il n'y a pas de raison qu'elle gâche sa vie par peur de lui.

– Il est à peine humain, rétorqua Alicia. Le prince Nicolas et moi sommes cousins au troisième degré, et je connais bien cette famille. Voulez-vous que je vous raconte ?

– Dites-moi tout ce que vous savez, ordonna Luke sans quitter la porte des yeux.

– Les Angelovsky sont des xénophobes enragés, ils haïssent tout ce qui n'est pas russe. Ils sont apparentés à la famille impériale par alliance et font partie des plus gros propriétaires terriens du pays, avec des domaines répartis sur une douzaine de provinces. Ils possèdent sans doute à peu près deux millions d'acres, voire plus. Le père de Nicolas, le prince Dimitri, a tué sa première femme parce qu'elle était stérile. Puis il a épousé une paysanne de Minsk qui lui a donné sept enfants, cinq filles et deux garçons. Aucun d'eux n'a consacré une minute de son temps à s'attarder aux principes, à l'honneur, à la morale. Ils agissent par instinct. On dit que Nicolas ressemble à son père ; il est cruel et rusé. Si on lui fait du tort, il le rend au centuple. Tasia a raison, il n'a même pas à choisir de venger la mort de son frère ou non. Il y a un adage, en Russie, qui dit : « Les pleurs d'autrui ne sont que des gouttes d'eau. » Cela convient parfaitement aux Angelovsky, qui ignorent la pitié sous toutes ses formes.

Alicia, éplorée, chercha une consolation dans les bras de son mari.

– Rien n'arrêtera le prince Nicolas, soupira-t-elle.

Luke les observait froidement.

– Moi, je le peux. Et je le ferai.

– Vous ne devez rien à Tasia, ni à nous, protesta faiblement Alicia.

– J'ai déjà tant perdu...

Une étrange étincelle brillait dans les yeux de Luke.

– Maintenant que j'ai enfin une chance de trouver le

bonheur, que je sois damné si je laisse un salaud de Russe assoiffé de sang tenter de me l'arracher !

Charles était aussi ahuri que son épouse.

– Bonheur ? répéta-t-il. De quoi parles-tu ? Aurais-tu quelque attachement sentimental envers cette jeune fille ? Il y a à peine plus de vingt-quatre heures, tu la donnais en spectacle à tes invités et...

Il s'interrompit devant le regard noir de son ami et reprit, plus diplomate :

– Je ne suis pas étonné qu'elle te plaise, elle est ravissante. Mais je t'en prie, essaie de voir son intérêt avant le tien. Elle est vulnérable, effrayée...

– Et tu crois que son intérêt consiste à l'abandonner à son sort ? ironisa Luke. Pas d'amis, pas de parents, personne pour l'aider. Bon Dieu, suis-je le seul à raisonner sainement, dans cette histoire ?

Alicia se dégagea des bras de son mari.

– Il vaut mieux qu'elle soit seule plutôt qu'à la merci d'un homme qui tirera avantage d'elle.

Charles leva les mains, gêné, comme s'il avait envie de la bâillonner.

– Vous savez fort bien, ma chérie, que ce n'est pas le genre de Luke. Je suis certain que ses intentions sont honorables.

– Vraiment ? répliqua Alicia, pleine de défi. Et quelles sont vos intentions, précisément, Luke ?

Il eut son fameux sourire sardonique.

– Cela ne regarde que votre cousine et moi. J'aimerais trouver une sorte d'arrangement qui lui convienne. Si nous n'y parvenons pas, elle partira. Pour l'instant, vous n'avez pas grand-chose à voir là-dedans, n'est-ce pas ?

– Je ne vous reconnais plus ! s'indigna Alicia. J'ai cru que Tasia serait en sécurité avec vous parce que vous n'êtes pas homme à causer des ennuis, vous ne vous mêlez jamais de la vie d'autrui. J'aurais préféré que vous ne commenciez pas maintenant ! Que vous arrive-t-il donc ?

Luke s'enferma derrière un mur d'orgueil blessé. Il était surpris que ses amis n'aient rien compris, rien deviné. Lorsqu'il tenait la main de Tasia, en écoutant le

162

récit des drames qu'elle avait vécus, il avait eu l'impression que ses émotions emplissaient la pièce. Il l'aimait. Il était terrifié à l'idée qu'elle pût disparaître, le quitter comme elle avait laissé derrière elle son ancienne existence.

Il ne pouvait le tolérer, autant pour la sécurité de la jeune fille que pour son bonheur à lui. Il voulait agir, mais tant de choses demandaient à être élucidées... Si seulement il pouvait penser clairement, sans être enchaîné par le désir et l'amour qui compliquaient tout !

Les Ashbourne le regardaient fixement, Alicia d'un air de reproche, Charles avec l'intuition qui caractérise les vieux amis. Il jeta à Luke un coup d'œil mi-amusé, mi-compréhensif, tout en empêchant sa femme de parler.

– Tout ira bien, dit-il calmement à l'intention d'Alicia. Chacun agira selon son devoir, et les choses s'arrangeront.

– C'est ce que vous dites toujours, se plaignit Alicia.

Charles eut un petit sourire content de lui.

– Et j'ai toujours raison, n'est-ce pas ? Venez, chérie... Ils n'ont plus besoin de nous, à présent.

De sa fenêtre, Tasia avait regardé s'éloigner la voiture des Ashbourne. Après avoir pendu sa robe grise qu'elle brossa soigneusement, par habitude, elle commença à faire ses bagages.

Elle posa ses vêtements en pile, tandis que la lumière de l'unique chandelier jetait des ombres mouvantes dans la chambre.

Bien qu'elle fût seulement vêtue d'une fine chemise de coton, elle transpirait. Un souffle de vent venu de l'extérieur la surprit un instant, et elle frotta ses bras couverts de chair de poule. Elle essayait de ne pas penser, de ne rien sentir. Elle ne voulait pas que fût brisé le carcan de glace qui l'entourait.

Sa brève incursion dans la vie de Lucas Stokehurst était terminée, et cela valait mieux ainsi. Elle ne pouvait se permettre de se reposer sur qui que ce soit, elle était seule face à son avenir.

Elle se demandait comment elle allait partir, comment

elle arriverait à dire au revoir à Emma sans se heurter à Stokehurst. Il rendrait son départ trop difficile, et peu importait qu'il se montrât doux ou cruel, de toute façon ce serait terriblement douloureux.

Elle entendit des pas dans le couloir, des pas d'homme. Elle se tourna, les bras croisés sur la poitrine, les yeux agrandis d'angoisse. *Non... partez...* criait son esprit, tandis que ses lèvres s'ouvraient sur un spasme silencieux. La porte s'ouvrit, se referma doucement.

Stokehurst était dans la chambre, son regard s'attardait sur les membres nus de la jeune fille, sur son cou dévoilé. Aucun doute n'était possible quant à la raison de sa présence. Il portait une robe de chambre largement ouverte qui laissait voir sa peau lisse, dorée, ses traits irradiaient le désir et l'amour. Il gardait le silence.

Une sorte de gémissement désespéré monta à la gorge de Tasia, mais elle n'avait rien à dire qu'il ne sût déjà. Il connaissait ses peurs, ses tourments, et il avança vers elle.

Après une très brève hésitation, Tasia jeta les bras autour de son cou et s'accrocha à lui de toutes ses forces. Le souffle court, le cœur battant, raidie, elle attendait. Il la serrait contre lui et il prit ses lèvres.

Ce fut un baiser exigeant, profond, qui ne tenait pas compte de l'innocence de Tasia. Il se collait à elle, caressait ses reins, et elle se sentait fondre sous ses caresses. Elle revenait à la vie sous ses baisers. Elle repoussa la robe de chambre pour dégager le dos de Luke. Il répondit avec un murmure de passion et la débarrassa de sa chemise qui tomba au sol.

Puis il se dévêtit et entraîna Tasia vers le lit. Elle sentit ses mains sur un sein, puis ses lèvres, et une sorte de secousse presque douloureuse la parcourut. Il embrassa son autre sein, le prit doucement dans sa paume, et elle se leva vers lui, haletante, perdue. Cette étrange faim la rendait folle ; elle voulait sentir Luke en elle, elle voulait qu'il l'écrase de son poids. Elle tenta de le serrer davantage contre elle, mais il résista et sa main descendit vers les boucles brunes que personne n'avait jamais touchées, sans cesser de la regarder.

Elle étouffa un petit cri lorsqu'il l'effleura, cherchant gentiment la tendre entrée de son corps. Il l'embrassait, murmurait des mots d'amour contre sa bouche, et Tasia ne fut plus que plaisir, acceptation.

Il lui ouvrit les jambes, elle se perdit dans la profondeur des yeux bleus. Elle eut un petit gémissement de douleur, mais il s'enfonça encore, prit possession d'elle. Ensuite il demeura immobile, la respiration entrecoupée.

Tremblante, Tasia lui caressa le visage, comme pour lui dire en silence combien elle était émerveillée par la beauté de leurs deux corps joints. Il lui mordilla la paume tout en bougeant doucement en elle, et instinctivement, elle se cambra. Son rythme lent l'envahissait, et, toute peine oubliée, elle le laissa faire jusqu'à ce qu'elle épouse ses mouvements, folle de passion. Leurs corps se séparaient et se trouvaient au rythme d'un plaisir qui allait bien au-delà du désir physique. Puis elle laissa échapper un cri d'extase.

Luke ne tarda pas à la rejoindre dans le plaisir. Dans un grand frisson, il la serra convulsivement contre lui, étonné de se sentir à ce point assouvi, heureux...

Il la regardait dormir. Luke distinguait le profil de Tasia, la courbe d'un sein. Elle était légère, douce contre lui, et confiante. Les longues mèches brunes couvraient l'oreiller.

Elle se réveilla et s'étira en tremblant un peu, comme un chaton. Après quelques clignements d'yeux, elle le regarda, effrayée.

Luke sourit et la retint, comme elle voulait se lever d'un geste brusque.

– Tu es en sécurité, murmura-t-il.

Elle se raidit, avala sa salive avec difficulté.

– Ne devriez-vous pas plutôt vous préoccuper de *votre* sécurité ? dit-elle enfin. J'aurais pu vous...

Il lui baisa le front.

– Tais-toi !

Tasia se détourna.

– J'ai connu tant d'horreurs dans ma vie... Je ne veux pas que cela rejaillisse sur vous, ni sur Emma. Or ce serait inévitable si je restais ici. Je vous apporterais le danger, le malheur...

Elle fut secouée d'un petit rire sec.

– Vous savez maintenant que j'ai tué quelqu'un... Vous ne pouvez ignorer un fait de cette importance, tout de même !

– Penses-tu être coupable, en réalité ?

Tasia s'assit dans le lit, remontant le drap sur sa poitrine.

– J'ai essayé mille fois de me rappeler ce qui s'était passé ce soir-là, je n'y parviens pas. Mon cœur se met à battre, j'ai la nausée, et... j'ai peur de savoir.

– Je ne crois pas que tu l'aies tué. Je suis même sûr que ce n'est pas toi. Souhaiter la mort d'un être n'est pas l'assassiner, sinon la moitié de la population serait coupable d'homicide !

– Mais si je l'ai fait ? Si j'ai poignardé un homme parce que je le haïssais ? Je vois cette scène dans mes rêves, encore et toujours. Parfois, j'ai même peur de m'endormir.

Luke effleura la courbe douce de son épaule.

– Alors, je veillerai sur ton sommeil, chuchota-t-il. Et je te donnerai de bien meilleures idées de rêves.

Sa main descendit, et il tira légèrement sur le drap avant de caresser les petits seins dressés. Elle prit une vive inspiration, un frisson la traversa.

– Je ne regrette pas qu'il soit mort, dit Luke d'une voix enrouée. Je ne regrette pas que tu sois avec moi en ce moment. Et je ne te laisserai pas partir.

– Pourquoi vous comportez-vous comme si mon passé n'avait aucune importance ?

– Parce qu'il n'en a pas. Pas pour moi. Je me chargerais volontiers du poids de tes péchés, si c'était le prix à payer pour te garder.

Tasia devina son sourire.

– Qu'est-ce que cela révèle sur mon caractère ? reprit-il.

– Que vous êtes un fou aveuglé par le désir !

Il eut un petit rire.

– Et pire encore !

Il la serra davantage, et il déclara, d'une voix péné-
trante :

— Pour toi, je voudrais être parfait, mais je ne le suis
pas. J'ai péché de mille façons, j'ai mauvais caractère,
je suis égoïste, et mes amis comme mes ennemis me
prétendent arrogant, suffisant. Je suis trop vieux pour
toi et, au cas où tu ne l'aurais pas remarqué, je n'ai pas
tous mes doigts. Compte tenu de tout cela, conclut-il
dans un sourire, je puis vous accepter sans restriction,
toi et ton sordide passé !

— Il ne s'agit pas de vous, ni de vos fautes ! Et... et
votre raisonnement ne tient pas. Ce n'est pas parce que
nous avons tous les deux des défauts que nous devons
rester ensemble !

— Cela veut dire que nous nous comprenons. Cela veut
dire que nous allons nous amuser comme des fous, tous
les deux !

— Je... je n'appelle pas ça un amusement, grommela-
t-elle en essayant de se débarrasser de son poids tandis
que les draps s'enroulaient autour d'eux.

— Il faut un peu de temps pour s'y habituer, dit-il en
repoussant tout ce qui s'interposait entre leurs peaux
nues. La première fois est pénible, pour une femme. Cela
ira mieux après.

Cela allait déjà fort bien, mais Tasia n'avait tout de
même pas l'intention de flatter sa vanité en le lui
avouant !

— Je ne pourrais pas rester, même si je le souhaitais,
dit-elle, un peu haletante. Le prince Nicolas me trouvera,
ce n'est qu'une question de temps...

— Je serai près de toi, à ce moment-là, et nous discu-
terons tous les deux avec lui.

— Nicolas n'est pas homme à discuter, ni à négocier.
Il exigera votre aide pour me renvoyer en Russie.

— C'est lui que j'enverrai en enfer !

— Vous *êtes* réellement arrogant et suffisant, murmura-t-elle en s'agitant sous lui. Je ne resterai pas. *C'est
impossible !*

— Cesse de gigoter, ou nous allons nous retrouver par
terre. Ce lit est bien trop étroit !

167

Il s'assit sur ses jambes et coinça ses genoux entre les siens. Tasia se débattit en vain jusqu'à ce qu'elle sente son ventre contre elle, sa bouche sur ses seins. Sa peau s'enflamma d'un seul coup. Il ferma la main sur sa gorge, comme s'il tenait la tige d'une fleur, et demanda tendrement :

– T'ai-je fait mal, tout à l'heure ?

– Un peu, souffla-t-elle.

Elle n'aurait pas dû le laisser faire, c'était immoral... et pourtant elle ne parvenait pas à s'en offusquer. C'étaient ses dernières heures avec lui, et elle ne désirait rien tant que se perdre de nouveau entre ses bras.

Il mordillait son oreille.

– Je ferai attention, cette fois. Je serai très doux.

Il fut doux, en effet, et tendre, et patient. Elle gémit quand sa bouche glissa le long d'elle, la laissant folle de désir. Il murmura contre sa peau des mots qu'elle sentait plus qu'elle ne les entendait. Puis sa tête descendit encore, et sa bouche se pressa contre les boucles soyeuses. Elle sursauta, effrayée.

– Non, *non*...

Il se redressa immédiatement et la serra contre sa poitrine, tandis qu'elle nouait les bras autour de son cou.

– Pardonne-moi, dit-il. Tu es si belle... Je ne voulais pas t'effrayer.

Sa main alla effleurer l'endroit où convergeaient toutes les sensations de Tasia, et la jeune fille ravala un sanglot, se remettant à lui corps et âme. Il joua de ses sens avec une habileté diabolique.

Mais cette domination n'était pas à sens unique, et elle s'aperçut bien vite que ses caresses naïves le touchaient tout aussi profondément. Elle explora avec délices le grand corps musclé, dur et doux.

Enfin, il entra en elle très lentement, et elle se tendit vers lui, avide. Luke eut un rire ravi, comme s'il se trouvait devant une enfant qui se gave de sucreries. Il était au fond d'elle et bougeait à peine, alors elle s'agita avec un gémissement de protestation, elle en voulait davantage...

– Pas tout de suite, Tasia, souffla-t-il.

Malgré l'envie qu'elle en avait, il demeura immobile, lui refusant cet assouvissement qu'elle désirait. Il n'y avait plus une once d'énergie en elle quand il la laissa enfin atteindre l'extase. Elle fut secouée d'un violent frisson et enfouit son visage dans le creux de l'épaule virile. Il se laissa aller aussi, les dents serrées, les muscles tendus, en silence.

Puis il s'endormit instantanément, les mains dans les cheveux de Tasia qui se lova davantage contre lui et ferma les yeux, trop lasse pour les soucis, les cauchemars, les souvenirs, heureuse du répit provisoire qu'il lui offrait.

Tasia se réveilla plus tard qu'elle ne l'aurait souhaité. Le soleil était déjà haut dans le ciel, et on entendait les bruits familiers du petit déjeuner dans le hall des domestiques.

À son grand soulagement, elle s'aperçut que Stokehurst s'était éclipsé durant la nuit. Elle n'aurait pas eu le courage de l'affronter... Il devait être parti avec Emma pour leur promenade matinale, et elle ne serait plus là à leur retour.

Elle fit sa toilette, s'habilla à la hâte et s'assit à sa petite table pour écrire à son élève.

Ma Chère Emma,
Pardonnez-moi de vous quitter sans vous dire au revoir de vive voix. J'aurais aimé rester plus longtemps et voir quelle magnifique jeune femme vous allez devenir. Je suis si fière de vous ! Sans doute un jour comprendrez-vous qu'il valait mieux pour tout le monde que je m'en aille. J'espère que vous garderez de moi un agréable souvenir, et je vous assure de toute ma tendresse.
Adieu...

Miss Billings

Soigneusement, elle plia la lettre qu'elle scella de quelques gouttes de cire. Puis elle souffla la bougie et laissa le mot adressé à Emma bien en évidence.

C'était mieux ainsi, et elle était heureuse que son

départ ne fût pas sujet à confrontations et à effusions maladroites. Néanmoins, un étrange malaise lui étreignait le cœur.

Pourquoi Stokehurst avait-il disparu sans un mot ? Pourquoi la laissait-il ainsi libre d'agir ? Elle s'était dit qu'il ferait au moins un dernier effort pour tenter de la retenir. Il n'était pas du genre à renoncer sans se battre, et s'il la désirait vraiment, comme il l'avait dit...

Mais peut-être n'avait-il plus envie d'elle. Peut-être une nuit lui avait-elle suffi. Peut-être, maintenant que sa curiosité était satisfaite,...

Cette idée l'affectait profondément, l'oppressait. Bien sûr, il n'avait plus besoin d'elle. Elle avait représenté une charmante distraction durant quelques heures, à présent, il allait retourner vers lady Harcourt, une femme dont l'expérience et la sensualité pouvaient rivaliser avec les siennes.

Tasia avait envie de pleurer, pourtant elle releva résolument le menton et descendit ses bagages.

Il régnait une agréable odeur un peu âcre dans le manoir où l'on se préparait à nettoyer les tapis. Ils étaient recouverts de feuilles de thé, et seraient ensuite battus énergiquement par une armée de femmes de chambre. Mrs Knaggs supervisait le travail, arpentant les pièces dans le bruissement de son tablier de coton amidonné.

Tasia la trouva dans l'un des corridors du premier étage, munie d'un bidon de cire.

– Madame...

– Ah ! miss Billings !

L'intendante était toute rouge d'épuisement, et elle s'arrêta quand Tasia s'approcha d'elle.

– Les journées ne sont pas assez longues pour que j'arrive à entretenir cette immense demeure ! se plaignit-elle.

– Je suis venue, madame, pour vous dire...

– Je sais. Le maître m'a prévenue ce matin que vous nous quittiez.

Tasia fut prise de court.

– Ah bon ?

– Oui. Il a ordonné qu'on prépare une voiture et qu'on vous emmène où vous souhaitez aller.

Plutôt que de s'insurger contre son départ, Stokehurst s'arrangeait pour lui simplifier la vie !

– C'est très aimable à lui, marmonna-t-elle.

– J'espère que vous ferez bon voyage, dit Mrs Knaggs d'un ton joyeux, comme si Tasia allait tout bonnement passer la journée en ville.

– Vous ne me demandez pas pourquoi je m'en vais de façon si brutale...

– Vous avez sans doute vos raisons, et elles vous regardent, miss Billings.

Tasia toussota, mal à l'aise.

– Pour mes gages, j'espérais...

– Oh, oui...

Mrs Knaggs eut soudain l'air un peu embarrassée.

– Le maître semblait considérer que comme vous n'étiez pas restée tout le mois, il ne vous devait rien...

Tasia devint cramoisie, à la fois d'étonnement et de colère.

– Il ne manque que quelques jours ! Vous voulez dire qu'il ne me donnera pas un shilling sur ce qu'il me doit ?

L'intendante détourna les yeux.

– Je le crains...

Le mufle ! L'infâme individu sans scrupules ! Il la punissait de ne pas lui obéir...

Tasia lutta pour retrouver son sang-froid.

– Très bien, dit-elle enfin d'une petite voix tendue. Je me débrouillerai. Au revoir, Mrs Knaggs. Ayez, s'il vous plaît, la gentillesse de dire à Mrs Plunkett, à Biddle et aux autres que je leur souhaite tout le bonheur du monde...

– Je n'y manquerai pas, répondit la brave femme en lui tapotant amicalement l'épaule. Nous vous aimons tous beaucoup, ma chère enfant. Au revoir. Il faut que je me dépêche... Ces kilomètres carrés de parquet à cirer !...

Tasia la regarda s'éloigner, complètement désorientée par son adieu sémillant, alors qu'elle s'attendait à un peu d'émotion. Peut-être le personnel savait-il déjà que lord Stokehurst avait passé la nuit dans sa chambre. Les secrets n'existaient guère, à Southgate Hall. C'était sans doute l'explication à l'attitude désinvolte de Mrs Knaggs... Elle souhaitait que Tasia s'en aille au plus vite, et bon débarras !

Humiliée, la jeune fille se dirigea vers l'entrée principale du château avec une seule envie : se trouver rapidement loin de Southgate.

Seymour la traita avec son habituelle courtoisie, mais elle baissa les yeux lorsqu'elle lui demanda la voiture. Soupçonnait-il, lui aussi, ce qui s'était passé dans la nuit ? Elle était devenue une femme de petite vertu ; un nouveau péché pesait sur sa conscience...

– Quelle direction dois-je indiquer au cocher, miss Billings ? demanda Seymour d'un ton un peu hésitant.

– Amersham, s'il vous plaît.

Ce bourg, qui se trouvait sur la route des diligences, comportait plusieurs vieilles auberges. Tasia projetait d'y passer une nuit, de vendre la croix de sa grand-mère comme elle pourrait, puis de louer les services d'un paysan local pour la conduire vers l'ouest. Là, elle se cacherait dans un petit village et chercherait une place de femme de chambre ou de serveuse.

Le valet de pied chargea ses bagages dans la calèche rutilante et aida Tasia à y monter.

– Merci, murmura-t-elle, avant de tressaillir quand la portière se referma sur elle.

Elle se pencha par la vitre pour regarder une dernière fois Seymour.

– Adieu, miss Billings, et bonne chance ! lança-t-il dans un sourire un peu contraint, signe chez lui d'une violente émotion.

– Merci à vous aussi ! répondit Tasia avec un faux entrain avant de se rejeter sur la banquette en luttant contre les larmes qui lui montaient aux yeux tandis que la voiture s'éloignait de Southgate Hall.

Il fallut quelques minutes à Tasia pour s'apercevoir qu'ils roulaient dans la mauvaise direction. Ce fut d'abord un vague soupçon qu'elle chassa résolument.

Après tout, elle connaissait mal les paysages d'Angleterre, et elle savait seulement qu'Amersham était situé quelque part à l'ouest de Southgate.

Mais la calèche ne tarda pas à quitter la route principale pour s'engager dans un chemin mal pavé au milieu des bois. A moins qu'il ne s'agisse d'un raccourci, ils n'allaient pas du tout à Amersham...

Angoissée, Tasia frappa contre le toit de l'attelage pour attirer l'attention du cocher. Celui-ci l'ignora et continua de siffloter. Ils s'enfoncèrent davantage entre les arbres, passèrent devant un champ en friche, une mare... et s'arrêtèrent enfin au pied d'un petit cottage de deux étages, à demi enfoui sous la vigne vierge.

Stupéfaite, Tasia mit pied à terre tandis que le cocher s'occupait de descendre ses bagages.

– Que faisons-nous ici ? demanda-t-elle.

Avec un clin d'œil effronté, l'homme indiqua le porche sur lequel se profilait une haute silhouette.

Il y avait un sourire dans le regard bleu de Luke quand il déclara, gentiment taquin :

– Vous n'avez quand même pas cru que je vous laisserais partir si facilement !

6

Tasia serra les dents. Elle sentait la colère bouillir dans ses veines. Elle était tout de même capable de prendre ses décisions elle-même. Et cela, personne ne pourrait le lui enlever. Cet homme croyait-il pouvoir la piéger, la manipuler, et la voir tomber ensuite dans ses bras avec un soupir de gratitude ? C'était dépasser les limites de l'arrogance !

La voiture s'éloigna le long du chemin à travers bois, la laissant seule avec Stokehurst. Sans doute la plupart des femmes auraient-elles considéré cette situation comme une bénédiction... Stokehurst était particulièrement séduisant, ce matin-là, en pantalon fauve et large chemise blanche, sa chevelure un peu en désordre.

Immobile, il la regardait avec une sorte de fascination à laquelle se mêlait une autre expression qu'elle n'arrivait pas à déchiffrer.

Elle reprit enfin ses esprits et déclara d'une voix aussi froide et posée que possible :

– Cela se passera exactement ainsi quand Nicolas Angelovsky me trouvera. Il ne me laissera pas le choix, et il se justifiera à sa manière. Vous êtes comme lui. Vous ne supportez ni l'un ni l'autre que l'on vous empêche d'obtenir ce que vous désirez.

Elle eut l'intense satisfaction de voir Stokehurst se renfrogner. Il croisa les bras tandis que Tasia s'approchait de lui.

La façade du cottage était décorée de panneaux de terre cuite et de briques ornées du même motif de fau-

174

con et de rose qu'à Southgate Hall, avec les initiales SW gravées à intervalles réguliers. Si les années avaient quelque peu effacé le dessin, la demeure était entretenue avec grand soin. Les anciens colombages avaient été remplacés par des poutres neuves, et on l'avait fraîchement blanchie à la chaux.

Eût-elle été moins en colère, moins désorientée, Tasia aurait certainement apprécié cette maison de conte de fées que les griffures du temps rendaient encore plus romantique.

— William Stokehurst, commenta Luke en la voyant regarder les inscriptions près de la porte. Un de mes ancêtres a fait construire cette maison, au XVIᵉ siècle, pour sa maîtresse, afin de la garder près de son domaine de Southgate Hall.

— Pourquoi m'avez-vous fait venir ici ? demanda Tasia sèchement. Pour m'y garder en tant que maîtresse ?

Il sembla réfléchir à sa réponse, et Tasia fut encore plus contrariée de se rendre compte qu'il était en train de se demander comment il allait bien pouvoir l'amadouer. Elle ne voulait pas être calmée, encore moins manipulée. Elle voulait qu'on la laisse tranquille.

— J'aimerais passer un peu de temps en votre compagnie, dit-il enfin. Avec tous les événements de ces derniers jours, nous ne nous sommes pas réellement parlé.

— Nous ne nous sommes *jamais* réellement parlé.

Il acquiesça de la tête.

— Maintenant, nous en aurons le loisir.

Tasia, avec un soupir agacé, s'éloigna du seuil comme s'il s'agissait de la porte de l'enfer. Elle se dirigea vers le flanc du cottage près duquel, dans un paddock ombragé, un étalon blanc tirait sur une botte de foin. L'animal dressa les oreilles et tourna la tête vers elle, intéressé. Comme Stokehurst l'avait suivie, Tasia fit volteface, les poings serrés.

— Emmenez-moi au village !

— Non, répondit-il doucement en soutenant son regard.

— Alors, j'irai à pied.

— Tasia...

175

Il s'approcha et la saisit au poignet.

– Restez ici avec moi, juste un jour ou deux.

Elle tenta de se dégager, mais il resserra les doigts sur elle.

– Je ne m'imposerai pas à vous. Je ne vous toucherai pas si vous ne le voulez pas. Parlez-moi, c'est tout ce que je vous demande. Angelovsky ne représente pas un danger immédiat, il ne vous trouvera pas ici. Tasia... vous n'avez pas besoin de fuir pour le reste de vos jours, nous trouverons une meilleure solution, si vous me faites confiance.

– Pourquoi ? demanda-t-elle, un peu calmée.

Son intonation si douce la troublait étrangement. Jamais auparavant il ne s'était adressé à elle de cette manière, à la fois intense et paisible.

– Pourquoi vous ferais-je confiance ? reprit-elle néanmoins.

Il ouvrit la bouche pour répondre, puis y renonça. Il se contenta de porter le petit poing de Tasia à sa poitrine, là où le cœur battait très fort. Doucement, Tasia déplia sa main, la posa bien à plat contre le martèlement régulier.

Parce que je t'aime, avait envie de dire Luke. *Je t'aime plus que tout au monde, à part Emma. Tu n'as pas besoin de me rendre cet amour, je veux simplement t'aider, je veux ta sécurité...*

Mais elle n'était pas prête à entendre ces paroles. Elle aurait peur, ou elle le mépriserait. A trente-quatre ans, Luke avait acquis quelques notions de stratégie. Il se cacha derrière un sourire moqueur.

– Parce que je suis votre seul recours, dit-il, hormis les Ashbourne. Si j'étais vous, je prendrais l'aide où je la trouve. On ne peut pas dire que les bonnes volontés se bousculent à votre porte.

Tasia retira sa main, l'air mauvais. Elle prononça quelques mots en russe – certainement pas une amabilité – et pénétra à grands pas dans le cottage dont elle claqua la porte derrière elle.

Luke poussa un long soupir de soulagement. Elle n'était pas contente de se trouver là... mais elle resterait.

Dans la journée, Tasia se changea. Elle enfila sa tenue paysanne et noua ses cheveux en une lourde tresse ; puisque Stokehurst était le seul à la voir, autant qu'elle se sente à l'aise.

A dire vrai, le cottage était un lieu de captivité plutôt agréable ! Elle le visita de fond en comble, découvrant des trésors dans chaque pièce : livres rares, gravures, miniatures représentant des visages altiers aux cheveux noirs – certainement les ancêtres de Stokehurst.

Toute la maison était ancienne, confortable, avec ses murs ornés de tapisseries aux couleurs fanées et de tableaux chatoyants, son mobilier lourd, cossu. Une merveille d'intimité... Il n'était pas difficile d'imaginer que William Stokehurst avait aimé y rendre visite à sa maîtresse, loin du reste du monde, attentif seulement au plaisir qu'il trouvait entre ses bras.

Après une visite au cellier, Tasia alla faire le tour de la mare, du paddock, du potager. Elle ne savait pas exactement où se tenait Stokehurst, mais elle était sûre qu'il ne perdait aucun de ses gestes. Dieu merci, il avait la sagesse de la laisser tranquille, lui permettant ainsi de se calmer.

L'après-midi, elle le regarda entraîner l'étalon, lui apprendre à tourner sur place avec une patience exemplaire. Le cheval, jambes souples et mouvements gracieux, faisait penser à un danseur. Dans l'ensemble il se comportait bien, mais il avait parfois des sursauts de rébellion, bien vite punis par quelques secondes d'immobilité forcée.

– Il a horreur de rester sans bouger, expliqua Luke, qui avait remarqué la présence discrète de Tasia, durant un de ces instants. Il n'a que deux ans.

Silencieuse, Tasia admirait le spectacle formé par l'habile cavalier et sa superbe monture. Stokehurst guidait simplement de la pression de ses genoux, maintenant l'allure même pendant les exercices. Comme le cheval venait de réussir une volte impeccable, il fut récompensé par de généreuses louanges.

Enfin, Luke mit pied à terre pour s'approcher de la barrière près de laquelle se tenait Tasia.

– Lady Kaptevera, permettez-moi de vous présenter Constantine.

Tasia caressa les naseaux de la jument qui renifla délicatement la main offerte. Puis elle approcha la tête de la jeune femme, l'obligeant à reculer d'un pas. Elle se mit à rire.

– Que veut-elle ?

Luke murmura une réprimande à l'adresse de l'étalon avant d'expliquer :

– Emma a la fâcheuse manie de la gaver de sucre. Elle en a pris l'habitude, et maintenant elle réclame.

– Gourmande ! la gronda doucement Tasia en lui flattant le cou.

Constantine tourna la tête pour la regarder d'un œil brillant.

Stokehurst était encore un peu essoufflé, sa gorge et son visage luisaient de transpiration, sa chemise lui collait à la peau, soulignant les courbes de ses muscles. Il était si viril, si authentique, si différent des courtisans russes, avec leurs boutons dorés, leur parfum, leurs onguents, tous les artifices qui masquaient leurs passions !

Brusquement, Tasia se rappela un bal auquel elle avait assisté. Elle revit les hussards et les aristocrates qui l'avaient invitée à danser.

Le palais d'Hiver, immense édifice comportant plus de mille pièces remplies de trésors inestimables, scintillait de lumières, faisant reculer les ombres glaciales de la nuit. Les longues galeries étaient bordées de rangées d'officiers en grand uniforme, des valets de pied du tsar arpentaient les salons munis de coupelles d'argent pleines de parfum. En fermant les yeux, Tasia en retrouvait l'odeur exacte.

Les hommes comme les femmes étaient couverts de bijoux qui rutilaient à la lumière des chandeliers d'or. Maria, la mère de Tasia, avait été déclarée une des plus jolies femmes de l'assemblée, avec ses soyeux cheveux bruns pris dans une résille d'or et de diamants, sa robe au profond décolleté, son cou paré de perles et d'émeraudes.

Tasia avait dansé, veillé par l'œil attentif de son chaperon, puis elle avait picoré dans une assiette de caviar et d'œufs de caille. La noblesse russe vivait dans le luxe, et la jeune fille trouvait alors cela tout naturel.

Mais cette existence était terminée, elle se tenait dans un paddock, vêtue en paysanne. Un autre univers, aux antipodes de l'ancien... Elle éprouvait cependant un sentiment qui lui semblait dangereusement proche du bonheur.

– Vous pensez à votre ancienne vie, dit Stokehurst, perspicace. Elle doit vous manquer.

Tasia secoua la tête.

– Non. C'était une époque intéressante que j'aime à me rappeler, mais... maintenant je comprends que je n'y étais pas à ma place. J'ignore d'ailleurs où serait ma place, si j'avais la possibilité de choisir.

– Tasia...

Elle leva les yeux. Il la contemplait avec une intensité qui la pétrifia. Le silence s'éternisait, vibrant, lourd d'attente.

– J'ai faim, dit enfin Tasia. J'ai vu dans le cellier...

– Mrs Plunkett a envoyé un souper froid. Du poulet, du pain, des fruits...

– Parce que Mrs Plunkett est au courant ?

Luke ouvrit de grands yeux innocents.

– Au courant de quoi ?

– De ma présence ici avec vous !

Tasia plissa les yeux, soupçonneuse.

– Elle l'est ! reprit-elle. Je le lis sur votre visage. Tout le monde à Southgate Hall devait savoir que je serais enlevée aujourd'hui ! Et Emma ? Le lui avez-vous dit ?

– Oui, avoua-t-il, en ayant la bonne grâce de sembler un peu contrit.

Il n'était guère agréable de se sentir la victime d'une conspiration, fût-elle ourdie dans les meilleures intentions du monde. Tasia se redressa, blessée dans son orgueil, et s'éloigna sans un mot.

Elle pestait encore tandis qu'elle disposait les mets

préparés par Mrs Plunkett sur une table de la salle de séjour. C'était un véritable festin de viandes froides, de salades, de fromages et de fruits, couronné par un gâteau à la frangipane...

Le soleil descendait vers l'horizon, jetant sa lumière dorée à travers les persiennes mi-closes quand Luke, après s'être lavé et changé, descendit à la cave chercher deux bouteilles de vin. Tasia, l'ignorant, sortait une miche de pain croustillant d'une serviette de lin.

Indifférent à son silence, Luke s'assit sur une chaise et entreprit de déboucher une bouteille qu'il coinçait entre ses genoux.

– C'est plus sûr de cette manière, expliqua-t-il devant le regard intrigué de Tasia. J'ai du mal à serrer, avec mes doigts artificiels... Je pourrais la tenir dans le creux de mon bras, mais j'ai perdu ainsi quelques bonnes bouteilles, et...

Il eut un sourire espiègle qui dérida un peu Tasia.

– Qui s'occupe de la maison et du jardin ? demanda-t-elle.

– Le gardien, qui vit sur la colline.

– Personne n'habite jamais ici ?

Il secoua la tête.

– Il est stupide d'entretenir une maison qui ne sert à rien, je le sais, mais je ne peux me résoudre à la fermer. J'aime bien l'idée de posséder un lieu secret et retiré.

– Avez-vous amené d'autres femmes dans ce cottage ?

– Non.

– Et... elle, l'avez-vous amenée ici ? insista doucement Tasia.

Tous deux savaient qu'elle faisait allusion à Mary.

Luke demeura silencieux un long moment avant de secouer de nouveau la tête.

Tasia le regarda, pensive. Elle était flattée, sans doute, un peu mal à l'aise aussi. Elle commençait à comprendre l'importance qu'elle avait pour Luke, et elle en était infiniment troublée.

– Je suis désolé de vous avoir abusée, reprit Luke d'un ton qu'il tentait, sans vraiment y parvenir, de rendre léger. Je ne savais guère comment vous faire venir ici.

180

Tasia trouva dans le tiroir d'un bahut un long cierge qu'elle alla allumer à un flambeau fixé au mur, avant de faire le tour de tous les chandeliers de la pièce qui bientôt baigna dans une lumière chaude.

– Vous auriez pu tout simplement m'y inviter.

– Auriez-vous accepté ?

– Je ne sais pas. Sans doute cela aurait-il dépendu de la façon dont vous l'auriez proposé.

Elle souffla délicatement le cierge et regarda Luke à travers le voile de fumée.

Il se leva, vint à elle, les yeux de velours, le sourire engageant.

– Miss Billings... Je vous supplie de ne pas partir. Il y a un endroit où j'aimerais vous emmener, un cottage perdu dans les bois. Nous pourrions y habiter, juste vous et moi, et oublier le reste du monde tant que vous en auriez envie... Une journée, un mois, l'éternité...

– Et que ferions-nous là-bas, juste vous et moi ? demanda-t-elle, entrant dans le jeu.

– Nous dormirions toute la journée, pour nous réveiller à la tombée de la nuit. Nous boirions du vin, nous nous confierions des secrets, nous danserions au clair de lune.

– Sans musique ?

Il se pencha à son oreille pour lui murmurer, comme une confidence :

– La forêt elle-même est une musique. Mais la plupart des gens l'ignorent, ils ne savent pas l'entendre.

Tasia ferma un instant les yeux. Luke dégageait une grisante odeur de savon, de cheveux mouillés, de lin amidonné...

– Voudriez-vous m'apprendre ? demanda-t-elle d'une toute petite voix.

– A dire vrai, j'espérais que vous me l'enseigneriez.

Elle se recula, le regarda dans les yeux.

Et soudain, ils éclatèrent de rire, sans raison particulière, sans doute parce que la magie de l'instant les enchantait tous les deux.

– J'y songerai, dit-elle en se dirigeant vers une chaise qu'il lui approcha galamment.

– Un peu de vin ?

Tasia lui tendit son verre. Il vint s'asseoir en face d'elle, et ils portèrent un toast silencieux.

Le vin était doré, généreux, fruité. En réponse au coup d'œil interrogateur de Luke, Tasia porta de nouveau le verre à ses lèvres. Elle n'avait jamais bu que quelques gorgées de vin par-ci par-là, sous le regard vigilant de sa mère et de ses divers chaperons. Elle appréciait fort la possibilité qui lui était offerte d'en boire autant qu'elle voulait.

Ils mangèrent lentement, tandis que le ciel s'obscurcissait et que les ombres envahissaient les coins de la pièce.

Luke était sous le charme. Il vit, amusé, Tasia tendre plusieurs fois son verre, et l'avertit qu'elle aurait la migraine le lendemain.

– Je m'en moque ! répliqua-t-elle. C'est le meilleur vin que j'aie jamais goûté.

Luke éclata de rire.

– Et il paraît encore plus savoureux à chaque verre. Buvez tranquillement, ma douce. Comme je suis un gentilhomme, je ne pourrai tirer avantage de vous si vous êtes ivre.

– Pourquoi ? Grise ou sobre, le résultat est le même, non ?

Elle but encore, la tête renversée en arrière.

– D'autre part, vous n'êtes pas tellement un gentilhomme.

Les yeux plissés, il se pencha vers elle par-dessus la table. Tasia bondit sur ses pieds en pouffant, mais la pièce tournait vaguement autour d'elle, et elle se concentra sur son équilibre. Quand elle l'eut trouvé, elle saisit son verre et se mit à se promener dans la salle de séjour.

– Qui est-ce ? demanda-t-elle en désignant le portrait d'une dame blonde.

Quelques gouttes de vin furent renversées dans son geste, et elle fronça les sourcils avant de terminer son verre pour éviter une nouvelle maladresse.

– Ma mère.

Luke vint la rejoindre et lui prit le verre des mains.

– Cela suffit, ma chérie. Vous allez être tout étourdie.

C'était déjà fait... Luke était si solide, si fort ! Elle s'appuya à lui pour admirer le portrait. La duchesse était une femme superbe, mais son visage manquait de douceur, elle avait les lèvres pincées, le regard froid, perçant.

– Vous ne lui ressemblez guère, dit Tasia. Hormis le nez, peut-être...

– Ma mère est une maîtresse femme, que l'âge n'a pas adoucie le moins du monde. Elle a toujours juré qu'elle mourrait, si elle perdait ses facultés. Pour l'instant, cela ne risque rien !

– Et votre père, comment est-il ?

– Un vieux coquin qui nourrit une insatiable passion pour les femmes. Dieu seul sait pourquoi il a épousé ma mère ! Pour elle, toute manifestation d'émotion – y compris le rire – est choquante. Mon père déclare bien haut qu'elle ne lui a ouvert son lit que les quelques fois indispensables à la procréation. Ils ont eu trois enfants morts en bas âge, puis ma sœur et moi sommes nés. Au fil du temps, ma mère s'est de plus en plus tournée vers l'Eglise, laissant mon père batifoler à sa guise.

– Se sont-ils aimés ? demanda distraitement Tasia.

– Je l'ignore, soupira Luke. Je me rappelle seulement qu'ils se comportaient l'un envers l'autre avec une sorte de tolérance courtoise.

– Comme c'est triste !

– Ils l'ont voulu ainsi. Pour des raisons qui leur sont propres, ni l'un ni l'autre ne croyaient aux mariages d'amour. Ironie du sort, leurs deux enfants y croient !

Tasia se laissa aller davantage contre lui, heureuse de sentir contre son dos la poitrine robuste.

– Votre sœur aime son mari ?

– Oui. Catherine a épousé un satané Ecossais entêté comme une mule dont le tempérament n'a rien à envier au sien. Ils passent la moitié de leur vie à se disputer et l'autre moitié à se réconcilier au lit.

Les derniers mots s'attardèrent dans le silence. Tasia rougit au souvenir de la nuit précédente. Elle chercha à l'aveuglette son verre de vin.

– J'ai soif...

Elle se tourna et se heurta à Luke qui rétablit d'une main son équilibre incertain. Soudain elle sursauta en sentant une giclée de liquide sur son épaule.

– Vous avez renversé du vin ! protesta-t-elle en tirant sur sa blouse paysanne.

– Vraiment ? Laissez-moi regarder.

Il pencha la tête, et elle sentit ses lèvres sur sa peau.

Un peu perdue, Tasia pensa qu'ils devaient être en train de tomber... Le sol s'approchait dangereusement. Mais c'était Luke qui l'allongeait sur le tapis. Avant qu'elle pût protester, elle sentit encore quelques gouttes glisser sur elle.

– Vous recommencez !

Avec un murmure faussement penaud, il posa le verre et tira sur le cordon de sa blouse. Le tissu dégagea ses épaules, tandis qu'elle sentait sa jupe glisser sur ses hanches.

– Ô mon Dieu, souffla-t-elle en regardant ses vêtements lui échapper.

Mais Stokehurst, lui, semblait trouver cela parfaitement naturel. Il cueillit de la langue quelques gouttes égarées, et Tasia frémit. Elle aurait dû l'arrêter, elle le savait, pourtant sa bouche était si tiède, si douce... Elle noua les bras autour de son cou.

– Je suis sûrement ivre, dit-elle d'une voix légèrement pâteuse. Je ne l'ai jamais été, mais j'ai toujours pensé que cela se manifestait ainsi. Tout ce vin... Oh, je le suis, n'est-ce pas ?

– Juste un peu.

Comme il continuait à dégager sa jupe, elle se détendit et l'aida de quelques coups de pied. Elle se sentait si bien, les jambes libérées du lourd tissu, si légère ! Mais elle tenta de prendre l'air sévère.

– Vous tirez avantage de la situation ! dit-elle avant de pouffer de rire en se tournant sur le côté.

Il s'allongea près d'elle, et elle ne put s'empêcher de suivre du doigt la courbe de son sourire.

– Seriez-vous en train de me séduire ?

Il acquiesça, repoussant une mèche de cheveux qui lui était tombée sur la joue.

– Je ne devrais pas en avoir envie, j'en suis sûre ! Oh, j'ai la tête qui tourne !

Tasia ferma les yeux et aussitôt la bouche de Luke fut sur la sienne, chaude, passionnée. Il était au-dessus d'elle, à présent, beau, viril.

– Aidez-moi à ôter ma chemise, murmura-t-il.

Quelle merveilleuse idée ! Elle avait envie de sentir sa peau sous ses doigts, et le tissu l'en empêchait. Elle se battit avec les boutons qui semblaient désagréablement récalcitrants, alors elle saisit le vêtement à pleines mains et tira jusqu'à ce qu'elle entende un bruit de déchirure tout à fait satisfaisant. Contente d'elle, elle contempla le torse hâlé, le visage aux yeux couleur de mer par beau temps, sans la moindre touche de vert ni de gris.

– Comment pouvez-vous avoir les yeux si bleus ? demanda-t-elle. Un bleu magnifique...

Il baissa les paupières.

– Que Dieu me garde, Tasia. Si tu me quittes, tu emporteras mon cœur avec toi !

Tasia voulut répondre, cependant il l'embrassa tant qu'elle en oublia jusqu'aux mots qu'elle avait l'intention de prononcer. Dans une sorte de brouillard, elle le vit prendre le verre, renverser quelques gouttes de vin sur elle. Pourquoi donc faisait-il ça ?

Il lui dit de ne pas bouger, et elle obéit, dans un état second, mais ne put s'empêcher d'onduler doucement quand la bouche de Luke suivit le chemin des gouttelettes. Elle se mit à rire quand il joua avec son nombril, puis elle se tut lorsqu'il ouvrit ses jambes, toute volonté remplacée par une bienheureuse soumission. La main de Luke descendit vers les boucles brunes, et elle gémit, concentrée sur son plaisir.

– Oui, oh oui...

Le désir montait, marée irrésistible, et elle poussa un cri lorsque tout explosa autour d'elle, en elle, avant que les spasmes exquis redeviennent de simples frémissements.

Grisée de bonheur, Tasia se détendit lorsqu'il vint sur

elle et la pénétra doucement. Elle s'accrochait à lui, elle le voulait plus proche encore, mais il résista, se maintint sur les coudes.

– J'ai peur de t'écraser. Tu es si petite, si frêle... Tu es aussi fragile qu'un oiseau.

Il suivit tendrement la courbe de ses hanches, baisa ses seins d'ivoire.

– Mais quand je sens la passion monter en toi, quand tu me serres si fort... je suis sur le point de me laisser aller, pourtant je ne veux pas te faire de mal.

– Viens, le supplia-t-elle en suivant ses mouvements, je ne me briserai pas...

Mais il ne se laissa pas convaincre par les petites mains sur son dos, ni par les dents qui lui mordillaient l'épaule... Il attendit qu'elle fût prête, elle aussi, et ils franchirent ensemble le sommet de la jouissance.

Ils passèrent les heures suivantes dans un grand lit aux colonnes sculptées, tendu de soie bleue.

Leurs jeux incessants ouvrirent l'appétit de Tasia, et Luke la suivit volontiers à l'office où ils firent main basse sur des fruits, du fromage et des gâteaux avant de retourner au lit.

Tasia s'étendit de tout son long en travers du lit, les bras tendus, sans arriver à toucher l'autre bord.

– Il est trop grand ! se plaignit-elle en souriant à Luke. Je vais me perdre.

Il la prit dans ses bras.

– Je te retrouverai quand même.

– J'adore la décadence ! déclara-t-elle avec une naïve franchise. Je comprends pourquoi tant de femmes choisissent d'être des maîtresses.

– C'est ce que tu es en ce moment ? demanda-t-il en embrassant le creux de son épaule.

Déconcertée, elle rougit.

– Je... je n'avais pas l'intention de prendre la place de lady Harcourt.

– Il n'y a plus rien entre Iris et moi. Si je suis allé à Londres, hier, c'était justement afin de rompre avec elle.

Tasia haussa les sourcils, surprise.

186

– Pourquoi ?

– Je ne pouvais offrir à Iris tout ce qu'elle désirait, et j'ai eu l'égoïsme de rester près d'elle plus longtemps que je ne l'aurais dû. Maintenant, elle est libre d'épouser l'un des nombreux soupirants qui la courtisent depuis des années. Cela ne tardera pas, à mon avis.

– Et vous ? demanda Tasia en se dégageant de son étreinte. Allez-vous chercher une nouvelle maîtresse pour la remplacer ?

Luke la rattrapa fermement par la taille.

– Je n'aime pas dormir seul, avoua-t-il. Je suppose que je pourrais trouver une autre Iris et reprendre mes saines habitudes.

Tasia, malgré un brusque accès de jalousie, demeura silencieuse. Elle n'avait pas le droit de protester.

Luke lut dans ses pensées.

– Cependant, reprit-il en souriant, une question se pose : que ferais-je alors de toi ?

– Je suis capable de me débrouiller seule.

– Je le sais. Mais serais-tu prête à prendre d'autres personnes en charge ? Et à les laisser en retour s'occuper de toi ?

Tasia secoua la tête, le cœur battant.

– Je ne comprends pas...

– Il est temps que nous parlions sérieusement.

Les yeux bleus étaient rivés à ceux de Tasia. Luke prit une profonde inspiration.

– Tasia... je veux que tu fasses partie de ma vie, et de celle d'Emma. Je souhaite que tu restes près de moi. Or, pour cela, il faut que tu deviennes ma femme.

Tasia tira le drap d'un geste vif afin de s'en couvrir. Elle garda la tête baissée tandis qu'il continuait :

– Je n'ai jamais pensé pouvoir être un bon époux pour quelqu'un d'autre que Mary. Je n'avais même jamais eu envie d'essayer avant de te connaître.

Elle lui tournait le dos, et il caressa ses épaules tendues.

– Tu n'es pas certaine de tes sentiments pour moi, je le sais. Si nous avions le temps, la situation serait différente, je te courtiserais avec toute la patience dont je suis capable. Au lieu de cela, je te demande de prendre un risque, de me faire confiance.

Un instant, Tasia joua avec l'idée de partager la maison de Luke, sa vie, de se réveiller près de lui chaque matin... Puis cette vision disparut, laissant en elle un grand vide douloureux.

– Si j'étais quelqu'un d'autre, j'accepterais, murmura-t-elle, misérable.

– Si tu étais une autre, je ne voudrais pas de toi.

– Nous ne nous connaissons même pas.

– Il me semble que nous avons bien progressé sur ce plan, en vingt-quatre heures.

– Je peux bien répéter cent fois les mêmes choses, dit-elle d'une voix déchirée, vous n'écouterez pas. J'ai commis un acte que même Dieu ne me pardonnera jamais. Un jour, je devrai le payer, d'une manière ou d'une autre. Et comme je suis trop lâche pour affronter le châtiment, je continue à fuir jusqu'à ce qu'on me rattrape.

– Ainsi, Nicolas Angelovsky serait en quelque sorte l'instrument de la justice divine ? Je ne le pense pas. Dieu a de meilleurs moyens de punir les pécheurs ; il n'a pas besoin d'envoyer à Sa place quelque prince russe à moitié fou. D'autre part, tant que tu ne te souviendras pas, ou que tu ne me donneras pas un début de preuve, jamais je ne croirai que tu as tué quelqu'un. Et ce serait le cas même si je n'étais pas amoureux de toi. Par le diable, qu'est-ce qui te pousse à t'accuser d'un crime que tu n'as pas commis ?

– Vous êtes amoureux de moi ? répéta Tasia, en repoussant ses cheveux pour le fixer, stupéfaite.

Luke gronda d'une façon qui ressemblait bien peu à l'image classique du prétendant transi.

– Qu'est-ce que j'essaie de te dire, à ton avis ?

Elle eut un petit rire étonné.

– Vous avez une drôle de façon de vous exprimer...

– Crois-moi, insista-t-il, bourru, comme gêné de ce qu'il allait dire, tu n'étais pas la candidate idéale. Les femmes se jettent à mon cou depuis des années, certaines parce que je leur plais, d'autres parce que j'ai des biens.

– J'ai également des biens, en Russie, l'informa-t-elle. De la terre, une fortune, des palais...

– Ainsi, Madame Miracle n'était pas loin de la réalité.

– En effet.

– Je me moquerais que tu sois la fille d'un bûcheron ! lança-t-il. A vrai dire, je préférerais.

– Moi aussi, dit-elle au bout d'un moment.

Ils ne se regardaient pas, ils se taisaient, réfléchissant tous les deux à la suite des événements. Durant leur querelle, il l'avait demandée en mariage, elle avait refusé. Mais ce n'était pas terminé pour autant.

Si Tasia avait envie de pleurer, elle se retint. Il la consolerait, or il était inutile qu'ils s'accrochent l'un à l'autre alors qu'ils seraient bientôt séparés pour toujours...

Elle serra davantage le drap sur sa poitrine.

– Luke, dit-elle doucement.

C'était la première fois qu'elle l'appelait par son prénom, et il eut un petit frémissement.

– Si vous êtes prêt à aimer de nouveau, à vous remarier, vous trouverez sans peine quelqu'un qui vous conviendra mieux que moi. Quelqu'un qui ressemblera à Mary.

Elle avait voulu lui donner sa bénédiction, lui offrir un conseil désintéressé, mais il la fixa d'un regard pénétrant.

– C'est donc ça ?... Si j'avais voulu un substitut à Mary, je l'aurais trouvé depuis des années. Mais je n'imagine pas que mon second mariage soit une répétition du premier. Je n'aimerais pas ça du tout.

Tasia haussa les épaules avec une fausse désinvolture.

– Vous dites ça maintenant, pourtant, si vous m'épousiez, vous seriez déçu. Pas tout de suite, peut-être, mais au bout d'un moment...

– *Déçu* ? répéta Luke, incrédule. Pourquoi, au nom du Ciel... Non, ne m'explique pas. Laisse-moi réfléchir une minute.

Comme elle voulait quand même parler, il l'en empêcha d'un geste. Il était important que fût effacé tout malentendu à ce sujet, et il cherchait un moyen de bien se faire comprendre, mais la tâche lui paraissait au-dessus de ses forces. Tasia était encore assez jeune pour envisager le monde en termes d'absolu, d'idéaux, sans avoir appris que le temps changeait bien des choses.

– J'étais presque un adolescent lorsque j'ai épousé Mary, dit-il enfin en choisissant ses mots avec soin. Je l'avais toujours connue. Nous avons été des camarades de jeux, des amis, puis des amants. Nous ne sommes jamais *tombés* amoureux, nous nous sommes... laissés glisser tout naturellement dans l'amour. Je porterais atteinte à sa mémoire en prétendant que c'était artificiel. Nous nous aimions profondément, nous passions de merveilleux moments ensemble... et elle m'a donné une enfant que j'adore. Mais quand elle est morte, je suis devenu un autre homme. J'ai à présent des besoins différents. Et toi...

Il saisit la main de Tasia qu'il serra bien fort, en fixant sa tête baissée.

– Toi, tu as apporté dans ma vie une sorte de passion, de magie que je n'avais jamais connues. Je sais que nous sommes faits l'un pour l'autre. Combien de gens, de par le monde, trouvent l'âme sœur ? Ils passent leur vie à la chercher sans jamais y parvenir. Par quelque miracle incroyable, nous sommes ici, toi et moi...

Il s'interrompit un instant.

– Une chance s'offre à nous, reprit-il d'une voix rauque. Tu sais ce que je désire, mais je ne puis te forcer à rester. La décision t'appartient.

– Je n'ai pas le choix ! cria Tasia, les yeux embués de larmes. C'est parce que je tiens à vous et à Emma que je dois partir !

– Tu te mens. Tu saisis la moindre excuse plutôt que de risquer d'être blessée. Tu as peur d'aimer.

– Et si la raison n'avait rien à voir avec moi ? s'indigna-t-elle, mordante. Si c'était à cause de vous ? Peut-être êtes-vous si arrogant, si égoïste, si fourbe que je ne veux pas de *votre* amour !

Luke devint rouge de colère.

190

– C'est ça, la raison ?

Tasia lui jeta un coup d'œil mi-suppliant, mi-furieux. Il l'obligeait à prononcer des paroles qui leur feraient du mal à tous les deux. Si seulement il voulait bien accepter sa décision, s'il se montrait moins têtu !

– Je vous en prie, ne rendez pas la situation plus difficile...

– Bon Dieu ! Je vais te la rendre *impossible !*

Il l'attira à lui et étouffa ses protestations sous un baiser passionné. Puis il lui maintint fermement la tête.

– J'ai besoin de toi !

Sa main, un peu hésitante, descendit sur le sein de Tasia.

– J'ai besoin de toi de tant de manières. Je ne peux pas te perdre, ma chérie...

Avant qu'elle pût répondre, il l'embrassait de nouveau, et elle ne tarda pas à ne plus penser qu'au désir brûlant qui les faisait trembler à l'unisson.

Quand il entra en elle, elle s'accrocha à ses épaules avec une ardeur proche du désespoir jusqu'à ce que le plaisir les emporte une fois encore.

Dès qu'elle eut repris son souffle, Tasia roula hors du lit. Les jambes tremblantes, elle saisit la robe de chambre de soie qui gisait sur le tapis – celle de Luke, bien trop grande pour elle. Elle s'y enroula tant bien que mal avant de se tourner vers un Luke au visage indéchiffrable.

– Je t'ai fait mal ? demanda-t-il calmement.

Elle secoua la tête, en pleine confusion.

– Non, mais... j'aimerais rester seule un moment. J'ai besoin de réfléchir.

– Tasia...

– Je vous en prie, ne me suivez pas.

Elle l'entendit jurer entre ses dents tandis qu'elle se dirigeait vers la porte. Une fois dehors, elle releva le bas du peignoir pour ne pas le salir de boue.

Le ciel était de velours piqueté d'étoiles qui se reflétaient dans la mare. Elle s'approcha davantage du bord. Une touffe d'ajoncs bougea lorsque deux grenouilles, prudentes, bondirent hors de portée de l'intruse. Tasia tapa sur le sol pour effrayer toute autre créature vivante, puis elle s'assit par terre, les pieds dans l'eau. Alors seulement elle se mit à réfléchir.

Un homme passionné, le marquis de Stokehurst... Tasia noua ses bras autour de ses jambes, posa le menton sur ses genoux. Elle avait désespérément besoin de quelqu'un qui lui donnerait des conseils.

Elle se remémora leur conversation mot pour mot. Avait-il dit vrai ? Avait-elle si peur d'être blessée qu'elle ne donnerait jamais son cœur à quiconque ? Elle songea à ceux qu'elle avait aimés. Sa mère, son père, son oncle Kirill, sa nourrice, Varka. Elle les avait tous perdus. Oui, elle avait peur. Il ne restait déjà plus grand-chose de son cœur.

Elle se rappela son enfance, son désespoir, sa solitude, après la mort de son père. Sa mère lui témoignait de l'affection, mais sa préoccupation principale était – et demeurerait – elle-même. Maria ne pouvait aimer vraiment quelqu'un d'autre. Petite fille, Tasia ne l'avait pas compris. Elle s'était crue indigne d'inspirer de l'amour.

Méritait-elle d'avoir une chance de trouver le bonheur ? Se le devait-elle ? Elle n'était pas sûre de la réponse. Mais que devait-elle à Luke – à supposer qu'elle lui dût quelque chose ?

C'était un homme brillant, intelligent, parfaitement lucide dans ses choix et leurs conséquences. Il voulait l'épouser parce qu'il était persuadé qu'ils seraient heureux ensemble. S'il avait tant de foi, elle devrait bien arriver à en trouver un peu en elle :

Il avait dit qu'il l'aimait, et Tasia en était confondue. Elle ne pouvait comprendre la raison de cet amour, alors qu'elle venait à lui si démunie, qu'elle avait tellement peu à offrir. Pourtant, s'il ressentait seulement une toute petite partie du plaisir qu'elle avait en sa compagnie, peut-être cela suffisait-il.

Elle joignit les mains, ferma les yeux et se mit à prier.

Je ne mérite pas cela, mon Dieu... J'ai peur d'espérer... mais je ne puis m'en empêcher. Je veux rester.

– Je veux rester, répéta-t-elle à haute voix.

Et elle sut qu'elle avait trouvé sa réponse.

Luke dormait sur le dos, la tête tournée de côté. Il fut tiré du sommeil par une caresse sur son épaule nue et un murmure à son oreille.

– Réveillez-vous, monseigneur.

Croyant à un rêve, il s'agita en grognant.

– Venez avec moi, insista Tasia en tirant sur le drap qui le couvrait.

Il bâilla et grommela :

– Où ?

– Dehors.

– Quoi que tu aies l'intention de faire, pourquoi pas à l'intérieur ?

Elle rit en essayant de le redresser.

– Il faut vous habiller...

Encore à moitié endormi, Luke s'habilla sommairement, sans prendre la peine de se chausser. Il fronçait les sourcils, déconcerté, tandis que Tasia boutonnait sa chemise. Elle ne le regardait pas, et pourtant elle vibrait d'une impatience à peine contenue. Elle le tira par le bras hors du cottage.

– Venez, insista Tasia en glissant sa main dans la sienne.

Il avait envie de lui demander où elle l'emmenait, mais elle semblait si déterminée qu'il y renonça et se contenta de la suivre. Ils contournèrent la mare avant d'entrer dans le bois recouvert d'un épais tapis d'aiguilles de pin.

Luke tressaillit en marchant sur un caillou pointu.

– Nous sommes bientôt arrivés ? demanda-t-il.

– Presque.

Elle s'arrêta seulement lorsqu'ils furent environnés d'arbres, dans l'air parfumé de mousse, de résine, de terre. Quelques étoiles scintillaient entre les branches.

Luke eut soudain la surprise de voir Tasia se tourner vers lui, nouer les bras autour de sa taille et demeurer là, immobile, appuyée contre lui.

– Tasia, que...

– Chut. Ecoutez...

Luke obéit et, peu à peu, il prit conscience des sons. Le ululement d'une chouette, le battement des ailes d'un oiseau, le chant des criquets, le grincement des troncs. Et par-dessus tout, le soupir du vent dans les feuilles. Les arbres semblaient se donner la main, comme des fidèles au cours d'un rite ; la musique de la forêt montait vers le ciel où elle se mêlait aux autres rythmes éternels.

Luke enferma Tasia entre ses bras, posa le menton sur ses cheveux, la sentit sourire contre sa poitrine, et il fut soudain envahi d'un immense sentiment d'amour et de paix. Elle tenta de bouger, mais il la retint.

– Je voudrais vous donner quelque chose, dit-elle en l'obligeant à la lâcher.

Elle saisit la main de Luke.

– Voilà, dit-elle, le souffle un peu court.

– Une bague d'homme !

– Elle appartenait à mon père. C'est tout ce qui me reste de lui, hormis mes souvenirs.

Comme Luke demeurait silencieux, elle la lui glissa au petit doigt.

– Là ! dit-elle, ravie. Il la portait à l'annulaire, mais il était bien moins robuste que vous.

Luke contempla un instant le beau et sobre bijou avant de regarder Tasia en essayant de dissimuler la peur qui l'étreignait.

– C'est un cadeau d'adieu ? demanda-t-il.

– Non.

Sa voix vacillait, ses yeux luisaient comme des pierres de lune.

– Non. C'est pour dire que je suis à vous. Tout entière. Pour le restant de mes jours.

Il demeura un instant pétrifié, puis il serra Tasia contre lui à la briser. Loin de s'en plaindre, elle éclata d'un rire presque sauvage qui reflétait l'intensité de sa joie.

– Tu seras ma femme !

– Ce ne sera pas facile ! le prévint-elle gaiement. Vous ne tarderez sans doute pas à avoir envie de divorcer !

– Tu envisages toujours le pire ! protesta-t-il.

– Je ne serais pas russe, sinon.

Luke éclata de rire.

– Je n'ai que ce que je mérite ! Une femme encore plus pessimiste que moi !

– Non, vous méritez bien mieux que moi... tellement mieux...

D'un baiser, il la réduisit au silence.

– Ne dis plus jamais ça ! Je t'aime trop pour supporter d'entendre de telles sornettes.

– Bien, monsieur, répondit-elle, docile.

– C'est mieux.

Il examina plus attentivement la bague qu'elle venait de lui offrir.

– Il y a une inscription. Que veut-elle dire ?

Tasia haussa les épaules.

– Oh... Juste une pensée que mon père affectionnait...

– Dis-moi.

– Il est écrit : « L'amour est un roseau d'or, qui plie mais ne rompt pas. »

Luke resta un instant immobile, puis il embrassa Tasia avec une infinie tendresse.

– Je te promets de t'aimer toujours.

*
**

Ils décidèrent de s'offrir encore une journée de répit, et Tasia en fut heureuse. Un engagement avait été scellé, mais il régnait entre eux une impression de nouveauté qui la mettait parfois presque mal à l'aise.

Jamais auparavant Tasia n'avait parlé en toute liberté avec un homme. Luke connaissait son passé, ses sombres secrets et, au lieu de la juger, il la défendait contre ses propres doutes, ses accusations. Il la voulait libre de corps et d'esprit. Tasia avait du mal à s'habituer à toute cette intimité.

Pourtant, ce n'était pas déplaisant, songea-t-elle, langoureuse, en se réveillant entre ses bras dans une flaque de soleil. On était au milieu de l'après-midi, et Luke la regardait. Depuis combien de temps veillait-il ainsi sur son sommeil ?

– Je n'arrive pas à croire que ce soit bien moi, ici, au

lit avec vous, murmura-t-elle. Est-ce que je suis en train
de rêver ? Suis-je vraiment si loin de chez moi ?

– Non, tu ne rêves pas, et ta maison, maintenant, c'est
près de moi.

Il fit glisser le drap jusqu'à sa taille, caressa sa poitrine.

– Mon oncle Kirill ne vous trouverait pas à son goût,
il n'aime pas les Anglais.

– Ce n'est pas ton oncle Kirill qui va m'épouser.
D'autre part, je suis sûr que je lui plairais énormément
s'il me connaissait. Je ne possède pas de palais, madame,
mais je vous fournirai une table et un toit. Et je m'arrangerai pour que vous soyez assez occupée pour ne pas
remarquer votre modeste environnement.

– Southgate est tout sauf modeste ! protesta Tasia
avec une petite grimace. Mais je serais heureuse de vivre
dans ce cottage pour le restant de mes jours, à condition
que vous y soyez avec moi.

– C'est tout ce que tu désires ?

– Eh bien...

Elle lui lança un regard provocant entre ses cils.

– ... J'aimerais aussi quelques jolies robes, avoua-
t-elle.

Il éclata de rire.

– Tout ce que tu voudras ! Des pièces entières pleines
de somptueuses toilettes. Et assez de joyaux pour payer
la rançon d'un roi.

Il rabattit complètement le drap pour admirer ses hanches, ses longues jambes fines.

– Des souliers de peau d'autruche, des bas de soie,
des perles en guise de ceinture et un éventail en plumes
de paon.

– C'est tout ? demanda-t-elle, amusée par cet étrange
catalogue.

– Des orchidées blanches dans tes cheveux, ajouta-t-il
après un instant de réflexion.

– Je ne passerais pas inaperçue, ainsi accoutrée !

– Mais c'est toute nue que je te préfère, reprit-il.

– Moi aussi.

Tasia roula sur lui.

– C'est délicieux de partager un lit avec vous, pour- suivit-elle en s'appuyant des coudes sur sa poitrine.

Elle s'interrompit un instant avant de murmurer, pen- sive :

– Je ne m'attendais pas que cela me plaise autant !

Luke caressait doucement la courbe de ses reins.

– Qu'imaginais-tu ?

– Je croyais que c'était beaucoup plus agréable pour un homme que pour une femme. Je n'imaginais certai- nement pas que vous me toucheriez de cette façon, et...

Elle baissa les yeux, envahie d'une brusque timidité.

– Je ne pensais pas que... que l'on bougeait autant.

Luke s'efforça de contrôler le rire qui lui montait à la gorge.

– Personne ne t'avait expliqué ?

– Oh, après mes fiançailles, ma mère m'a dit qu'un homme et une femme « s'unissaient », mais elle n'a pas parlé de ce qui se passait ensuite... Vous savez, tous ces mouvements, et...

– Et la jouissance ? continua-t-il tandis qu'elle se réfu- giait dans un silence pudique.

De nouveau elle acquiesça, écarlate. Il lui releva le menton et la regarda droit dans les yeux.

– Alors, pour l'instant, tu es satisfaite ?

– Oh oui ! s'écria-t-elle avec une ardeur qui le ravit.

Il la fit rouler sur le lit.

– Moi aussi.

Il prit ses lèvres en un interminable baiser.

– Jamais de ma vie je ne l'ai été autant, dit-il enfin.

Tasia noua les bras autour de son cou.

– Pour rien au monde je ne partagerais mon lit avec un autre, déclara-t-elle. Lorsque j'étais fiancée à Mikhaïl, je pensais toujours qu'il faudrait que je le laisse me tou- cher.

Luke se montra soudain plus tendre, plus attentif.

– Et tu avais peur ?

Elle leva vers lui un regard encore plein de détresse à ce souvenir.

– J'avais sans cesse une boule d'angoisse au fond du cœur. La plupart du temps, Mikhaïl semblait m'ignorer, comme il ignorait toutes les femmes. Mais à d'autres moments... il me fixait de ses étranges yeux jaunes et il me posait des questions auxquelles je ne pouvais répondre. Il disait que j'étais une fleur de serre, que je ne connaissais rien du monde ni des hommes. Qu'il serait heureux de tenter une expérience avec moi. J'avais une vague idée de ce qu'il voulait dire, et cela me terrifiait.

Elle se tut en voyant une ombre de colère passer sur les traits de Luke.

– J'ai tort de parler de lui ?

– Non, la rassura-t-il doucement. Je veux partager tous tes souvenirs, même les mauvais.

Tasia lui caressa la joue.

– Vous m'étonnez, parfois. Vous êtes si bon, si compréhensif... Mais quand je me rappelle votre attitude envers Nan...

– La femme de chambre qui est enceinte ? Je me conduis comme un imbécile, de temps en temps, avoua-t-il avec un sourire penaud. Mais tu ne t'es pas privée de me le dire ! La plupart des gens n'osent pas me tenir tête. Quand tu es venue dans la bibliothèque pour m'assener ton sermon, j'avais envie de t'étrangler.

Elle sourit au souvenir de sa fureur.

– J'ai cru que vous alliez le faire !

– Mais quand j'ai vu tes yeux me défier, quand j'ai senti ton cœur battre sous ma main, je t'ai désirée avec une violence à peine contrôlable.

– Vraiment ? demanda-t-elle dans un petit rire surpris. Je n'en avais aucune idée !

– Ensuite, j'ai réfléchi à ce que tu m'avais dit. Cela ne m'a pas fait plaisir, mais j'ai bien dû reconnaître que tu avais raison. Il n'est pas inutile que quelqu'un me fasse remarquer, le cas échéant, que je suis un âne bâté !

– Je pourrai m'en occuper...

– Parfait ! Nous aurons d'autres discussions, je serai encore arrogant et tête de mule, tu me réprimanderas. Nous aurons probablement des scènes houleuses. Mais surtout, ne doute jamais de mon amour.

Au grand désespoir de Tasia, vint le moment d'envisager le retour à Southgate Hall.

– Encore une journée... supplia Tasia alors qu'ils se promenaient au milieu d'une verte prairie.

Luke secoua la tête.

– J'en serais enchanté, mais nous nous sommes déjà absentés trop longtemps. J'ai des responsabilités à assumer... et un mariage à organiser. Pour moi, nous sommes déjà mariés sous le regard de Dieu, mais j'aimerais également être marié devant la loi.

Tasia fronça les sourcils.

– Je vais vous épouser, et ma famille n'est pas au courant. Ils me savent en vie, à présent, pourtant ils ignorent où je me trouve. J'aimerais pouvoir leur dire que je suis heureuse et en sécurité.

– Il ne le faut pas, cela simplifierait la tâche de Nicolas Angelovsky.

– Je ne vous demandais pas la permission, marmonna Tasia, ennuyée par son refus. Je disais simplement ce qui me passait par la tête.

– Eh bien, oublie cette idée tout de suite ! ordonna-t-il. Je n'ai pas l'intention de passer la fin de ma vie à attendre qu'Angelovsky surgisse sur mon seuil, mais tant que je n'ai pas trouvé la bonne solution au problème, tu dois garder ton identité secrète et il n'est pas question que tu communiques avec ta famille.

Tasia lui arracha sa main.

– Inutile de me parler comme à une de vos servantes. A moins que ce ne soit la manière habituelle dont un mari anglais s'adresse à son épouse ?

– Je ne pense qu'à toi, s'excusa Luke.

Il semblait soudain doux comme un agneau, mais Tasia ne s'y trompait pas. Pour l'instant, il mettait un frein à son instinct de domination, mais lorsqu'ils seraient mariés, elle deviendrait légalement sa propriété, au même titre que ses chevaux. Il ne serait pas facile à apprivoiser, mais elle avait hâte de relever le défi.

Leur premier soin en arrivant à Southgate Hall fut d'aller trouver Emma pour la mettre au courant de leurs projets. Dès qu'elle les vit, Luke tenant Tasia par la taille, l'adolescente comprit.

Tasia s'était attendue que son élève manifeste sa joie, mais l'explosion d'enthousiasme d'Emma dépassa de loin ses espérances ! La jeune fille se mit à gambader dans le grand hall avec des cris et des rires, en se jetant au cou de tous ceux qui passaient à sa portée. Samson se mit de la partie en bondissant autour de sa maîtresse avec de sonores aboiements.

– Je savais que vous reviendriez ! cria Emma en se précipitant sur Tasia avec une telle énergie qu'elles faillirent tomber toutes les deux. Je savais que vous diriez oui à papa ! Il est venu me voir le matin de votre départ, et il m'a dit que vous alliez l'épouser, même si vous l'ignoriez encore !

– Vraiment ? demanda Tasia, sévère, les sourcils froncés.

Luke feignit de ne pas remarquer son expression et se concentra sur Samson. Le chien se roulait joyeusement sur le tapis d'Orient qu'il couvrait de ses poils.

– Comment se fait-il que chaque fois que je rentre dans cette maison, cette satanée bête s'y trouve ?

– Samson n'est pas une bête ! s'indigna Emma, sur la défensive. Il fait partie de la famille. Et miss Billings aussi, dorénavant ! ajouta-t-elle gaiement. Allons-nous devoir trouver une nouvelle gouvernante ? Jamais une autre ne me plaira autant !

– Pourtant il le faudra. Miss Billings ne peut pas être à la fois lady Stokehurst et ton institutrice.

Luke jeta un coup d'œil à Tasia comme pour évaluer ses forces.

– Elle tomberait de fatigue au bout d'une semaine, conclut-il.

Bien qu'il n'y eût aucune allusion sexuelle, Tasia rougit en se rappelant combien leurs deux nuits d'amour l'avaient épuisée. Luke sourit, comme s'il avait deviné ses pensées.

– Maintenant que vous n'êtes plus mon employée, miss Billings, vous devriez demander à Mrs Knaggs de vous installer dans une chambre d'ami.

– L'ancienne me convient parfaitement, murmura Tasia.

– Elle ne convient pas à ma fiancée.

– Mais je ne...

– Emma, coupa Luke, choisis une chambre pour miss Billings et prie Seymour d'y porter ses affaires. Demande aussi à l'office que l'on dresse un couvert de plus à la salle à manger. A partir de ce jour, miss Billings prendra ses repas avec nous.

– Oui, papa !

L'adolescente s'éloigna en sautillant, Samson sur ses talons.

Tasia se tourna vers Luke, un peu inquiète.

– J'espère que vous n'avez pas l'intention de me rendre visite cette nuit, chuchota-t-elle d'une voix ferme.

Il sourit, une lueur coquine dans ses yeux bleus.

– Je n'aime pas dormir seul, je te l'ai dit...

– Je n'ai jamais rien entendu de plus indécent !

Elle le repoussa quand il glissa un bras autour de sa taille.

– Monseigneur ! Les domestiques verront...

– Même si nous dormons chacun dans notre chambre, tout le monde pensera que nous sommes ensemble. Alors, autant en profiter ! Si nous sommes discrets, personne ne pensera à mal.

– Moi si ! protesta Tasia, toute raide d'indignation. Je... je ne... je ne ferai pas l'amour avec vous sous le même toit que votre fille ! Je serais la pire des hypocrites en lui donnant ensuite des leçons de morale ! La porte de la *chambre* sera fermée. Jusqu'au jour de notre mariage.

Comprenant qu'elle ne changerait pas d'avis, Luke se fit de pierre, et ils échangèrent un regard de défi. Puis il se détourna et s'éloigna à grandes enjambées.

– Où allez-vous ? demanda Tasia, prise d'une crainte soudaine.

S'il changeait d'avis ?

– Mettre le mariage au point, gronda Luke. Et ça ne traînera pas, crois-moi !

7

Les jours suivants, Tasia vit fort peu Luke. Il passait presque tout son temps à arranger la cérémonie, qui aurait lieu dans la chapelle du domaine, et le soir il rentrait à Southgate Hall pour tenir la jeune femme au courant de la situation. Elle ne savait jamais très bien quelle serait son humeur, car il alternait vis-à-vis d'elle la tendresse et l'agressivité. Parfois il la traitait comme une poupée de porcelaine, lui murmurait à l'oreille de merveilleux mots d'amour. Mais il était tout aussi capable de la plaquer contre un mur et de se comporter comme un marin en permission avec la dernière fille du port.

— Je viens dans ta chambre, ce soir, déclara-t-il un jour après un épisode particulièrement passionné dans un coin sombre.

— Je verrouillerai la porte.

— Je la défoncerai.

Une jambe glissée entre celles de la jeune femme, il prit ses lèvres avec ardeur.

— Tasia, gronda-t-il contre sa bouche, je te désire, je te désire tant que j'ai mal.

Il prit sa main et la dirigea vers son sexe gonflé. Elle perdit un moment la notion du temps pendant qu'ils s'embrassaient follement.

— Il faut arrêter ! dit-elle enfin. Ce n'est pas convenable.

— Cette nuit ! insista-t-il.

Tasia s'arracha à lui, un peu étonnée de s'apercevoir que ses genoux la portaient à peine.

– Vous ne viendrez pas dans ma chambre ! s'entêta-t-elle. Je ne vous le pardonnerais jamais.

Toute la passion contenue de Luke éclata dans une explosion de colère.

– Bon sang, quelle différence cela peut-il bien faire, que ce soit ce soir ou dans deux jours ?

– Nous serons mariés, alors.

– Tu acceptais de partager mon lit avant !

– Ce n'était pas la même chose. Je pensais que je ne vous verrais plus jamais. A présent, je vais occuper une place dans cette maison, et je ne veux pas perdre le respect de votre fille et de vos serviteurs en me conduisant comme une catin, déclara-t-elle d'une voix ferme qui ne laissait aucun doute sur sa détermination.

Pourtant, Luke n'avait pas l'intention de renoncer. Changement de tactique ; il se fit câlin.

– Tout le monde t'adore et te respecte, ici, ma chérie. Moi plus que tout autre. J'ai besoin de toi, j'ai envie de te faire l'amour, de te rendre heureuse, de te plaire...

Tasia, prudente, le vit s'approcher davantage, mais quand il tendit la main d'un geste brusque pour l'attraper, elle bondit hors de portée, plus vive encore.

– Bon Dieu ! tonna-t-il tandis qu'elle s'éloignait rapidement.

– Et ne me suivez surtout pas ! cria-t-elle.

Le lendemain matin, lorsqu'il entra dans la salle du petit déjeuner, Tasia, assise à la grande table de chêne, se tourna vers lui avec un sourire un peu hésitant. Il congédia la soubrette qui débarrassait les plats.

– Bonjour, dit-il, redevenu l'aristocrate impassible, maître de ses passions. Puis-je me joindre à toi ?

Avant qu'elle pût répondre, il s'était installé près d'elle.

– Je pars à Londres dans quelques minutes, mais j'ai d'abord deux questions à te poser.

– Très bien, monseigneur, répondit-elle sur le même ton sérieux.

– Serais-tu d'accord pour que je propose aux Ashbourne de nous servir de témoins à la cérémonie ?

– J'en serais ravie.

– Parfait. D'autre part, j'ai besoin de savoir si...

Luke hésita un moment, effleura le genou de Tasia.

– Oui ? l'encouragea-t-elle doucement.

– Au sujet de l'alliance, je me demandais... si celle-ci te plairait.

Il ouvrit la main sur un lourd anneau d'or. Elle le prit avec soin et admira le motif de lettres et de roses gravées sur la surface polie qui gardait encore la tiédeur de Luke.

– C'est une bague de famille, expliqua-t-il, mais elle n'a pas été portée depuis des générations.

Luke l'observait tandis qu'elle faisait jouer le bijou entre ses doigts fins, caressant les fleurs.

– Pour les Anglais, reprit-il, les roses sont le symbole du secret. Autrefois, on suspendait une rose au-dessus de la table afin de s'assurer que tout ce qui serait dit demeurerait confidentiel.

Soudain, Tasia crut voir un homme et une femme dans un lit, la femme offrait ses doigts tandis que l'homme lui passait l'alliance. Il était brun, barbu... il avait les yeux bleus. L'image disparut, et Tasia eut une petite grimace amusée.

– Votre ancêtre William l'avait donnée à sa maîtresse, n'est-ce pas ?

Luke sourit.

– On raconte qu'il l'a aimée depuis le premier regard jusqu'au jour de sa mort... Mais je comprendrais parfaitement que tu préfères une autre bague, avec des pierres précieuses, peut-être. Cet anneau est démodé, et...

– C'est celui-ci que je veux ! déclara Tasia. Il est parfait.

– J'espérais que tu réagirais ainsi, dit Luke en posant le bras sur le dossier de la chaise de Tasia. Pardonne-moi pour hier, poursuivit-il. Ce n'est pas facile de t'avoir si proche et de ne pouvoir t'emporter dans mon lit...

Tasia baissa les yeux.

– Ce n'est pas facile pour moi non plus, avoua-t-elle.

Prise d'une brusque bouffée de passion, elle s'approcha un peu plus, les lèvres entrouvertes.

Elle avait affreusement mal dormi, après leur altercation. Seule dans sa chambre, elle avait envie de ses baisers, de la chaleur de son corps contre elle.

Luke se recula en souriant.

– Non, petite coquine. Tu allumerais un feu que tu ne veux pas éteindre.

Il se leva, lui reprit l'alliance qu'il brandit victorieusement.

– Mais quand je t'aurai passé cette bague au doigt, je t'aurai autant qu'il me plaira, je te le promets !

La chambre qu'Emma avait choisie pour Tasia était l'une des plus ravissantes de Southgate Hall, avec un lit drapé de soie pêche et de gros glands dorés. Emma était allongée sur le tapis devant une assiette de petits-fours chapardés à la cuisine, dont elle faisait également profiter Samson. Le chien se léchait les babines, heureux de cette bonne fortune.

Tasia, assise dans un fauteuil, raccommodait la manchette déchirée d'une chemise d'homme. Elle se mit à rire en voyant le museau couvert de sucre glace de Samson.

– Avez-vous raison de lui donner toutes ces sucreries ? demanda-t-elle. Je ne pense pas que ce soit bon pour lui... ni pour vous, d'ailleurs.

– J'ai tout le temps faim, je n'y peux rien ! Plus je grandis, plus il me faut manger, soupira Emma en croisant ses jambes maigres. Or j'ai l'impression que je n'en finis pas de grandir. J'espère que l'étranger que j'épouserai sera immense ! Ça doit être horrible, de regarder son mari de haut.

– Vous le trouverez parfait, quelle que soit sa taille, dit Tasia.

Emma se mit à feuilleter un magazine féminin, commentant les images de mode de l'automne à venir.

– Le vert bronze va faire un malheur, cette année ! dit-elle en tendant le journal afin que Tasia puisse le regarder. Il faut absolument que vous ayez une robe comme celle-ci, avec le feston en bas et les rubans aux poignets. Et des bottines de la même couleur !

– Je ne suis pas certaine que cette teinte m'aille très bien.

– Oh, mais si ! protesta Emma. D'ailleurs tout vous irait, après le noir et le gris que vous portez sans cesse.

Tasia se mit à rire.

– J'aime bien le rose, dit-elle, rêveuse. Un rose très pâle, presque blanc. Rien n'est plus beau que les perles roses...

L'adolescente tourna les pages à toute vitesse.

– J'ai vu quelque chose, vers la fin... Une robe du soir qui serait magnifique...

Soudain, elle s'interrompit, fixa Tasia en écarquillant les yeux.

– Qu'y a-t-il ? demanda Tasia.

– Je pensais simplement... Comment vais-je vous appeler, maintenant ? Miss Billings, c'est impossible. Madame est trop cérémonieux. Mais vous n'avez pas l'âge d'être ma mère, et je crois que je ne pourrais pas vous appeler maman... n'est-ce pas ?

Tasia, attendrie, posa son ouvrage.

– Non, dit-elle doucement. Mary est votre mère, elle le restera toujours, même si elle est au Ciel. Votre père ne l'oubliera jamais, et vous non plus. Je serai la nouvelle épouse de votre papa, mais je ne la remplacerai pas, elle gardera sa place, comme j'aurai la mienne.

Emma hocha la tête, rassurée, et elle se rapprocha du fauteuil de Tasia.

Parfois, quand je suis seule, je me dis qu'elle me regarde, cachée derrière un nuage. Croyez-vous que les gens puissent nous voir, de là-haut ?

– Oui, répondit gravement Tasia. Si le paradis est vraiment un endroit où règnent le bonheur et la paix, c'est certainement possible. Votre mère serait très malheureuse si elle ne pouvait s'assurer elle-même que vous allez bien.

– Elle sait que vous êtes avec nous, et elle en est contente, miss Billings, j'en suis sûre. Peut-être même vous a-t-elle aidée à nous trouver. Elle n'aimerait pas que papa reste seul.

Tasia se détourna, et Emma s'écria, inquiète :

– Miss Billings ? Je vous ai fâchée ?

Tasia eut un petit sourire tremblant.

– Non, vous m'avez seulement fait monter les larmes aux yeux, dit-elle avant de déposer un baiser sur les cheveux roux de l'enfant. J'ai quelque chose à vous dire, Emma... Je ne m'appelle pas miss Billings.

– Je sais. C'est Tasia.

– Comment le savez-vous ? s'étonna la jeune femme.

– L'autre soir, après le souper, j'ai entendu papa vous appeler, au moment où je quittais la salle à manger. Et je ne suis pas surprise, parce que j'ai toujours pensé que vous étiez plus qu'une gouvernante. Vous pouvez me dire la vérité, à présent... Qui êtes-vous ?

Tasia sourit à la jeune fille aux grands yeux bleus pleins de curiosité.

– Mon vrai nom est Anastasia Kaptereva. Je suis née en Russie, et j'ai dû quitter le pays pour me réfugier en Angleterre parce que j'étais impliquée dans une sombre histoire.

– Vous avez fait quelque chose de mal ? demanda Emma, incrédule.

– Je l'ignore. Aussi étrange que cela paraisse, je ne me rappelle pas grand-chose, et je préfère ne pas vous en dire davantage. Sachez simplement qu'il s'agit d'une époque épouvantable de ma vie... Mais votre père m'a persuadée qu'il fallait essayer de l'oublier.

Emma lui prit la main.

– Puis-je vous aider ?

– Vous l'avez déjà fait, dit Tasia en serrant affectueusement la main de la jeune fille. Vous et votre père m'avez accueillie au sein de votre famille, et c'est ce qui pouvait m'arriver de plus merveilleux.

– Je ne sais toujours pas comment je dois vous appeler ! reprit Emma avec entrain.

– Pourquoi pas « belle-maman » en français ? suggéra Tasia.

– Belle veut dire jolie, n'est-ce pas ? Alors, oui, c'est un nom parfait !

*
**

– Si seulement nous avions eu le temps de confectionner une véritable robe de mariée ! gémit Alicia en aidant Tasia à se préparer. Vous devriez porter une toilette neuve, pas une de mes anciennes...

Elles avaient transformé une robe ivoire ayant appartenu à Alicia, mais le résultat n'était pas absolument parfait.

– Au moins, vous vous marierez en blanc ! ajouta-t-elle.

– Dans mon cas, le blanc est discutable, dit Tasia. Je devrais plutôt porter du rouge. De l'écarlate, comme les filles de joie.

– Je préfère ignorer ce commentaire !

Alicia fixait des roses dans le chignon de sa cousine.

– Ne vous reprochez pas d'avoir... euh... fauté avec Luke, ma chérie. La plupart des femmes en auraient fait autant au bout de cinq minutes. C'est un homme irrésistible... sauf si on est marié avec Charles, évidemment.

Alicia feignit de ne pas voir la jeune femme rougir, et elle continua, d'un ton léger :

– C'est curieux, je ne l'ai pas apprécié du tout, la première fois que nous nous sommes rencontrés.

– Vraiment ? s'étonna Tasia.

– Je suppose que j'étais jalouse de l'admiration sans bornes que lui portait Charles. Dans leur cercle, tout le monde rapportait les bons mots de Luke, relatait ses dernières frasques. Aucun de ces messieurs ne levait le petit doigt sans avoir d'abord demandé l'avis de Luke, même s'il s'agissait de savoir quelle femme courtiser ! Quand j'ai fait sa connaissance, je me suis dit : « Quel jeune homme gâté, égocentrique. Au nom du Ciel, que lui trouvent-ils tous ? »

Tasia éclata de rire.

– Et qu'est-ce qui vous a fait changer d'avis ?

– Je me suis rendu compte que c'était un excellent

mari. Remarquable, vraiment. Avec Mary, Luke se montrait attentionné, tendre... attitude que les hommes détestent, par peur d'avoir l'air faible devant leurs camarades. Et jamais il ne regardait une autre femme, malgré toutes celles qui se seraient volontiers jetées à son cou. J'ai aussi fini par découvrir la force de caractère de Luke, sous son apparente arrogance. Puis il y a eu l'accident...

Alicia secoua la tête à ce navrant souvenir.

– Perdre Mary, se retrouver mutilé... Il y avait de quoi devenir amer et s'apitoyer sur son sort. Comme Charles appréhendait la première visite qu'il lui a rendue après le drame ! « Stokehurst ne sera plus jamais le même ! » m'a-t-il dit avant d'y aller. Mais Luke est devenu plus fort, au contraire. Il a déclaré à Charles qu'il n'avait pas l'intention de perdre son temps à pleurer sur lui-même, et qu'il ne voulait pas de pitié. Il honorerait la mémoire de Mary en offrant à Emma une vie heureuse, en lui enseignant que les défauts physiques n'ont aucune importance, parce que seule l'âme compte. Charles est rentré à la maison ému aux larmes, et il a dit qu'il admirait Lucas Stokehurst plus que n'importe qui au monde.

– Pourquoi me racontez-vous tout cela ? demanda Tasia d'une voix brisée d'émotion.

– Sans doute pour vous dire que je vous approuve, ma chérie. Vous ne regretterez jamais d'avoir épousé Luke.

Mal à l'aise, Tasia se détourna pour vérifier sa coiffure dans le miroir, en évitant de croiser son propre regard embué de larmes.

– Pendant trop longtemps, je n'ai pensé qu'aux Angelovsky et à l'acte horrible que j'ai peut-être commis. J'ignore quels sont mes sentiments à l'égard de lord Stokehurst, mais je sais que je vais vers lui comme je ne suis jamais allée vers personne.

– C'est un bon début !

Alicia se recula pour mieux admirer Tasia.

– Ravissante ! dit-elle.

Tasia effleura son chignon.

– Combien y a-t-il de roses ?

– Quatre.

– Pourriez-vous en ajouter une ?

– Il n'y a plus de place, je le crains.

– Alors, ôtez-en une, s'il vous plaît. Je veux en porter trois ou cinq.

– Pourquoi ?... Oh oui ! Comment ai-je pu oublier !

Alicia sourit en se rappelant la coutume russe.

– Un nombre impair de fleurs pour les vivants, un nombre pair pour les morts.

Elle regarda le gros bouquet que Tasia porterait à la chapelle.

– Voulez-vous que j'en compte aussi les fleurs ?

Tasia sourit en s'emparant de la gerbe.

– Nous n'avons plus le temps. Décidons seulement que c'est le bon chiffre...

– A la grâce de Dieu ! s'écria Alicia du fond du cœur.

Malgré la solennité de l'instant, Tasia eut envie de rire en voyant Samson qui attendait patiemment à la porte de la chapelle. On avait attaché sa laisse à l'un des bancs du fond, afin qu'il ne risque pas de gêner la cérémonie, et il observait le petit groupe réuni près de l'autel avec une dignité tout à fait inhabituelle. Sans doute influencé par l'atmosphère recueillie, c'était tout juste s'il s'agitait de temps en temps pour essayer de se débarrasser de la guirlande de fleurs blanches qu'Emma avait fixée à son collier.

La petite chapelle sentait le renfermé, mais les chandeliers faisaient doucement briller la pierre et le bois sombre, ainsi que les visages lointains des statues de saints.

Tasia se sentait curieusement détachée tandis que, debout près de Luke, les Ashbourne à sa gauche et Emma à sa droite, elle répétait les vœux d'une voix qui ne semblait pas être la sienne.

Comme c'était simple et intime, comparé à l'interminable célébration qu'elle aurait dû subir à Saint-Pétersbourg. Si elle avait épousé Mikhaïl Angelovsky, ç'aurait été en présence d'un bon millier d'invités, et un évêque orthodoxe aurait présidé la cérémonie. Elle aurait été vêtue de brocart blanc, de fourrure, et d'une couronne d'argent assortie à la couronne d'or de Mikhaïl. Il y aurait eu une procession devant l'autel, et les Angelovsky auraient exigé que Mikhaïl porte le symbole traditionnel de l'autorité maritale, un fouet d'argent. Elle aurait été obligée de s'agenouiller pour baiser le bas de la robe de cérémonie de son futur mari, en ultime geste de soumission. Mais tout cela, elle l'avait laissé derrière elle dans une traînée de sang et de mensonge. Elle se trouvait à présent loin de sa patrie, en train d'échanger les serments du mariage avec un étranger.

Luke lui tenait fermement la main en prononçant les paroles qui les uniraient jusqu'à ce que la mort les sépare, et quand elle leva la tête vers les yeux si bleus, elle revint à la réalité. Les derniers liens avec le passé furent tout à fait rompus quand elle sentit l'alliance à son doigt.

Tasia connut un instant de panique juste avant que Luke pose sa bouche sur la sienne, en un baiser dur, bref. *Tu es à moi, dorénavant*, voulait-il dire. *Maintenant et pour toujours... Rien ne pourra jamais nous séparer.*

Des vivats s'élevèrent dans le quartier des domestiques lorsque lord et lady Stokehurst firent leur apparition.

Luke leur avait accordé congé le lendemain et avait fourni vin et nourriture pour une nuit entière de fête. Les villageois étaient venus avec leurs instruments de musique afin de participer aux réjouissances, et la foule se précipita pour féliciter les jeunes mariés avec une sincérité qui toucha Tasia.

– Que Dieu vous bénisse, madame ! criaient les femmes de chambre. Que Dieu vous bénisse, vous et le maître !

– Je n'ai jamais vu mariée plus ravissante ! s'écria Mrs Plunkett, les larmes aux yeux.

– La plus belle journée à Southgate Hall ! renchérit Mrs Knaggs avec emphase.

Ce fut Mr Orrie Shipton, le maire du village, qui porta le premier toast. Tout rouge de plaisir et d'importance, il leva son verre de vin bien haut.

– A la marquise de Stokehurst ! Puissent sa douceur

et sa gentillesse embellir cette demeure pendant de longues années... et qu'elle emplisse Southgate Hall de nombreux héritiers !

A la plus grande joie des assistants, Luke se pencha afin d'embrasser son épouse rougissante.

Personne n'entendit ce qu'il lui murmura à l'oreille, mais ses joues s'empourprèrent encore davantage.

Tasia ne tarda pas à se retirer en compagnie de Mrs Knaggs et lady Ashbourne, tandis que Luke restait près de ses gens, avec à ses côtés un Charles qui rayonnait comme s'il était personnellement responsable de ce mariage.

– Je savais que tu te comporterais correctement, dit-il à son ami à mi-voix en lui serrant chaleureusement la main. Je savais que tu n'étais pas une canaille sans scrupules, comme le prétendait Alicia. Je t'ai d'ailleurs défendu avec acharnement. Lorsqu'elle t'a traité de porc prétentieux, je lui ai déclaré qu'elle exagérait. Quand elle a dit que tu étais arrogant et sans cœur, je lui ai répondu que c'était faux, tout simplement. Et quand elle a commencé à parler de ta tête enflée, de ton égoïsme...

– Merci, Charles, coupa Luke avec bonne humeur. Il est agréable d'avoir un défenseur de ta qualité...

– Bon Dieu, quelle belle journée, Stokehurst ! s'écria Charles en désignant la joyeuse assemblée. Qui aurait pu imaginer ce qui arriverait, le jour où je t'ai présenté Tasia ? Qui aurait pensé qu'Emma se prendrait pour elle d'une telle affection, que toi-même tu tomberais amoureux ? Je dois dire que je me félicite de...

– Je ne t'ai jamais dit que j'étais amoureux d'elle, dit Luke en haussant un sourcil.

– Je crains que ce ne soit évident, vieux. Connaissant ton opinion sur le mariage, tu ne serais pas là si tu n'aimais pas Tasia. Et je ne t'avais pas vu aussi gai depuis le collège !

Charles pouffa de rire.

– Mais je n'aimerais pas être à ta place quand tu la présenteras à Londres. Tu auras du mal à tenir les autres hommes à l'écart de ta femme. Je me demande avec qui tu auras le plus de problèmes, les jeunes dandys ou les vieux beaux. Tasia possède une sorte de mystère qui manque à la plupart de nos Anglaises, et sa peau si pâle avec ses cheveux noirs...

– Je sais, coupa Luke, sombre.

Charles avait raison. La jeunesse de Tasia, sa beauté, son délicieux côté exotique en feraient une créature de rêve pour bien des hommes. Luke était jaloux, et c'était un sentiment fort désagréable. Un instant, il se rappela combien tout était facile, avec Mary, confortable. Pas de pincements au cœur, pas de jalousie, seulement la complicité de deux vieux amis.

Charles lui lança un coup d'œil pénétrant.

– C'est bien différent, hein ? déclara-t-il avec cette franchise un peu brutale qu'il affectionnait dans les moments importants. J'avoue que je ne saurais pas très bien comment me comporter, s'il me fallait recommencer, surtout avec une très jeune épouse. Tasia ne connaît rien de ce que tu as vécu... et pourtant, voir le monde à travers ses yeux, c'est comme le voir de nouveau pour la première fois. Et cela, je te l'envie. Comment dit-on ? « La jeunesse nous apporte l'amour et les roses, la vieillesse nous laisse les amis et le vin... »

Charles leva son verre.

– Un bon conseil, reprit-il, profite de cette seconde jeunesse, Stokehurst, et laisse-moi le plaisir du vin.

Les lumières étaient discrètement tamisées lorsque Luke entra dans la chambre où Tasia l'attendait, seule, vêtue d'une chemise de nuit bordée de dentelle, ses cheveux cascadant en nuage bouclé dans son dos. Elle était si belle, si fraîche, si innocente !

Luke aperçut l'éclat de l'or à son doigt, et ce que l'anneau signifiait le bouleversa. Jamais il n'avait eu autant envie d'aimer une femme, et il en était heureux. L'extrême bonheur qu'il ressentait lui apportait en même temps l'étrange impression de se sentir vulnérable, humble, humain...

– Vous ressemblez à un ange, ainsi vêtue de blanc, lady Stokehurst, dit-il en la serrant dans ses bras.

– C'est Alicia qui m'a donné cette tenue, répondit-elle en le regardant de ses lumineux yeux de félin.

– Ravissant, murmura-t-il.

Elle semblait préoccupée.

– Il y a un sujet important que j'aimerais aborder avec vous, monseigneur.

– Ah ?

Luke jouait avec les longues boucles en attendant qu'elle continue. Tasia posa la main sur sa poitrine.

– Je pensais bien que nous partagerions votre chambre cette nuit. Mais je dois vous tenir au courant des instructions que j'ai données à Mrs Knaggs : à partir de demain, j'aimerais que nous occupions des chambres séparées.

Luke haussa les sourcils. L'idée lui semblait absurde.

– Je ne t'ai pas épousée pour dormir sans toi, répliqua-t-il.

– Bien sûr, vous pourrez me rendre visite quand vous le souhaiterez, monseigneur, continua-t-elle avec un sourire hésitant. Mes parents vivaient ainsi, les Ashbourne aussi, c'est plus convenable, et Alicia affirme que c'est très fréquent, en Angleterre.

Luke la contemplait en silence. Evidemment, de nombreux manuels sur la vie conjugale et des magazines féminins recommandaient de faire chambre à part, mais Luke se moquait bien de savoir comment vivaient les autres. Quant à lui, qu'il soit damné s'il passait une minute de ses nuits séparé de Tasia sous prétexte de mener une existence « convenable » !

Il la serra un peu plus fort contre lui.

– J'aurai envie de toi chaque nuit, Tasia... Et je n'aime guère l'idée de « rendre visite » à mon épouse. Ne crois-tu pas qu'il serait plus simple de partager la même chambre ?

– Il ne s'agit pas d'être simple ! dit-elle vivement. Si nous avons une seule chambre, tout le monde saura que nous dormons dans le même lit.

– Quelle horreur ! s'écria-t-il en feignant d'être choqué.

Il la souleva, l'emporta vers le lit et la laissa tomber

au milieu de la courtepointe de soie ivoire. Tasia était contrariée par son expression ironique.

– J'essaie de vous parler de décence, monseigneur...

– Je t'écoute.

Ce n'était pas tout à fait vrai. Déjà il jouait avec son corps, et elle se mit à bredouiller, ne sachant plus très bien ce qu'elle avait voulu dire. Lorsque la bouche de Luke trouva le bout d'un sein à travers la dentelle, elle eut un petit sursaut et se tut.

– Continue, dit-il en lui ôtant la chemise de nuit. Parle-moi encore de décence.

Elle se contenta de gémir doucement en l'attirant à elle, et elle oublia toute idée de faire chambre à part quand Luke lui démontra sans mot dire pourquoi ils n'auraient besoin que d'un seul lit.

Tasia avait épousé Luke dans l'espoir de trouver la paix qui lui avait tant manqué depuis une année, et elle ne rêvait que d'une vie calme et paisible. Elle découvrit bientôt que son mari avait d'autres projets en tête. Il commença par parler de l'emmener à Londres, bien qu'elle protestât à l'idée de laisser Emma.

– Mes parents viendront habiter avec elle, dit Luke, allongé sur le lit, tandis qu'il regardait Tasia brosser sa longue chevelure. Ma fille comprend parfaitement que nous ayons besoin d'être un peu seuls pour nous habituer l'un à l'autre. En outre, elle adore tourmenter ma mère.

– Elle fera des bêtises, l'avertit Tasia, inquiète de laisser l'adolescente à la garde des domestiques et de deux grands-parents âgés.

Luke sourit à son reflet dans le miroir.

– Nous aussi !

Tasia fut enchantée par la demeure londonienne de Stokehurst, une villa de style italien au bord de la Tamise, avec trois tours aux toits pointus et de pittoresques loggias couvertes. Le précédent propriétaire aimait tant le bruit de l'eau qu'il avait placé des fontaines ornées de carreaux anciens et de statues dans de nombreuses pièces.

– On dirait qu'elle est inhabitée, fit remarquer Tasia en allant de pièce en pièce.

Malgré son élégance, il manquait à la villa les bibelots et autres petits riens qui lui auraient donné du caractère.

– Jamais on ne pourrait deviner à qui elle appartient, reprit-elle.

– Je l'ai achetée après que l'autre a été détruite par l'incendie, expliqua Luke. Emma et moi y avons vécu quelque temps. J'aurais dû engager un décorateur pour l'aménager.

– Pourquoi ne viviez-vous pas à Southgate Hall ?

– Trop de souvenirs, répondit-il en haussant les épaules. La nuit, je me réveillais, m'attendant à...

– Trouver Mary près de vous ? demanda-t-elle comme il ne terminait pas sa phrase.

Luke s'arrêta au beau milieu du hall circulaire au sol de marbre et tourna Tasia vers lui.

– Cela t'ennuie, quand je parle d'elle ?

Tasia repoussa une mèche de cheveux du front de son mari et sourit, tendre.

– Bien sûr que non. Mary tient une grande place dans ton passé, et je me trouve bien heureuse d'être à présent celle qui dort près de toi chaque nuit.

Les yeux bleus étaient sombres, impénétrables, quand il lui releva le menton.

– Je te rendrai très heureuse, promit-il.

– Je suis... commença Tasia.

– Pas assez. Pas encore assez.

Il passa les deux premières semaines à faire visiter Londres à Tasia, depuis les sites de l'occupation romaine jusqu'aux quartiers de Mayfair, Westminster et St. James. Ils montèrent des pur-sang dans les merveilleuses allées de Hyde Park, ils explorèrent Covent Garden et son marché couvert, s'arrêtèrent pour assister à une séance de guignol. Tasia sourit en voyant les deux marionnettes s'assener des coups de bâton, mais elle ne partagea pas la joie bruyante des autres spectateurs. Les Anglais avaient décidément un curieux sens de l'humour, pour s'amuser de manifestations de violence inutiles qui semblaient aux antipodes de leur tempérament civilisé.

Comme le spectacle l'assommait, elle tira Luke par la manche pour l'attirer vers les stands des fleuristes et des marchands de jouets.

– On se croirait à *Gostinny Dvor* ! s'exclama-t-elle, avant de rire en voyant l'air d'incompréhension de Luke. C'est une sorte de marché, à Saint-Pétersbourg, où les étals sont disposés par rangées, comme ici. Cet endroit y ressemble beaucoup, sauf qu'il n'y a pas de marchands d'icônes, à Londres.

Luke sourit. Tasia pensait visiblement qu'un marché où on ne vendait pas d'icônes ne valait pas la peine qu'on s'y arrêtât.

– Tu as besoin de plusieurs icônes ? demanda-t-il.

– Oh, on n'en a jamais trop ! Elles portent chance. Certaines personnes en gardent une dans leur poche en permanence. J'aimerais bien que tu en aies, ajouta-t-elle, sérieuse. On n'a jamais trop de chance.

– C'est toi qui me portes chance, dit-il en enfermant la petite main dans la sienne.

Ils se rendirent chez un couturier de Regent Street, Mr Maitland, dont Tasia aima les modèles aux lignes pures et simples. Les volants et les rubans ne lui allaient guère. Elle eut du mal à contenir son excitation quand elle se retrouva assise sur une chaise dorée devant une table couverte de croquis de mode et d'échantillons de tissus.

– Je portais toujours des robes françaises, avant, dit-elle, provoquant involontairement une réponse virulente.

– Les couturiers français ! s'écria Mr Maitland avec un air de profond mépris en cherchant quelques dessins qu'il montra à Tasia. Ils raccourcissent les jupes, échancrent les décolletés, ajoutent quelques falbalas, passent le tout dans un bain de magenta agressif... et malgré *ça*, des milliers d'Anglaises rêvent de s'habiller à Paris ! Mais vous, lady Stokehurst, vous serez l'élégance personnifiée dans les robes que nous concevrons pour vous. Plus jamais vous ne voudrez porter de modèles français.

Rayonnant, il se pencha vers elle avec des airs de conspirateur.

– Vous serez si éblouissante que lord Stokehurst ne regardera même pas le prix.

Tasia jeta un coup d'œil sur son mari, que l'on avait installé dans un confortable fauteuil, tandis que deux jeunes vendeuses veillaient à son bien-être. L'une d'elles lui avait apporté un café que l'autre tournait soigneusement jusqu'à ce que chaque grain de sucre ait fondu. Contrariée de voir les deux assistantes bourdonner ainsi autour de Luke, Tasia lui adressa un léger froncement de sourcils auquel il répondit en haussant les épaules d'un air innocent.

Tasia n'était pas sans avoir remarqué que la gent féminine était séduite par la sombre beauté de son époux. Lors d'une petite réception donnée par les Ashbourne, elle avait vu des femmes de tous les âges pouffer et faire les coquettes dès qu'elles passaient près de Luke, en lui jetant des regards hardis. Au début de la soirée, elle s'en était amusée, mais elle n'avait pas tardé à bouillir intérieurement. Peu importait que Luke ne fît rien pour les encourager, elle détestait voir ces dames rôder autour de son mari. Elle avait envie de courir vers lui et de les chasser.

Alicia était venue passer un bras amical autour de ses épaules.

– Vous fusillez mes invitées du regard, Tasia. Je vous ai conviée pour que vous vous fassiez des amies, et ce n'est pas la meilleure façon d'y arriver.

– Elles essaient de me le voler, avait répondu Tasia, sombre.

– Peut-être, mais elles ont eu leur chance pendant des années, et il ne leur accordait pas une pensée. Ne croyez pas qu'il ignore votre réaction, petite cousine. Luke est parfaitement capable de s'amuser à vous rendre jalouse.

– Jalouse ! répéta Tasia, indignée et sincèrement surprise. Je ne suis pas...

Elle s'était interrompue, se rendant compte que cette bouffée de colère qui l'envahissait était justement provoquée par la jalousie. Pour la première fois, elle avait l'impression que Luke lui appartenait, et elle avait passé tout le reste de la soirée collée à lui, adressant tout juste quelques froids signes de tête aux femmes qui avaient l'aplomb de seulement regarder dans leur direction.

Comme elle se rappelait cet épisode, Tasia décida qu'il était grand temps qu'elle porte des robes si somptueuses que Luke ne pourrait détacher son regard d'elle.

Elle posa légèrement la main sur le bras de Mr Maitland qui continuait à lui proposer des croquis.

— Tout cela est ravissant, dit-elle. Vous avez beaucoup de talent.

Le couturier rougit de plaisir, fasciné par les yeux de chat de sa nouvelle cliente.

— Je serai fort honoré de rendre justice à votre beauté, lady Stokehurst.

— Je ne veux copier personne, Mr Maitland. J'aimerais vous voir créer un style unique pour moi. Un peu plus exotique que ce que vous venez de me montrer.

Enthousiasmé par cette idée, Maitland pria une vendeuse de lui apporter un carnet à dessin vierge.

Ils passèrent un long moment à discuter en avalant force tasses de thé, et Luke ne tarda pas à se lasser de l'atmosphère délicate de la boutique et des fastidieuses descriptions de tissus, de modèles... Il attira Tasia à part.

— Cela ne t'ennuierait pas si je te laissais quelque temps ?

— Oh, pas du tout ! Nous en avons encore pour des heures !

— Tu n'auras pas peur ?

Tasia fut touchée de sa sollicitude. Il savait combien elle redoutait d'être retrouvée par Nicolas, aussi s'arrangeait-il pour qu'elle ne soit jamais seule dans un lieu public. Leur demeure était soigneusement protégée de barrières, cadenassée, et les domestiques avaient reçu de strictes instructions concernant tout inconnu qui se présenterait aux grilles de la villa. Lorsque Tasia désirait sortir, elle était accompagnée de deux valets de pied et d'un cocher armé. Et surtout, elle continuait à jouer le personnage de Karen Billings. Hormis Emma et les Ashbourne, tout le monde la prenait pour une ancienne gouvernante qui avait eu la bonne fortune d'épouser un Stokehurst. Avec ces précautions, Tasia n'avait plus

aucune raison de se soucier encore de Nicolas Angelovsky... et pourtant la peur secrète était toujours là.

Elle sourit à Luke.

– Je suis en sécurité, ici. Pars, et ne t'inquiète pas
pour moi.

Son mari lui déposa un baiser sur le front.

– Je ne serai pas absent longtemps.

Quand Tasia et le couturier furent enfin arrivés à se
mettre d'accord sur différents modèles, ils disparais-
saient sous une montagne de soie, de velours, de méri-
nos, de popeline... Mr Maitland contemplait Tasia avec
une admiration non dissimulée.

– Lorsque vous porterez ces toilettes, lady Stokehurst,
je suis persuadé que toutes les femmes de Londres vou-
dront vous ressembler.

Tasia sourit tandis qu'il l'aidait à se lever. Il y avait
si longtemps qu'elle n'avait pas possédé de jolies robes !
Elle aurait volontiers brûlé sur-le-champ celle qu'elle
portait !

– Mr Maitland, demanda-t-elle, auriez-vous dans la
boutique une robe de jour toute faite que je pourrais
emporter ?

Il réfléchit un instant.

– Je devrais arriver à vous trouver une blouse et une
jupe, dit-il enfin.

– Je vous en serais très reconnaissante.

L'une des assistantes, une petite blonde du nom de
Gaby, accompagna Tasia dans une pièce tapissée de
miroirs qui multipliaient sa silhouette à l'infini, et elle
lui apporta une jupe rouge sombre, un chemisier à col
montant et jabot de dentelle, ainsi qu'une veste longue
ivoire. Ravie, Tasia effleura les délicates broderies de
fleurs roses et de feuilles vertes qui ornaient le bas des
manches.

– C'est superbe ! s'écria-t-elle.

Gaby la regardait, admirative.

– Peu de femmes peuvent se permettre ce genre de
modèle. Il faut être si mince ! Mais la jupe est un peu
grande. Si vous avez une minute, madame, je vais vous
la rétrécir en un clin d'œil.

Elle sortit pour laisser la jeune femme se dévêtir, fermant la porte derrière elle.

Tasia se mit à tournoyer sur place, ravie de sentir le lourd tissu danser autour de ses jambes. L'ensemble, reflété par les multiples glaces, était à la fois élégant et décontracté, infiniment plus sophistiqué que les robes de jeune fille sage qu'elle portait en Russie. Elle ne put s'empêcher de se demander ce que penserait Luke en la voyant et elle éclata d'un rire frais.

Elle s'était arrêtée au milieu du salon pour caresser la soie de la veste d'un geste tout féminin lorsqu'une ombre bougea derrière elle. Une sueur froide la parcourut. Elle était là, environnée de rouge et d'ivoire, et de douzaines de grands yeux effrayés. Ses yeux.

Une forme sombre apparaissait et disparaissait au milieu de tout cela, s'approchait. Cela ne pouvait être réel... pourtant elle avait peur, tellement peur ! Ses oreilles bourdonnaient, elle était paralysée, prise au piège du kaléidoscope, tandis qu'elle tentait en vain de respirer, d'absorber de l'air... de l'air...

On la saisit au coude et on la força à se retourner pour se trouver face à Mikhaïl Angelovsky avec son rictus de mort et ses yeux jaunes. Le sang ruisselait de sa gorge tandis que ses lèvres formaient son nom.

– *Tasia*...

Elle poussa un cri aigu, voulut se dégager. Il y avait une troisième présence dans la pièce, et ils formaient un trio macabre dans tout ce rouge et cet or, avec la scène qui se répétait, se répétait...

Tasia couvrit son visage de ses mains.

– Non, gémit-elle. Partez, *allez-vous-en !*

– Tasia, regarde-moi !

C'était la voix de Luke. Elle leva les yeux vers lui en tremblant. Le bruit à ses oreilles s'évanouissait.

Luke la tenait dans ses bras, très pâle sous son bronzage, les yeux plus bleus que jamais. Elle n'osait pas le quitter du regard, de crainte qu'il ne disparaisse pour laisser la place à Micha. Elle devenait folle ! Elle avait pris son mari pour un fantôme... Brusquement, elle trouva l'idée tellement cocasse qu'elle se mit à rire, à

rire... Luke ne partageait pas son hilarité, il continuait à la fixer avec une gravité qui lui fit comprendre à quel point elle devait sembler déséquilibrée. Elle parvint enfin à se calmer et s'essuya les yeux.

– Je me rappelais Mikhaïl, dit-elle d'une voix un peu rauque. C'est revenu. J'ai tout vu. Il avait un poignard dans la gorge et... et le sang jaillissait et il ne voulait pas s'en aller, il me tenait, et...

Luke essaya de l'attirer plus près de lui, mais elle résista.

– Il... il y avait un autre homme dans la pièce, continuait-elle. Il y avait quelqu'un d'autre. Je ne m'en étais pas souvenue jusqu'à présent.

Luke l'observait avec intensité.

– Qui ? Un domestique ? Un ami de Mikhaïl ?

Elle secoua la tête.

– Je ne sais pas, mais il était là. Il en *faisait partie*, j'en suis sûre !

Elle s'interrompit quand la porte s'ouvrit sur Gaby, embarrassée.

– Madame ? J'ai cru entendre crier.

– J'ai effrayé ma femme, je le crains. Laissez-nous seuls un instant, s'il vous plaît.

– Certainement, monseigneur, répondit la jeune fille avant de se retirer en murmurant des excuses.

– Te rappelles-tu à quoi ressemblait cet autre homme ? reprit Luke.

– Je... non.

Tasia se mordit la lèvre pour se calmer.

– Je ne veux pas penser à lui...

– Etait-il jeune, vieux ? Blond ou brun ? Essaie de te souvenir.

Tasia ferma les yeux et tenta de rendre l'image plus claire dans son esprit.

– Agé... et grand. Le reste, je n'en suis pas sûre.

Elle avait la nausée, elle était glacée jusqu'aux os.

– Non, je ne peux pas, murmura-t-elle.

– C'est bien, dit Luke en la prenant dans ses bras. N'aie pas peur. Aucun mal ne sortira de la vérité, quelle qu'elle soit.

– Si je suis coupable...

– Je me moque de ce que tu as fait.

– Pas moi ! protesta-t-elle, le nez dans le gilet de son mari. Je ne pourrai jamais. Je serais incapable de vivre en sachant...

– Chut ! Ce qui s'est passé dans cette pièce avec Angelovsky... un jour cela te reviendra, avec tous les détails, et alors tu seras libérée. Je serai près de toi pour t'aider.

– Mais tu ne pourras pas empêcher Nicolas de...

– Je m'arrangerai de Nicolas. Tout ira bien.

Tasia tenta de lui dire que c'était impossible, qu'il n'y parviendrait pas, mais il la fit taire d'un baiser. Elle céda, se laissa aller contre lui, les bras noués autour de son cou, s'abandonnant à la tendresse de leur étreinte. Quand il releva enfin la tête, elle sentait le désir monter en elle. Elle ouvrit à demi les yeux et vit leur reflet répété. Elle se crispa.

– J'aimerais sortir de cette pièce, dit-elle d'une voix mal assurée. Tous ces miroirs...

– Tu n'aimes pas les glaces ?

– Pas quand il y en a autant.

Luke fit une petite grimace amusée.

– Moi, j'aime assez contempler vingt Tasia à la fois.

Comme il la voyait épuisée, il redevint sérieux.

– Rentrons à la maison, dit-il.

Oui, elle avait envie de se retrouver dans une chambre sombre, de se glisser au lit et de rabattre les couvertures sur sa tête, de ne plus penser, de ne plus rien sentir. Non, elle ne laisserait pas libre cours à sa culpabilité, à sa peur – ou à sa folie –, à ce qui suscitait la macabre vision de Mikhaïl.

– J'aimerais continuer de faire des courses, dit-elle.

– Je crois que c'est suffisant pour aujourd'hui.

– Tu avais promis de m'emmener chez Harrods, cet après-midi, protesta Tasia avec une moue boudeuse destinée à attendrir Luke.

Il fut incapable de lui résister, en effet.

– Tout ce que tu voudras...

Elle retrouva son entrain devant la profusion de marchandises de luxe du grand magasin. Chaque fois qu'elle tombait en arrêt devant un objet – une pendule, un plateau, un petit chapeau orné de plumes d'oiseau de paradis, une bonbonnière qui plairait à Emma –, Luke priait un vendeur de l'emballer et de le faire porter dans la voiture.

Tasia finit par refuser lorsqu'il voulut lui offrir encore un cadeau.

– Nous avons déjà bien trop acheté !

– Je ne pensais pas que les riches héritières craignaient de trop dépenser ! dit Luke, amusé par ses scrupules.

– Je n'achetais jamais rien sans la permission de ma mère. Et elle avait horreur de marcher dans la rue, elle prétendait que cela lui abîmait les pieds. Les marchands et les joailliers venaient présenter leurs créations au palais. C'est la première fois que je fais des courses librement.

Comme Luke jouait avec son jabot de dentelle, le vendeur toussota et se détourna, gêné d'être témoin d'un geste aussi intime.

– Dépense tout ce que tu voudras, mon amour, murmura Luke. Tu as encore bien des efforts à faire avant de me coûter aussi cher qu'une maîtresse.

– Monseigneur ! chuchota-t-elle sévèrement, espérant que personne n'avait entendu.

– Tu n'as aucune idée de ce que vaut ta présence dans mon lit. Si j'étais toi, j'en profiterais davantage...

Elle était déchirée entre le besoin de mettre un terme à cette conversation indécente, et l'envie de la prolonger.

– Pourquoi as-tu voulu faire de moi ta femme, plutôt que ta maîtresse ? demanda-t-elle, indécise.

La voix de Luke se fit plus profonde.

– Veux-tu que nous rentrions pour que je te montre ?

Tasia demeura muette. Soudain, elle ne pensait plus qu'à se trouver au lit avec lui, sentir sa bouche sur sa peau, baigner dans les merveilleuses sensations qu'il éveillait si facilement en elle.

Il lut la réponse dans son regard et se tourna vers le malheureux vendeur qui s'était éloigné de quelques pas.

224

– Nous allons en rester là pour aujourd'hui, lui dit-il. Lady Stokehurst se sent un peu lasse.

Bien qu'elle n'eût aucune expérience des autres hommes, Tasia savait que son époux était un magnifique amant. Jamais il ne lui faisait l'amour deux fois de la même façon. Il savait se montrer patient, la rendant folle de désir, suppliante. D'autres jours, ils chahutaient comme des enfants, et Tasia étouffait de rire. Elle s'étonnait de la façon dont il l'excitait, elle qui avait été une petite fille sage et bien élevée. Luke la débarrassait de ses inhibitions, la poussant à répondre d'une manière qui défiait tous ses principes de décence.

Tasia aurait préféré pouvoir aimer Luke raisonnablement, et elle tentait de dominer ses sentiments, mais ils s'épanouissaient malgré elle. La sollicitude dont il la couvrait, leurs longues conversations, les sourires, tout cela la grisait comme une drogue. Et il demandait fort peu en retour. Elle se reprochait souvent de ne pas lui dire qu'elle l'aimait, mais les mots ne sortaient pas. Elle ne pouvait se donner totalement, elle se rétractait de peur, pour des raisons qu'elle n'aurait pu s'expliquer.

– Jamais je n'ai été aussi gâtée, dit-elle un après-midi où ils se reposaient dans le jardin clos de la villa. Je ne devrais pas te laisser faire, c'est sûrement mal.

Ils s'abritaient de la chaleur du soleil d'été derrière une haie de troènes, dans l'atmosphère parfumée de chèvrefeuille et de roses grimpantes. Tasia dessinait avec une fleur la ligne de la mâchoire de Luke qui avait posé la tête sur ses genoux.

– Jusqu'à présent, cela semble plutôt te réussir, dit-il, nonchalant. Tu es plus belle que jamais.

Tasia déposa un baiser sur son nez.

– C'est grâce à toi.

– Vraiment ?

Ils échangèrent un long baiser, puis elle répondit :

– Les Russes ont un mot pour désigner l'arrivée du printemps : *Ottepel*. Cela signifie l'éveil. C'est ainsi que je me sens.

– Si tu me montrais ce qui a été éveillé en toi ? dit Luke, les yeux brillants.

– Non ! protesta-t-elle, joueuse.

– Si, je veux savoir !

Il la fit rouler sur l'herbe épaisse et s'allongea sur elle, sans se soucier de ses petits cris indignés.

Depuis trois semaines qu'ils étaient à Londres, Luke avait admiré des centaines d'images de Tasia, mais aucune aussi charmante que celle qu'elle offrait alors qu'elle essayait de se dégager avec une énergie toute nouvelle. Luke la préférait ainsi, plus vigoureuse, et si elle avait perdu un peu de grâce éthérée, sa silhouette avait gagné en volupté.

Ses jupes remontèrent sur ses genoux tandis qu'elle se mettait à califourchon sur lui, triomphante. Il bougea légèrement afin de lui rappeler qu'elle avait gagné parce qu'il le voulait bien.

– J'ai quelque chose à te demander, dit-elle.

– Vas-y.

– Promets-moi de m'écouter jusqu'au bout avant de refuser.

– Parle ! gronda-t-il avec une feinte impatience.

Tasia prit une profonde inspiration avant de se lancer.

– Je voudrais écrire à ma mère, dit-elle très vite. Il faut que je la rassure sur mon sort, pour ma tranquillité d'esprit comme pour la sienne. Je sais qu'elle s'inquiète, et c'est mauvais pour sa santé. En outre, je pense à elle tous les jours. Je ne lui dirais rien qui puisse me trahir, pas de noms de personnes ni de lieux, mais cela m'est absolument indispensable. Tu dois le comprendre.

Luke garda un moment le silence.

– Je comprends.

Les yeux de Tasia se mirent à pétiller de joie.

– Alors je peux ?

– Non.

Brusquement, Tasia fut debout et elle lui lança un regard têtu, déterminé.

– En fait, je ne te demandais pas la permission. Je

voulais simplement me montrer courtoise, mais ce n'est pas à toi de décider. Il s'agit de *ma* mère, et de *ma* sécurité.

– Mais tu es *ma* femme.

– J'ai toujours été seul juge des risques qu'il convenait de prendre. Et tu voudrais maintenant me priver de ce dont j'ai désespérément besoin ?

– Tu sais parfaitement ce que je pense de cette idée.

– Mais nous pouvons faire confiance à ma mère, elle n'en parlera à personne !

– Tu en es sûre ? Alors pourquoi ne l'as-tu pas avertie que tu n'allais pas vraiment mourir ? Pourquoi Kirill a-t-il insisté pour que tu ne la mettes pas dans la confidence ?

Tasia le regardait d'un œil mauvais, mais elle ne pouvait discuter sur ce point. Cependant, cette mainmise sur son indépendance la rendait furieuse. Il lui fallait à tout prix rétablir un lien, si fragile fût-il, avec son passé. Parfois elle avait l'impression qu'elle n'existait pas, coupée ainsi de tout ce qu'elle avait vécu, de tout ce qu'elle avait été, comme si l'ancienne Tasia était morte. Personne ne pouvait véritablement comprendre son trouble, le mélange de bonheur et de chagrin qui se partageaient son cœur. Et si son mari comprenait, il se montrait intraitable.

– Tu ne pourras pas m'empêcher d'agir comme je l'entends ! se rebella-t-elle. Sauf si tu as l'intention de me surveiller à chaque minute de la journée.

– Je n'ai en effet pas l'intention de jouer les gardes-chiourme, concéda-t-il. Je ne suis pas un tyran, je suis ton mari, et en tant que tel j'ai le droit – et le devoir – de te protéger.

Tasia sut avant de parler que son explosion de rage était injuste, mais elle ne put la retenir.

– Je ferai annuler ce mariage ! cria-t-elle.

Luke la saisit au poignet, et elle se retrouva collée à lui. Il était tendu de colère.

– Tu as juré devant Dieu d'être ma femme, grinça-t-il entre ses dents. Cela signifie plus pour toi que toutes les

lois du monde. Tu serais aussi incapable de briser un
vœu spirituel que de tuer un homme de sang-froid.

— Si c'est ce que tu crois, tu me connais mal ! répliqua
Tasia, le regard brûlant.

D'un coup sec elle dégagea sa main et partit en courant se réfugier dans sa chambre.

8

Ils n'échangèrent pas un mot durant le souper, qu'ils prirent seuls dans la salle à manger de marbre aux meubles vénitiens, au plafond délicatement peint de personnages mythologiques. Bien que le repas fût excellent, comme de coutume, Tasia ne put presque rien avaler.

En général, c'était son moment préféré de la journée. Luke lui racontait où il avait été, qui il avait rencontré, il la priait de lui parler de sa vie en Russie. Parfois ils discutaient de sujets importants, ou alors ils badinaient joyeusement. Un soir, Tasia avait passé pratiquement tout le dîner sur les genoux de son mari, à lui enseigner les mots russes désignant les mets dont elle le nourrissait.

– *Iabloko*, disait-elle en lui mettant un morceau de pomme dans la bouche. *Gryb*, c'est le champignon, et *ryba*, le poisson.

Comme il essayait de répéter derrière elle, elle avait éclaté de rire.

– Vous, les Anglais, vous prononcez les « r » tout au fond de la gorge, comme un gargarisme. Dites-le contre vos dents... *ryba*.

Docile, il s'était essayé, déclenchant un nouvel accès de rire.

– Attendez, une gorgée de vin vous déliera peut-être la langue.

Elle l'avait fait boire.

– *Vino bielayo*. Pour bien prononcer le russe, il faut postillonner un peu. Et garder la bouche ronde.

Elle avait tenté de façonner ses lèvres du bout des doigts, et tous deux étaient partis d'un énorme fou rire.

– Comment dit-on « un baiser » ? avait-il demandé.

– *Potzelouï*, avait-elle répondu en joignant le geste à la parole.

... Tasia aurait donné cher pour que la soirée se déroulât dans cette atmosphère légère. Plusieurs heures s'étaient écoulées depuis leur dispute. Elle avait été injuste, elle en était consciente. Elle ne savait même plus très bien ce qui avait engendré son accès d'humeur. Elle avait une excuse au bord des lèvres, mais son orgueil l'empêchait de la formuler. Quant à son mari, c'était devenu un étranger froid, indifférent au silence qui s'était installé entre eux.

Tasia était de plus en plus malheureuse. Pour tenter de se calmer, elle but trois verres d'affilée, puis elle se leva et monta dans leur chambre. Après avoir renvoyé la femme de chambre, elle se déshabilla, laissa ses vêtements en tas sur le sol et se glissa toute nue dans le grand lit, un peu abrutie par le vin. Elle dormit comme une souche, à peine dérangée par le poids de Luke quand il vint se coucher, au milieu de la nuit.

Ses rêves l'enfouirent dans un nuage rouge sombre.

Elle était au milieu d'une église, entourée de cierges allumés, dans l'odeur de l'encens. Elle ne pouvait respirer et se laissa tomber au sol, les mains crispées à sa gorge, son regard suppliant fixé sur les rangées d'icônes dorées. S'il vous plaît, s'il vous plaît, aidez-moi... Les visages compatissants des saints se brouillèrent, et on la plaça dans une boîte étroite. Elle s'accrocha au rebord, essaya de se redresser. Nicolas Angelovsky, penché au-dessus d'elle, la regardait de ses yeux jaunes, les dents découvertes dans un atroce rictus. « Vous n'en sortirez jamais ! » grinça-t-il avant de refermer brutalement le couvercle du cercueil. Il y eut une série de coups tandis qu'il enfonçait les clous dans le bois. Tasia sanglotait, se débattait, et enfin elle trouva la force de hurler.

– *Luke ! Luke !*

Il se pencha sur elle, la secoua pour la réveiller.

– Je suis là, répéta-t-il tandis qu'elle s'accrochait désespérément à son cou. Je suis là, Tasia.

– Aide-moi...

– Tout va bien, tu es en sécurité.

Le cauchemar fut long à se dissiper. Tasia tremblait convulsivement, son visage trempé de sueur enfoui dans l'épaule de son mari.

– Nicolas... expliqua-t-elle. Il... il m'enfermait dans un cercueil. Je... je ne pouvais plus sortir...

Luke la berçait comme une enfant. Elle ne le voyait pas, dans le noir, mais ses bras étaient forts, rassurants, sa voix apaisante à son oreille.

– Ce n'était qu'un rêve. Nicolas est loin, et je te tiens bien au chaud contre moi.

Il va me trouver. Il me ramènera là-bas...

– Ma douce petite fille, ma chérie... Personne ne t'enlèvera à moi.

Tasia s'efforça de ravaler ses larmes.

– Je... je suis désolée, pour hier. Je ne sais pas pourquoi j'ai dit ces horreurs...

– Chut ! C'est fini, maintenant.

De nouveau, elle éclata en sanglots hystériques.

– Je vais devenir folle, si ces cauchemars continuent. J'ai peur de dormir...

Luke la tenait toujours bien fort, et il murmurait des mots sans suite, simplement pour la calmer. Elle respirait son odeur, elle sentait ses muscles contre sa joue.

– Ne me laisse pas partir, gémit-elle en se tournant davantage vers lui, prise d'un désir si violent qu'elle en était presque effrayée.

– Jamais ! promit-il avant de l'embrasser avec passion.

Sans lui laisser le temps de parler, il l'emporta loin du pays des mauvais rêves pour l'emmener vers celui des délices. Il caressa ses seins, les baisa, et Tasia, la tête renversée en arrière, se laissa aller à la vague de sensualité qui la submergeait.

Enfin il l'allongea sur le dos, et elle tendit les mains vers lui, avide de le sentir en elle, mais il embrassait son ventre, sans se soucier de son impatience. Il jouissait de son corps en gourmet, tandis qu'elle criait son nom, s'ouvrait.

Quand elle fut au bord de l'extase, il cessa enfin le jeu, et elle gémit de frustration, mais il la pénétra d'une longue poussée, lui arrachant un petit cri. Quand elle sentit de nouveau le plaisir monter du plus profond de son corps, elle s'accrocha davantage à lui.

– Je t'aime, sanglota-t-elle dans son cou.

Elle se crispa autour de lui dans un dernier spasme et il la rejoignit dans la jouissance avec une sorte de grondement sauvage.

Ils restèrent unis, haletants, jusqu'à l'apaisement.

– Je t'aime, répéta-t-elle dès qu'elle eut retrouvé la force de parler. J'avais peur de te le dire, avant...

Il caressait lentement ses cheveux.

– Et pourquoi le peux-tu maintenant ?

– Je ne veux plus vivre avec l'angoisse de ce que j'ai dans le cœur. Et il ne doit y avoir aucun secret entre nous.

Luke avait les lèvres sur son front, et elle le sentit sourire.

– Pas de secrets, dit-il. Pas de mensonges, pas de craintes... pas de passé.

– Si tout devait prendre fin demain, murmura-t-elle, déjà à moitié endormie, au moins nous aurions connu ça. Ce serait suffisant.

– Une vie entière ne serait pas suffisante !

Luke la serra plus fort contre lui, sa longue chevelure répandue sur lui comme un drap de soie, ses membres noués aux siens, son souffle tiède contre son épaule. Elle représentait un mélange de fragilité et de résistance et, bien qu'il ne fût pas dévot, une prière silencieuse monta en lui. *Merci, mon Dieu, de l'avoir conduite jusqu'à moi...* Il refusait de se demander ce qu'il avait fait pour mériter la présence de Tasia dans sa vie. Inutile de tenter le sort...

Emma semblait avoir encore grandi, durant ce mois de séparation. Elle pénétra en trombe dans la villa de Londres, sa chevelure rousse flottant comme un drapeau derrière elle, et se jeta au cou de Tasia dans un grand rire joyeux.

– Belle-maman ! Vous m'avez tant manqué, papa et vous !

– Tu m'as manqué aussi, s'écria Tasia en la serrant contre elle. Comment va Samson ?

– Nous avons dû le laisser à la campagne, expliqua Emma avec une petite grimace. Il pleurait, et il a fallu deux domestiques pour l'empêcher de courir derrière la calèche. Il faisait comme ça...

Elle lança un gémissement canin des plus ressemblants, et Tasia éclata de rire.

– Mais je lui ai dit que nous rentrerions bientôt, continua la jeune fille.

– As-tu bien travaillé ?

– Non. Grand-mère ne me fait jamais étudier, sauf lorsque je l'ennuie trop. Alors, elle me dit : « Disparais, et lis un gros livre en entier ! » Quant à grand-père, il passe son temps à rendre visite à des amis ou à pincer les servantes dans les coins.

– Ô mon Dieu !

Tasia souriait encore lorsqu'elle se dirigea vers la porte de la villa où la duchesse conversait en privé avec Luke.

La duchesse de Kingston était une femme imposante, grande et mince, à la superbe chevelure d'argent et au regard perçant d'aigle. Elle était vêtue de gris perle et de soie bordeaux, avec un étonnant chapeau orné de deux oiseaux empaillés.

– Elle les a tués elle-même, murmura Emma sérieusement.

Elle rit en voyant Tasia ouvrir de grands yeux effarés.

Luke écoutait attentivement sa mère qui lui infligeait un rapport détaillé sur le comportement d'Emma.

– Elle serait beaucoup plus à sa place au milieu de créatures sauvages que dans une demeure civilisée ! déclara-t-elle. Heureusement, j'ai une excellente influence sur elle. Elle tire toujours profit du temps que nous passons ensemble. Tu la trouveras changée à son avantage...

– Tant mieux ! dit Luke en adressant un clin d'œil à sa fille qui se dirigeait vers lui. Où est père ?

La duchesse pinça les lèvres.

– En train de courir le guilledou, sûrement. Il saute sur les jeunes filles comme un vieux chat sur les oisillons. Tu devrais te féliciter de son absence, sinon il pourchasserait déjà ta nouvelle épouse dans les corridors de la villa.

Luke baisa la joue fanée de sa mère.

– Il suffirait de l'attacher dans un fauteuil.

– Tu aurais dû le suggérer voilà des années, répliqua la duchesse, un peu amère, sans repousser tout à fait cette idée.

Elle haussa le ton en se tournant vers Tasia et Emma qui attendaient sagement à quelques pas de là.

– Je suis venue voir quel genre de femme est parvenue à traîner mon fils jusqu'à l'autel. Je n'aurais jamais cru cela possible, après tout ce temps.

Luke, très fier, regarda Tasia s'approcher et saluer élégamment la duchesse.

– Votre Grâce, dit-elle en plongeant dans une souple révérence.

La duchesse jeta un coup d'œil à son fils sans cacher son étonnement. Elle ne s'attendait visiblement pas que Luke eût épousé une jeune femme au comportement princier.

Tasia était particulièrement ravissante, ce jour-là, avec son chignon retenu par des épingles à tête de diamant, le fourreau bleu qui moulait sa mince silhouette. Pour tout bijou, elle portait la lourde alliance d'or et une croix autour du cou.

Luke essaya de la voir avec les yeux de sa mère. Tasia avait un maintien calme et posé que l'on rencontrait rarement ailleurs que dans un couvent, et son regard était grave, comme celui d'un enfant en prière. Comment pouvait-elle garder cet air d'innocence, malgré l'influence libertine de Luke ? C'était un mystère. Pourtant, la duchesse approuvait certainement le choix de son fils, bien qu'elle crût toujours que Tasia était une simple gouvernante.

– Bienvenue dans notre famille, dit-elle. Même si on peut objecter que vous y êtes entrée en de curieuses circonstances...

– Votre Grâce ? demanda Tasia, feignant de ne pas avoir compris.

La duchesse, impatientée, fronça les sourcils.

– Toute l'Angleterre parle de votre mystérieuse apparition et de votre mariage précipité avec mon fils. Tellement précipité, à la vérité, que le duc et moi-même n'y avons même pas été conviés.

– Nous avons préféré une cérémonie intime, mère, coupa Luke.

– C'est ce qu'on dirait ! rétorqua la vieille dame, glaciale.

Tasia frémit en se rappelant la réaction de Luke lorsqu'elle avait parlé d'inviter ses parents au mariage. Il avait décrété que leur présence n'apporterait que gêne et questions indiscrètes. Dans le léger mouvement de la jeune femme, la croix avait glissé sur sa chaîne, attirant l'attention de la duchesse.

– Quel étrange bijou, dit-elle. Puis-je le voir ?

Elle le souleva pour examiner la croix, faite, dans le style de Kiev, de nombreux fils d'or entrelacés parsemés de perles d'or, dont le centre consistait en un pavage de rubis entourant un diamant à l'eau parfaite.

– Je n'ai jamais vu un travail de ce genre, apprécia la duchesse.

– Elle appartenait à ma grand-mère, expliqua Tasia. Du jour de son baptême à celui de sa mort, elle a toujours porté une croix autour du cou, et celle-ci était sa préférée.

Impulsivement, elle ôta le collier, prit la main veinée de bleu de la vieille dame et posa la croix dans sa paume.

– J'aimerais vous l'offrir, madame.

La duchesse était stupéfaite.

– Je ne veux pas vous priver de votre héritage, mon enfant !

– Je vous en prie, insista Tasia. Vous m'avez fait le plus précieux des cadeaux... votre fils. Je serais heureuse de vous donner quelque chose en retour.

Le regard de la duchesse allait de la croix à son fils, comme si elle soupesait leurs valeurs respectives.

– Peut-être un jour considérerez-vous que vous avez perdu au change, dit-elle avec humour. Néanmoins, j'accepte votre cadeau. Vous pouvez me l'attacher au cou.

Un sourire éclaira son visage sillonné de rides.

– J'approuve le choix de mon fils, reprit-elle. Vous me faites penser à moi lorsque j'étais jeune mariée. Il faudra que je sermonne Luke, afin qu'il se montre un époux respectueux et attentionné.

– Il me traite parfaitement bien, madame, assura Tasia avec un coup d'œil espiègle à son mari qui semblait abasourdi par les commentaires de la duchesse. Me permettriez-vous, Votre Grâce, de vous accompagner à l'appartement que j'ai pris la liberté de faire préparer à votre intention ?

– Volontiers.

Les deux femmes s'éloignèrent bras dessus, bras dessous, sous les regards stupéfaits d'Emma et de Luke. L'adolescente fut la première à retrouver ses esprits.

– Elle s'est fait aimer de grand-mère ! Grand-mère qui n'aime *personne* !

Luke éclata d'un rire sonore.

– C'est peut-être une sorcière, après tout, Emma. Mais ne le lui répète surtout pas !

Les quelques jours suivants se passèrent agréablement, bien que Tasia fût ennuyée de voir si peu son mari. Quand il rentrait, tard le soir, ses vêtements imprégnés de l'odeur des cigares, son haleine parfumée au porto, il donnait fort peu d'explications sur les entretiens d'affaires auxquels il avait été obligé d'assister.

– N'y a-t-il que des hommes, à ces réunions ? demanda un jour Tasia, soupçonneuse, en aidant Luke, assis au bord du lit, à enlever ses bottes.

– De gros bonshommes ventripotents aux cheveux gris et aux dents jaunes.

Tasia examinait sa chemise.

– Tant mieux ! Je détesterais être obligée d'inspecter

tes vêtements chaque soir, à la recherche de traces de parfum ou de rouge à lèvres.

Vaguement éméché, heureux de se trouver seul avec elle, Luke la prit sur ses genoux.

– Examine tout ce que tu veux, je n'ai rien à cacher. Tu peux même regarder ici... et là...

Il se roula, joueur, sur son épouse qui pouffait de rire.

Tasia passait généralement ses journées avec Emma et la duchesse, à courir les antiquaires ou à rendre visite à quelque relation. La duchesse avait décidé de présenter sa belle-fille à ses meilleures amies, de vieilles lionnes de la haute société qui furent charmées par le maintien irréprochable de la jeune femme. Quelle personne modeste, et si bien élevée ! s'écriaient-elles. Tellement différente de ces petites demoiselles modernes incapables de tenir une aiguille, qui ne prenaient même plus la peine de porter des gants et ne savaient pas faire la révérence. Ces vieilles dames étaient enchantées par Tasia, qui leur redonnait foi en l'avenir de la société.

Tasia ne négligeait pas pour autant les leçons d'Emma, qui avait entrepris d'écrire une pièce de théâtre.

– Je serai comédienne ! déclarait-elle. Imaginez-moi, majestueuse, sur la scène du Théâtre Royal... Je serai la plus merveilleuse lady Macbeth de tous les temps !

Joignant le geste à la parole, elle se mit à interpréter la scène de somnambulisme de *Macbeth* avec un tel enthousiasme que la duchesse dut respirer des sels.

Comme elle avait reçu une invitation de lady Walford qui donnait une réception pour l'anniversaire de sa fille, Emma jura ses grands dieux que pour rien au monde elle n'y mettrait les pieds.

– Je serai la plus grande ! Plus grande même que les garçons ! Et ils feront sûrement des remarques désobligeantes sur la couleur de mes cheveux, alors il faudra que je les corrige, et ça déclenchera une horrible scène. Non, je n'irai pas !

Luke eut beau essayer de la raisonner, rien n'y fit. Il

avait l'air déconcerté et harassé lorsque Tasia l'interrogea sur la conversation qu'il avait eue avec sa fille.

– Elle ne veut pas y aller, dit-il simplement. Et la forcer serait la rendre malheureuse.

– Je crois que tu ne comprends pas, soupira Tasia.

– Tu as raison, rétorqua-t-il, sombre. Malgré mes efforts, j'ai cessé de comprendre ma fille depuis qu'elle a atteint l'âge de sept ans. A toi de t'en occuper.

– Entendu, Luke, répondit Tasia avec un petit sourire.

Luke était un père aimant, mais lorsque les problèmes ne pouvaient se résoudre par des présents et des baisers, il était complètement dépassé.

Tasia alla doucement frapper à la chambre de l'adolescente. Comme personne ne répondait, elle entra, pour trouver Emma allongée sur le tapis au milieu de ses poupées, une expression butée sur le visage.

– Vous allez me dire que je dois aller à cette réception, je suppose, marmonna-t-elle.

– Oui, répondit Tasia en venant s'asseoir par terre, sa jupe en corolle autour d'elle. C'est une excellente occasion de rencontrer des amis de ton âge.

– Je n'ai pas besoin d'amis. J'ai vous, et papa, et les gens de Southgate Hall, et Samson...

– Nous t'adorons tous, Emma, répliqua Tasia gentiment, mais cela ne suffit pas. Je le sais d'expérience. J'ai grandi tout aussi protégée que toi – sans doute même encore plus – et je n'ai jamais eu de camarades de mon âge. Je n'aimerais pas que tu restes solitaire.

– Mais je ne sais pas quoi leur dire ! gémit Emma.

– Parce que tu manques d'habitude.

– Papa a dit qu'il n'insisterait pas si ça me contrariait.

– *Moi*, j'insiste, dit Tasia, très calme.

Elle vit une lueur de surprise passer dans les yeux de la jeune fille, et elle poursuivit, sans lui laisser le temps de protester :

– Nous allons te commander une nouvelle robe. J'ai vu chez Mr Maitland une soie pêche magnifique qui t'ira parfaitement au teint.

Emma secouait la tête.

– Mais, belle-maman, je ne peux pas...

– Tu dois essayer, insista doucement Tasia. Que risque-t-il de t'arriver ?

– Je vais m'ennuyer horriblement !

– Tu es capable de survivre à une soirée ennuyeuse, j'en suis sûre. En outre... peut-être t'amuseras-tu ?

Emma poussa un gémissement dramatique avant de reporter son attention sur ses poupées, et Tasia sourit. Elle avait gagné.

Luke soupira de soulagement quand il ferma la porte de la chambre, se coupant du reste du monde. Il venait encore de passer une journée entière avec des banquiers, des avocats, des hommes d'affaires, et ces sempiternelles discussions d'argent l'épuisaient. Il faisait déjà partie du conseil d'administration d'une société ferroviaire et d'une fabrique de bière, et il venait d'accepter à contrecœur la direction d'une compagnie d'assurances.

Il détestait l'univers de la finance, auquel il préférait mille fois l'état de gentilhomme campagnard qui se transmettait dans sa famille depuis des générations. Il aimait les terres bien labourées, les champs fertiles et les bonnes moissons. Mais il était devenu impossible de vivre des revenus de la terre et, aussi bien dans l'intérêt de ses fermiers que dans celui de sa famille, il avait dû investir dans des entreprises industrielles qui rapportaient, lui permettant ainsi de maintenir des loyers bas et d'améliorer les méthodes d'exploitation sur le domaine des Stokehurst.

Les vieux aristocrates lui reprochaient de céder à l'appât mercantile du gain, mais leurs propriétés sombraient, leurs rentes s'amenuisaient, leurs fermiers faisaient faillite. La société évoluait rapidement, le mode de vie des nobles campagnards s'effritait, au profit des industriels. On avait vu bien des grandes familles ruinées parce qu'elles refusaient le progrès et le changement. Luke ne laisserait pas la catastrophe s'abattre sur ceux qui dépendaient de lui, sa terre ne deviendrait pas inculte, sa fille ne serait jamais obligée de se marier pour l'argent. Dans cet état d'esprit, devenir un homme d'affaires – même si cela ne lui plaisait guère – était un bien modeste prix à payer.

Luke sourit en regardant sa femme, vêtue d'une pudique chemise de nuit blanche au col montant bordé de dentelle, avec sa longue chevelure libre qui brillait à la lumière du chandelier. Elle était assise dans le lit, un livre sur les genoux.

– Tu nous as manqué, au souper, dit-elle.

Elle semblait un peu tendue. Etait-elle fâchée parce qu'elle ne le voyait pas assez ?

– J'aurais aimé être là, répliqua-t-il, au lieu de passer mon temps avec des hommes ennuyeux qui n'ont cessé de discuter du prix du thé et de comparer les mérites de leurs courtiers.

– Et à quelle conclusion êtes-vous arrivés ?

– A celle-ci : l'ancien régime n'existe plus, et on ne gagne plus sa vie avec les fermages.

Luke fronça les sourcils, tout en se débarrassant de son manteau.

– Je n'aurai pas la même vie oisive que mon père et mon grand-père... Mon père ne s'est jamais occupé que de femmes, de chasse, et parfois de politique, en dilettante. Pour lui, mon implication dans le commerce et l'industrie ternit l'honneur de la famille.

Tasia se leva pour l'aider à se déshabiller.

– Pourtant, si tu le fais, c'est justement pour le bien de la famille, non ?

Elle déboutonna sa chemise et posa un baiser sur sa poitrine.

– Absolument.

Luke sourit, enfouit ses mains dans les cheveux de Tasia, lui releva le visage.

– Et je souffre de chaque minute passée loin de toi.

Tasia noua les bras autour de sa taille.

– Moi aussi.

– C'est cela qui te tracasse ? Mes trop fréquentes absences ?

– Rien ne me tracasse, tout va merveilleusement bien.

– Pas de mensonges, lui rappela-t-il.

Elle rougit.

– Il y a quelque chose, en effet...

Elle s'interrompit, cherchant ses mots.

– J'ai du retard, reprit-elle enfin dans un murmure.

Luke secoua la tête, désorienté.

– Du retard pour quoi ?

– Mon... ma période du mois, articula-t-elle avec peine. Ça aurait dû venir il y a une semaine. Je... j'ai toujours été un peu irrégulière, mais... jamais si longtemps. Ce n'est sans doute rien. Je ne pense pas qu'il s'agisse d'un... d'un...

– D'un bébé ?

– C'est trop tôt, et je n'ai pas changé du tout. Je me sentirais différente, si c'était bien *ça*.

Il caressait ses cheveux en silence.

– Cela te déplairait ? demanda Tasia d'une toute petite voix.

Luke la regarda avec une intensité qui lui fit tourner la tête.

– Ce serait la plus grande joie de ma vie. Quoi qu'il arrive, nous y ferons face ensemble. D'accord ?

Elle acquiesça.

– Alors, tu voudrais un enfant ?

Il réfléchit un instant.

– Je n'y ai pas vraiment pensé, avoua-t-il. Je ne pensais pas en avoir d'autre, mais...

Il s'interrompit, eut un brusque sourire.

– A moitié toi, à moitié moi..., oui, j'en ai envie. Cependant, je préférerais t'avoir encore un peu à moi seul. Tu es toi-même à peine plus qu'une enfant, je souhaiterais que tu aies le temps d'être jeune, libre... tout ce qui t'a manqué jusqu'à présent. Je veux compenser l'enfer que tu as vécu, je désire te voir heureuse.

Tasia se serra plus fort contre lui.

– Emmène-moi au lit, rien ne peut me rendre plus heureuse.

Il haussa les sourcils.

– Eh bien, lady Stokehurst... c'est la première fois que vous me faites des avances. J'en suis vraiment abasourdi !

Elle entreprit de déboucler sa ceinture.

– Pas *trop* abasourdi, j'espère.

– Ne viens pas te plaindre, après, si je te tiens éveillée toute la nuit, dit-il en riant.

– Sois-en sûr...

– Quel dommage que papa ne fume pas ! fit remarquer Emma en tombant en arrêt devant une étagère protégée par une glace. C'est le plus beau coffret à cigarettes que j'aie jamais vu.

– Moi, j'en suis ravie, dit Tasia. J'ai toujours considéré le tabac comme une plaie.

Alicia, qui les avait accompagnées ce jour-là chez Harrods, vint les rejoindre.

– Je regrette pour ma part que Charles ait pris cette mauvaise habitude. Mais c'est vrai que cet étui est ravissant !

Les trois femmes admiraient le coffret en argent incrusté d'or et de topazes quand un vendeur se précipita vers elles, les pointes de sa moustache cirée tremblant de fébrilité.

– Ces dames voudraient-elles regarder de plus près ? demanda-t-il.

Tasia secoua la tête.

– Je cherche un cadeau d'anniversaire pour mon époux. Mais celui-ci ne convient pas.

– Peut-être aimerait-il un nécessaire à moustache en or dans son étui de cuir ?

– Il ne porte pas de moustache.

– Un parapluie à poignée d'ivoire ou d'argent ?

– Trop terre à terre.

– Une boîte de mouchoirs italiens brodés à la main ?

– Trop impersonnel.

– Un flacon d'eau de toilette française ?

– Trop parfumé ! intervint Emma.

Tasia rit devant l'expression perplexe du vendeur.

– Nous allons nous promener encore un peu, dit-elle. Je suis sûre que nous finirons par trouver le présent idéal.

– Certainement, madame, dit le pauvre garçon, déçu, avant de se ruer sur d'autres clients.

242

Alicia se dirigea vers une table couverte de sacs du soir, de gants et de foulards, tandis que Tasia était attirée par un cheval à bascule posé à même le sol à côté d'une rangée de berceaux. Elle l'effleura du bout du pied, et le cheval se mit à se balancer doucement. Un petit sourire secret lui monta aux lèvres. Elle était de plus en plus certaine d'être enceinte, et elle imaginait déjà leur enfant, un grand garçon aux cheveux bruns et aux yeux bleus...

– Belle-maman, dit Emma qui l'avait suivie dans le rayon, maintenant que vous dormez avec papa, vous allez avoir un bébé ?

– Un jour, sans doute... Cela te plairait ?

– Oh, oui ! Surtout si c'était un garçon... A condition que je puisse vous aider à choisir son prénom.

– Lequel aimerais-tu ?

– Quelque chose d'original. Léopold, par exemple, ou Quentin, vous aimez ?

– C'est superbe ! approuva Tasia en jouant avec un hochet.

– Ou encore Gédéon, continuait Emma. Ou Montgomery... Oui ! Montgomery Stokehurst !

Emma poursuivait son énumération lorsque le sourire de Tasia s'évanouit. De l'autre côté de la pièce se dressait l'image de son cauchemar, celle qui l'obséderait à jamais. *Mikhaïl !*... Pourtant ce n'était pas Mikhaïl. L'homme qu'elle avait tué avait le teint blafard, les cheveux bruns. Celui-ci était hâlé et sa chevelure châtaine était striée de blond... Mais les yeux étaient les mêmes, des yeux jaunes de loup. Tasia était hypnotisée par l'homme qui se tenait à l'entrée du magasin, beau et impitoyable comme l'ange de la mort. Ce n'était pas un fantôme, ce n'était pas non plus un rêve.

Le prince Nicolas Angelovsky était venu la chercher.

Comme c'était étrange de le voir dans un grand magasin, alors qu'ils étaient entourés de portiers, de vendeurs et de hordes de femmes ! Les sombres vêtements qu'il portait, au lieu de le confondre avec la foule, accentuaient son aspect étranger. Il possédait une beauté cruelle, dangereuse, avec sa peau dorée, son visage fin et ce corps de tigre transformé en homme par la baguette de quelque magicien.

Le hochet tremblait dans la main de Tasia, et elle le reposa sur la table. Malgré l'effort que cela lui demanda, elle parvint à sourire à sa belle-fille.

– Si je ne me trompe, Emma, tu as besoin de gants.

– Oui, Samson a dévoré les miens. Il ne résiste pas aux gants blancs tout neufs.

– Pourquoi ne pas demander à lady Ashbourne de t'aider à en choisir une nouvelle paire ?

Comme Emma s'éloignait, Tasia leva les yeux, à la recherche de Nicolas. Il avait disparu. Son cœur se mit à battre à toute vitesse, et elle longea le mur le plus rapidement possible. Comme elle traversait le rayon d'alimentation, avec ses étals de poisson, de viande, ses pyramides de pots et de boîtes, ses bocaux de confiseries, Tasia s'aperçut qu'on se retournait sur elle. Elle se rendit compte alors qu'elle respirait trop fort, qu'elle sanglotait presque, et elle s'obligea à fermer la bouche, les narines palpitantes, le visage exsangue.

Emma est en sécurité, avec Alicia, se rassura-t-elle. Il faut simplement que j'échappe à Nicolas et que je trouve refuge quelque part, ensuite, j'enverrai chercher Luke...

Elle se dirigea vivement vers une sortie latérale. Une fois dehors, elle se mêlerait à la foule, et même Nicolas, avec son instinct de prédateur, ne pourrait la retrouver, au milieu de tous ces gens.

Tasia mettait à peine le pied à l'extérieur, dans l'air lourd et fétide de l'été, lorsqu'un bras se referma brutalement sur sa taille, tandis qu'une main couvrait le bas de son visage. Calmes et efficaces, deux hommes l'entraînèrent vers un attelage devant lequel se tenait Nicolas. Il n'avait pas vingt-cinq ans, mais toute jeunesse, toute bonté avaient disparu de ses traits depuis bien longtemps... si jamais il avait possédé ces qualités. Ses yeux dorés brillaient, froids, vides.

– *Zdrasvouïty*, petite cousine, murmura-t-il. Vous semblez en pleine forme.

Il cueillit une larme qui perlait aux cils de la jeune

femme et la frotta entre deux doigts comme s'il s'agissait d'un précieux élixir.

– Vous auriez pu me compliquer la tâche, vous savez. Si vous vous étiez cachée à la campagne dans la peau d'une paysanne, il m'aurait fallu des années pour vous trouver. Au lieu de cela, vous êtes devenue la cible de tous les ragots de Londres. La mystérieuse gouvernante étrangère qui épouse un riche marquis – cela ne pouvait être que vous !

Il parcourut sa silhouette vêtue de soie d'un regard méprisant.

– Apparemment, le goût du luxe a pris le pas sur votre bon sens.

Il souleva la main de Tasia pour examiner l'anneau d'or.

– A quoi ressemble votre mari ? Un vieux beau qui apprécie la chair fraîche, je suppose. Il faudrait lui dire que vous êtes une bien dangereuse enfant !

D'un geste, il ordonnait à ses sbires de la faire monter dans la voiture lorsqu'il vit une petite lumière s'allumer dans les yeux de Tasia. Il se retourna d'un bond, évitant de justesse la poignée d'un parapluie qui visait sa tête et l'atteignit à l'épaule. En un éclair, il saisit l'arme improvisée, attrapa par le bras la mince adolescente qui avait voulu l'en frapper et ouvrait la bouche pour hurler.

– Si vous criez, l'avertit-il, je vous brise le cou !

La petite se tut, mais elle le fusillait du regard, toute rouge de colère et de peur. Avec sa chevelure d'une couleur d'ambre si rare, elle offrait un spectacle charmant.

– Encore une dangereuse enfant, dit Nicolas avec un petit rire paisible en serrant le jeune corps frêle contre lui.

– Votre Altesse... commença l'un des hommes.

– Tout va bien, répondit-il sèchement. Grimpez dans l'attelage avec la femme.

L'adolescente s'agita pour se dégager.

– Laissez ma belle-mère tranquille, espèce de monstre !

– Je crains que ce ne soit impossible, charmant petit chat sauvage. Où avez-vous appris de si vilains mots ?

– Où l'emmenez-vous ?

– En Russie, où elle devra payer le prix de ses crimes.

Nicolas lâcha enfin Emma qui recula en trébuchant.

– Adieu, petite fille. Et merci... Il y avait bien longtemps que personne ne m'avait fait sourire.

Nicolas la suivit un instant des yeux tandis qu'elle rentrait dans le magasin en courant, puis il monta en voiture et ordonna au cocher de se mettre en route.

Assise près de lui sur le sofa de la bibliothèque, Alicia Ashbourne pleurait contre l'épaule de son mari. Emma était roulée en boule dans un fauteuil, silencieuse et pâle de chagrin, tandis que Luke, debout près de la fenêtre, fixait la Tamise sans la voir. Un bref message lui indiquant qu'on avait besoin lui à la maison l'avait interrompu au milieu d'une réunion à la Northern Britan Railway Company, et il s'était précipité à la villa pour y trouver les Ashbourne avec une Emma au bord de l'hystérie. Et pas de Tasia.

A la demande de Charles, Alicia s'était efforcée de raconter ce qu'elle savait.

– Je l'ai quittée un instant pour regarder les foulards, et soudain Emma et elle avaient disparu. Ensuite, Emma est revenue en hurlant qu'un Russe aux yeux jaunes avait obligé Tasia à monter dans sa voiture. Comment il l'a trouvée, je l'ignore... sauf s'il m'a suivie ! Dieu, nous ne la verrons plus jamais !

Ses sanglots redoublèrent et Charles lui tapota le dos, réconfortant.

Hormis le bruit des pleurs, la pièce était silencieuse. Luke se retourna enfin, tremblant de rage et d'une sorte de folie qui laissait présager une explosion. Mais il demeurait muet, blême.

– Et maintenant, Stokehurst ? demanda enfin Charles pour briser la tension. Il faudrait, je suppose, tenter quelque négociation par le truchement du gouvernement. Après tout, nous avons un ambassadeur à Saint-Pétersbourg, un envoyé spécial pourrait être mandaté pour...

– Je n'ai besoin d'aucun envoyé spécial ! déclara Luke en se dirigeant vers la porte. *Biddle !*

Sa voix se répercuta comme un roulement de tonnerre dans la demeure silencieuse.

Le valet de pied fut immédiatement sur le seuil.

– Oui, monseigneur ?

– Prenez-moi un rendez-vous avec le ministre des Affaires étrangères cet après-midi même. Dites-lui que c'est urgent.

– Et s'il refuse, monseigneur ?

– Dites-lui que je saurai le trouver de toute façon, où qu'il soit. Alors il ferait aussi bien d'accepter tout de suite de me recevoir.

– Autre chose, monseigneur ?

– Oui. Réservez deux places pour Saint-Pétersbourg dans les prochaines vingt-quatre heures. S'il n'y a aucun bateau en partance, affrétez-en un.

– Puis-je demander, monsieur, qui vous accompagne ?

– Vous.

– Mais, monseigneur, bredouilla le domestique, je ne puis...

– Filez ! Quand vous en aurez terminé avec vos missions, vous pourrez commencer mes bagages.

Biddle tourna les talons en hochant vigoureusement la tête et en grommelant dans sa barbe.

Charles s'approcha de Luke.

– Que puis-je faire pour toi ?

– Prendre soin d'Emma en mon absence.

– Bien sûr !

Un coup d'œil au visage pathétique de sa fille calma quelque peu Luke. Il vint s'asseoir près d'elle et la prit dans ses bras tandis qu'elle fondait de nouveau en larmes.

– Oh, papa, je ne savais pas quoi faire, hoquetait-elle. Je... j'ai juste suivi belle-maman, et quand j'ai vu ce qui se passait... J'aurais dû courir chercher de l'aide, mais je n'ai pas pris le temps de... réfléchir...

– Ne t'inquiète pas. Tu n'aurais rien pu empêcher. C'est ma faute, et celle de personne d'autre. Je n'ai pas su vous protéger, toutes les deux.

– Qu'est-ce que cet homme lui voulait ? Qui est-elle ?

Elle a fait quelque chose de mal ? Je n'y comprends rien...

– Je m'en doute, murmura Luke. Elle n'a rien fait de mal, mais on l'accuse à tort de la mort d'un homme, et certaines personnes, en Russie, veulent la voir punie. C'est là-bas que cet individu la conduit.

– Vous la ramènerez ?

– Oui ! N'en doute pas une seconde, Emma, affirma-t-il, implacable, le regard froidement déterminé. Le prince Nicolas Angelovsky ne se rend pas compte de ce qu'il vient de faire. Personne ne prend ce qui m'appartient.

Le *Lumière d'Orient* était un petit navire marchand qui transportait du blé, de la porcelaine, des étoffes. Le temps était clément, et tout laissait à penser que la traversée serait courte, sans doute pas plus d'une semaine. En tant que capitaine, Nicolas tenait à passer la majeure partie de son temps sur le pont pour s'assurer que son équipage s'acquittait de ses tâches avec autant de rigueur que lui. S'il commandait lui-même le bateau, ce n'était pas par caprice d'homme riche, il était en fait un excellent navigateur et un chef-né. D'autre part, il avait l'habitude de ce trajet qui lui faisait traverser la mer du Nord en direction de la Baltique jusqu'au golfe de Finlande, où, à l'embouchure de la Neva, s'étendait la majestueuse ville de Saint-Pétersbourg.

A la fin de la première journée de mer, il se rendit à la cabine où était enfermée Tasia. Même le mousse avait interdiction de répondre au cas où elle appellerait.

Tasia, qui s'était allongée sur la couchette, se redressa d'un bond quand il pénétra dans la petite pièce. Elle portait les mêmes vêtements que lorsqu'il l'avait enlevée, une robe de soie couleur d'ambre ornée de rubans de velours noir. Depuis le drame, elle n'avait pas prononcé un mot, pas versé une seule larme. Elle devait être en état de choc, maintenant que ce qu'elle redoutait le plus au monde était arrivé. Elle avait du mal à comprendre que le passé l'eût rattrapée avec cette terrifiante facilité.

Elle observa Nicolas sans mot dire tandis qu'il refermait la porte.

Hormis un léger rictus, son visage était de marbre.

– Vous vous demandez ce que j'attends de vous, à présent, petite cousine. Vous allez bientôt le savoir.

Il se dirigea vers un coffre cerclé de cuivre dont le couvercle bien huilé se souleva sans bruit. Tasia, tendue, recula vers le lit jusqu'à toucher le mur, tandis qu'il sortait un paquet de tissu de la malle.

Il s'approcha d'elle.

– Vous reconnaissez cela ?

Tasia secoua la tête, mais il déplia le tissu, et un cri s'échappa de la gorge de la jeune femme. C'était la tunique blanche que portait Mikhaïl le soir de sa mort, une tunique traditionnelle de boyard avec un col montant brodé et de larges manches. D'affreuses taches brunes en couvraient le plastron... le sang de Mikhaïl.

– Je l'ai gardée exprès pour cet instant, dit doucement Nicolas. Je veux que vous me disiez exactement ce qui s'est passé cette nuit-là. Les derniers mots de mon frère, son expression... tout. Vous me le devez.

– Je ne m'en souviens pas, souffla-t-elle d'une voix brisée.

– Alors, regardez mieux, cela vous rafraîchira peut-être la mémoire.

– Nicolas, je vous en prie...

– Regardez !

Tasia obéit, au bord de la nausée. Elle avait l'impression de sentir l'odeur écœurante du sang, l'atmosphère était épaisse, lourde... et la pièce se mit à tourner autour d'elle.

– Je vais être malade, articula-t-elle avec peine, la bouche pleine de bile. Enlevez ça...

– Dites-moi ce qui est arrivé à Micha, insista-t-il en approchant davantage encore la tunique de son visage, jusqu'à ce qu'elle ne vît plus que les atroces taches brunes.

Elle gémit, porta la main à sa bouche. Il lui tendit alors une cuvette et elle y vomit, secouée de spasmes violents, les larmes ruisselant sur ses joues. A tâtons, elle accepta la serviette qu'il lui tendait, et elle s'essuya le visage.

Quand elle releva les yeux, elle faillit hurler d'horreur. Nicolas était en train d'enfiler la tunique, qui le serrait un peu aux épaules et portait les marques de la mort. Elle se souvenait. Mikhaïl, le poignard planté dans la gorge, les yeux révulsés de douleur et de peur, vacillait dans sa direction, essayant de la toucher.

– *Nooooon !* hurla-t-elle, les bras tendus devant pour elle pour repousser Nicolas qui continuait d'avancer, cauchemar devenu réalité – *allez-vous-en, allez-vous-en, allez-vous-en !*

Ses cris résonnaient dans la pièce, sa tête s'emplissait d'une lumière éblouissante qui éclata soudain, remplacée par une obscurité bienfaisante... La mémoire lui revenait en un flot dévastateur.

– *Micha*, eut-elle le temps de lancer dans un sanglot avant de sombrer au cœur d'un gouffre sans fond où il n'y avait plus de paroles, plus de bruit, plus rien que les morceaux éclatés de son âme brisée.

9

Nicolas était près de sa couche lorsque Tasia revint à elle. Débarrassé de la tunique, il semblait calme et maître de lui ; pourtant il transpirait, peut-être d'angoisse, ou de colère, et sa chemise noire lui collait à la peau. Il tient tellement à savoir ! pensa-t-elle avec un éclair de compassion injustifié. Etait-il poussé par le chagrin pour son frère mort, ou par un simple désir de justice ?

Encore un peu étourdie, Tasia s'humecta les lèvres.

— Je vais vous raconter ce qui s'est passé ce soir-là, dit-elle d'une voix enrouée. Avec tous les détails. Mais d'abord, donnez-moi à boire.

Nicolas lui tendit un verre d'eau sans un mot, et s'assit au bord du lit pour la regarder se redresser et boire avidement.

Elle ne savait par où commencer. Les souvenirs étaient revenus en flot, apportant avec eux les émotions de cette nuit tragique. Et le fait de connaître enfin la vérité, de pouvoir en parler, la soulageait énormément.

— Je ne voulais pas de ces fiançailles avec Micha, commença-t-elle. D'après ce que j'avais entendu dire, c'était un homme étrange, tourmenté, qui jouait avec les gens comme un enfant s'amuse avec ses poupées. Je le craignais plus que je ne le détestais. Tout le monde était ravi, on pensait que j'aurais une bonne influence sur lui.

Elle eut un petit rire amer.

— Sans doute s'était-on convaincu que je le remettrais dans le droit chemin en ce qui concernait les femmes. Quelle absurdité ! Même moi, innocente comme je l'étais, je savais qu'un homme attiré par les garçons n'aurait jamais envie de m'avoir dans son lit. Au mieux, je lui aurais servi de façade, pour qu'il ait l'air d'un homme marié respectable. Au pire, il m'aurait utilisée comme distraction perverse, une femme à blesser et à dégrader à sa guise. Il m'aurait offerte à d'autres hommes, m'aurait obligée à faire des choses contre nature...

– Vous ne pouvez en être sûre.

– Si, répliqua-t-elle doucement. Et vous le savez très bien.

Comme Nicolas demeurait silencieux, elle termina son verre d'eau avant de poursuivre :

– Je me sentais prise au piège. Ma propre mère tenait à ce mariage et, curieusement, la seule personne vers laquelle je pouvais me tourner était Micha lui-même. J'ai réfléchi plusieurs jours avant de décider que je n'avais rien à perdre en m'adressant à lui. Peut-être m'écouterait-il. Il y avait quelque chose d'enfantin, chez Micha, il avait parfois l'air d'un petit garçon qui voulait attirer l'attention sur lui. Et il était capricieux. J'ai cru que je saurais le persuader de me libérer de cet engagement. Quelques mots de sa part auraient pu si facilement changer le cours de mon destin... Alors, un soir, je suis allée le voir pour plaider ma cause.

Tasia posa le verre et crispa ses mains l'une contre l'autre, en fixant la couverture soigneusement pliée au pied de la couchette. Elle se remit à parler d'une voix lointaine, comme dans un rêve.

– Le palais était presque désert, avec seulement quelques domestiques pour veiller aux besoins de Micha. Je portais un châle rabattu sur mon front quand je me suis présentée à la porte, qui n'était pas verrouillée. Je suis entrée sans être annoncée, et les serviteurs que j'ai croisés ne m'ont rien demandé. J'étais horriblement nerveuse, et je me souviens avoir souhaité de toutes mes forces que Micha n'eût pas trop fumé d'opium ce soir-là... J'ai eu du mal à le trouver. Je suis allée de chambre en chambre, à l'étage. Elles sentaient toutes la fumée, le vin aigre, la nourriture frelatée. Il y avait partout des fourrures et des coussins de soie sur le sol, des assiettes à demi pleines, d'étranges objets dont Micha devait se servir pour... je ne savais pas quoi. Et cela m'était égal, d'ailleurs.

Tasia eut un petit geste indécis de la main.

– Il faisait chaud dans la maison, et j'ai enlevé le châle. Je l'ai appelé une ou deux fois : « Micha, où êtes-vous ?... » Personne ne répondait. J'ai pensé qu'il fumait peut-être dans la bibliothèque, et je me suis dirigée vers le fond du hall. Deux hommes discutaient avec acharnement, avec passion, et l'un d'eux pleurait.

Comme le souvenir la submergeait, Tasia en oublia qu'elle avait un auditeur.

– *Je t'aime, Micha. Mille fois plus qu'elle ne pourra jamais t'aimer. Elle ne sera pas capable de te donner ce dont tu as besoin.*

– *Pauvre vieux fou jaloux et décrépit ! répliqua Mikhaïl. Que connais-tu de mes besoins ?*

– *Je ne te partagerai avec personne, et surtout pas avec une petite fille gâtée !*

La voix de Mikhaïl était doucereuse, amusée, provocante.

– *Cela t'ennuie de l'imaginer dans mon lit ? Ce petit corps tout jeune, cette innocence sur le point d'être dépravée...*

– *Micha ! Ne me torture pas ainsi !*

– *Je ne veux plus de toi. Va-t'en, et ne reviens jamais. Je suis las de te voir. En fait, cela me rend malade.*

– *Non ! Tu es ma vie, tu es tout pour moi...*

– *J'en ai assez de tes pleurnicheries, de tes gémissements, de tes pathétiques tentatives pour me faire l'amour. Un chien me donnerait plus de satisfactions. Fiche le camp !*

L'autre homme hurlait de désespoir, pleurait, sanglotait. Il y eut un cri de surprise, un bruit de bagarre, de violence...

– J'étais terrifiée, dit Tasia d'une voix qu'elle s'efforça d'affermir, sentant le goût des larmes dans la bouche. Pourtant je n'ai pu m'empêcher d'entrer dans la pièce, sans réfléchir, pour voir ce qui s'y était passé. L'autre était aussi immobile qu'une statue de cire, et Mikhaïl s'éloignait de lui en vacillant. Puis il m'a vue, et il s'est dirigé vers moi. Il était couvert de sang et un coupe-papier en forme de poignard lui sortait de la gorge. Il tendait la main pour s'accrocher à moi, il me regardait... comme s'il attendait de l'aide. J'étais paralysée, incapable de mettre un pied devant l'autre. Et puis... Micha est tombé sur moi et tout est devenu noir.

« Quand je me suis réveillée, je tenais l'arme ensanglantée à la main. L'autre s'était arrangé pour que l'on croie que c'était moi qui avais tué Micha, mais c'est faux.

Elle eut un rire tremblant à travers ses larmes.

– Durant tout ce temps, j'ai été persuadée que j'avais assassiné un homme, j'ai souffert l'enfer à me penser coupable, et aucune prière, aucun repentir ne pouvait me sauver... Pourtant *je n'avais rien fait !*

– Quel est le nom du meurtrier de Micha ? demanda doucement Nicolas.

– Samuel Ignatevitch, le comte Shurikovsky. J'en suis certaine, je l'ai rencontré une fois au palais d'Hiver.

Nicolas, imperturbable, la fixait de ses troublants yeux jaunes.

Il se dirigeait vers la porte quand elle demanda :

– Vous ne me croyez pas ?

– Non.

– Peu importe. Moi, je connais la vérité, à présent.

Nicolas se tourna avec un sourire méprisant.

– Le comte Shurikovsky est un homme respectable et un époux modèle, qui se trouve de surcroît être le compagnon privilégié du tsar. Il est depuis des années son confident et son conseiller le plus écouté. En outre, il vient juste d'être nommé gouverneur de Saint-Pétersbourg. Je trouve cocasse que vous ayez choisi le nom de cet homme pour le désigner comme amant et meurtrier de mon frère. Pourquoi pas le tsar lui-même ?

– La vérité est la vérité, répondit-elle simplement.

– Les Russes le savent bien, la vérité a plusieurs facettes, lança-t-il avant de quitter la cabine.

Il était normal que Biddle aimât les bateaux. Sur un bâtiment, tout était propre, organisé, parfaitement rangé. Luke se dit avec une pointe d'amusement que la maniaquerie de son valet de pied convenait parfaitement à la vie à bord, alors qu'elle agaçait tout le monde sur la terre ferme. Pour sa part, Luke n'aimait pas spécialement la mer, et ce voyage était le plus épouvantable qu'il eût fait.

Il arpentait sans cesse sa cabine, le pont, incapable de s'asseoir, de se détendre, ou même de rester immobile. Il mangeait à contrecœur et ne parlait que lorsque c'était absolument indispensable. Passant par des moments de prostration et d'autres de rage, il se distrayait en imaginant le châtiment qu'il infligerait à Nicolas quand il le trouverait. Il était en même temps terrifié pour la sécurité de Tasia et plein de haine envers lui-même. Il n'avait pas su la protéger, et on l'avait enlevée avec une facilité déconcertante...

Il refusait de penser que Tasia pourrait lui échapper à jamais, mais la nuit, ses rêves le trahissaient. Après la mort de Mary, il était parvenu à reprendre un semblant de vie normale, cette fois il n'y arriverait pas. Perdre Tasia le briserait irrémédiablement ; il n'aurait plus d'amour, plus de bonté à offrir à personne, pas même à sa fille.

Une nuit, il se tint des heures durant à la poupe du navire, à fixer le sillage d'écume. Le ciel était lourd, plombé, sans une étoile, mais le bruit régulier des vagues contre la coque l'apaisait quelque peu. Il se rappelait le soir où il avait tenu Tasia dans ses bras pour écouter la musique de la forêt, un de ces absurdes et sublimes instants que seuls peuvent comprendre les amants... Et soudain, il la sentit si proche de lui qu'il crut presque discerner son léger parfum. Il regarda la bague qu'elle lui avait offerte, et il l'entendit murmurer, de sa voix si mélodieuse : « *Il y a écrit : "L'amour est un roseau d'or qui plie mais ne rompt pas."* »

Et sa réponse : « *Nous serons bien, vous et moi.* »

Il serra les poings.

– Je viens te chercher, dit-il d'une voix forte dans le vent du large. Je te trouverai bientôt, Tasia.

10

Saint-Pétersbourg, Russie

Dès que le bateau fut amarré, Luke et Biddle descendirent à terre. Il y avait un marché, près de l'Amirauté de Saint-Pétersbourg, et Luke se fraya un chemin dans l'artère principale, tandis que Biddle suivait avec un porteur chargé des bagages. C'était la scène la plus dépaysante que Luke eût jamais vue. Il marchait entre des maisons aux façades peintes de couleurs vives, comme les roulottes d'un cirque, les camelots portaient de longues tuniques rouges ou bleues, les femmes des fichus fleuris. Ils semblaient tous chanter. Les marchands vantaient leurs denrées d'un ton mélodieux, les chalands fredonnaient en se promenant entre les étals... Luke avait l'impression étrange de se trouver par hasard sur la scène d'un opéra.

L'odeur du poisson flottait partout. Non seulement en provenance de l'océan et des barques de pêche sur la Neva, mais aussi à cause du marché. Saumons, brochets, anguilles, esturgeons reposaient dans des caisses tapissées de glace. On vendait également une bonne demi-douzaine de sortes de caviar et de minuscules poissons transparents que l'on emportait dans de grands seaux. Avec la chaleur, l'odeur était si pestilentielle que n'importe quel chat britannique digne de ce nom se serait enfui en courant.

– *Znitki*, expliqua l'un des marchands, en souriant devant l'air dégoûté de Luke.

Saint-Pétersbourg était certainement la plus bariolée, la plus vivante des grandes villes d'Europe. Les rues étaient bondées de gens, d'animaux, de véhicules divers, le fleuve et les canaux regorgeaient d'embarcations de toutes les tailles, les cloches des innombrables églises tintaient en même temps, en une joyeuse cacophonie. Au bout de dix minutes, Luke renonça à tenter de s'y retrouver. Il n'avait pas l'intention de rester assez longtemps à Saint-Pétersbourg pour faire l'effort de connaître davantage la ville. Il voulait simplement retrouver sa femme, et ne plus jamais remettre les pieds dans ce pays.

Biddle, de son côté, ne se laissait pas abattre si facilement. Il avançait résolument entre les étals, le parapluie sous un bras, un exemplaire du *Manuel du voyageur britannique en Russie* sous l'autre. Ils traversèrent des rangées de stands de fleuristes, un vendeur ambulant s'approcha d'eux avec un panier de cuir plein de verres et d'un pichet de liquide brun qu'il appelait *kvas*, ainsi que de tranches de gâteau. Sur un signe de Luke, Biddle acheta deux verres de boisson qui se révéla être une sorte de bière légère parfumée de miel, au goût étrange mais agréable.

Les visages des Russes retinrent l'attention de Luke. La plupart d'entre eux étaient blonds aux yeux bleus, avec des traits fins, mais d'autres étaient nettement plus orientaux : visages larges et beaux yeux bridés. Tasia était un mélange harmonieux des deux... A la pensée de son épouse, Luke sentit remonter une bouffée de la rage qui ne le quittait pas depuis le jour de l'enlèvement.

– Monsieur, demanda Biddle, inquiet de son expression furieuse, avez-vous aimé ce breuvage ?

– Le palais Kurkov, marmonna Luke.

C'était l'adresse de l'ambassade d'Angleterre, et il ne pouvait s'intéresser à rien d'autre.

– Tout de suite, monseigneur. Je vais essayer de dénicher un fiacre. Le livre dit que cela s'appelle quelque chose comme *drojki*, et qu'il ne faut pas s'étonner si le cocher dialogue avec son cheval. C'est une habitude, ici.

Biddle se mit à gesticuler, à agiter son parapluie afin d'attirer l'attention d'une voiture. Ils finirent par trouver une petite calèche découverte et ordonnèrent au cocher de les conduire à l'ambassade. Comme prévu, l'homme ne cessa de bavarder avec son cheval, qui portait le nom d'Ossip.

Le véhicule se déplaçait dans les rues à une vitesse invraisemblable, et le cocher criait souvent pour que les piétons se poussent. Ils faillirent écraser plusieurs personnes qui traversaient devant eux. Quel que fût le moyen de locomotion, les Russes conduisaient comme des fous !

Saint-Pétersbourg était une ville de pierre, d'eau et de ponts. Même Luke, qui était pourtant bien résolu à la détester, dut reconnaître qu'elle était superbe. D'après le manuel de Biddle, Pierre le Grand avait construit cette cité un siècle et demi plus tôt afin de permettre à la culture orientale de pénétrer en Russie. Et c'était magnifiquement réussi. Certains quartiers de la ville étaient plus européens que l'Europe elle-même. La voiture passa devant des rangées de somptueux palais alignés le long du fleuve.

L'ambassade de lord Sydney Bramwell était située sur l'artère principale de la ville, la célèbre perspective Nevski. La calèche s'arrêta devant un palais de style classique aux colonnes blanches surmontées d'un fronton. Luke grimpa vivement les marches de marbre, laissant Biddle se débrouiller avec les bagages et payer le cocher. Deux imposants Cosaques en tuniques écarlates et hautes bottes noires gardaient les portes du palais.

– Je suis venu voir lord Bramwell, déclara Luke d'un ton brusque.

Les Cosaques s'entretinrent rapidement, puis l'un d'eux répondit dans un anglais rudimentaire :

– Impossible.

– Pourquoi ?

– Lord Bramwell donne banquet pour gouverneur. Venez plus tard. Demain. Semaine prochaine.

Luke lança un coup d'œil ennuyé à Biddle.

– Vous avez entendu ? Nous sommes en retard pour le banquet...

Tout en parlant, il se retourna et envoya un coup de

poing au plexus du garde qui se plia en deux de douleur. Une manchette sur la nuque l'envoya rouler à terre pour le compte. L'autre se préparait à intervenir, mais l'air menaçant de Luke le fit reculer.

– Allons-y, dit-il à Biddle.

Le Cosaque, sur un hochement de tête, s'écarta afin de les laisser passer.

– Je ne vous ai jamais vu agir ainsi, monsieur, murmura Biddle, inquiet.

– Vous m'avez déjà vu frapper un homme !

– Oui, mais jamais avec autant de plaisir.

– Et ce n'est qu'un début, grommela Luke en poussant une porte.

Le palais était plein de lierre, de magnolias et d'orchidées. Les parquets cirés s'étendaient à l'infini, avec des motifs qui leur donnaient l'aspect de tapis persans. Des valets en livrée, parfaitement immobiles, étaient postés partout. Ils ne levèrent même pas les yeux à l'entrée des deux hommes.

– Où puis-je trouver lord Bramwell ? demanda Luke à l'un d'entre eux.

Ne recevant pas de réponse, il insista, impatienté :

– Bramwell !

Timide, le serviteur désigna une double porte au bout d'un hall.

– Bramwell ! répéta-t-il.

– Monsieur, commença Biddle, qui détestait les scènes, peut-être ferais-je mieux de vous attendre dans l'entrée, avec les bagages...

– Oui, répondit Luke en se précipitant dans la direction indiquée.

Biddle battit en retraite avec un soulagement évident.

– Merci, monseigneur.

Luke passa entre des rangées de colonnes ornées d'or et de pierres semi-précieuses, attiré par un bruit de conversation en français – la langue diplomatique – et le son d'un délicat instrument à cordes, sans doute une cithare, en musique de fond. Luke pénétra par les doubles portes décorées de lapis-lazulis dans la salle de banquet où environ deux cents officiels étrangers étaient assis à une immense table de bronze.

Les domestiques vêtus d'or et de velours qui servaient du champagne frappé se figèrent à son arrivée. Sur la table trônaient rôtis, salades, tourtes, caviar... De vastes coupes d'argent regorgeaient de champignons au vinaigre, de cornichons malossol. Un faisan rôti décorait le centre de la table, ses plumes soigneusement déployées en éventail multicolore.

Les convives se turent à l'irruption de Luke, la musique s'arrêta.

Luke reconnut les insignes des ambassadeurs du Danemark, de Pologne, d'Autriche, de France, et il n'accorda qu'un bref regard à l'hôte d'honneur, le gouverneur, un homme mince et grisonnant aux traits aristocratiques, dont la poitrine était bardée de décorations.

Il remarqua tout de suite que l'ambassadeur était à la droite du gouverneur, et il se dirigea vers lui à pas décidés.

– Lord Bramwell, commença-t-il, tous les regards rivés sur lui.

L'ambassadeur était un homme replet au visage porcin, avec de petits yeux enfoncés dans la graisse.

– Je suis lord Bramwell, dit-il, hautain. Cette intrusion est tout à fait...

– Je dois vous parler.

Des soldats s'avançaient pour expulser Luke, mais il se retourna pour leur faire face, menaçant.

– Ça va ! déclara lord Bramwell avec autorité en levant une main boudinée. Cet homme a visiblement bravé bien des difficultés pour me voir. Ecoutons ce qu'il a à dire. Malgré son manque évident de savoir-vivre, il semble être gentilhomme.

– Lord Stokehurst, se présenta Luke, marquis de Stokehurst.

Bramwell le considéra un instant, pensif.

– Stokehurst... Stokehurst... Si je ne me trompe, vous êtes le malheureux époux d'Anastasia Ivanovna Kaptereva.

Un murmure courut autour de la table.

– Oui, je suis son mari, et je suis venu vous parler d'elle. Si vous voulez bien que nous ayons cet entretien en privé...

– Non, non... Ce ne sera pas nécessaire.

Lord Bramwell jeta un coup d'œil circulaire à l'assistance, comme pour la prendre à témoin de la difficulté qu'il y avait à raisonner un fou.

– Hélas, lord Stokehurst, je ne peux rien faire ! La date de la pendaison de votre épouse a déjà été fixée.

Luke se doutait bien que le gouvernement ne perdrait pas de temps. Il avait envie de sauter à la gorge de l'ambassadeur, pourtant il parvint à garder son calme.

– Je désire que vous entrepreniez une série d'actions officielles dans l'intérêt de ma femme. Vous avez le pouvoir de faire retarder l'exécution.

– Non, lord Stokehurst. D'abord, je ne suis pas disposé à risquer mon nom et ma situation pour défendre une femme au passé douteux. D'autre part, je n'ai aucun droit d'agir tant que je n'en ai pas reçu l'ordre de la part de mes supérieurs des Affaires étrangères à Londres. Maintenant, ayez l'obligeance de vous retirer.

Avec un sourire suffisant, Bramwell se remit à manger, considérant que l'incident était clos.

Luke prit doucement l'assiette pleine de mets délicats, la renifla, puis la jeta sur le sol où l'inestimable porcelaine de Sèvres éclata, au milieu de morceaux de nourriture.

Le plus grand silence s'était abattu sur la pièce. Luke fouilla dans la poche intérieure de son manteau.

– Hum... Voyons... je crois me rappeler... Oui ! Voilà !

Il lança une liasse de documents sur la table devant Bramwell. Quelques invités sursautèrent.

– Cela vient du ministre des Affaires étrangères à Londres, avec des ordres détaillés des actions diplomatiques que vous devez entreprendre sur le sujet qui m'intéresse. Et si vous n'arrivez pas à convaincre vos homologues russes que toute cette affaire risque de tourner à l'incident diplomatique...

Il passa sa main aux doigts métalliques sur l'épaule de l'ambassadeur.

– ... je risque de perdre mon sang-froid, conclut-il. Ce qui serait fort regrettable.

De toute évidence, l'ambassadeur était de cet avis.

– Je ferai tout ce qui est en mon pouvoir pour vous aider, dit-il vivement.

– Bon ! dit Luke en souriant. Si nous allions nous entretenir en privé, maintenant ?

– Certainement...

Bramwell se leva, essayant de jouer à l'hôte parfait.

– Je vous en prie, Excellence ; mes amis, continuez comme si j'étais parmi vous.

Le gouverneur eut un hochement de tête royal. Il n'y eut pas un bruit jusqu'à ce que l'ambassadeur ait quitté la pièce avec l'ombrageux Anglais, puis les convives se lancèrent dans des commentaires animés.

Luke suivit Bramwell dans un petit salon privé dont ils fermèrent les portes derrière eux.

– J'imagine que vous avez des questions à me poser, dit l'ambassadeur en regardant son visiteur avec un mélange d'antipathie et de peur.

– Juste une, pour l'instant. Où diable se trouve ma femme ?

– Il faut comprendre. L'opinion publique lui est hostile, les menaces fusent à son encontre, et il serait extrêmement dangereux de la garder dans la prison officielle. En outre, bien sûr, après son évasion de l'année dernière...

– Où est-elle ? gronda Luke.

– Un... éminent citoyen de Saint-Pétersbourg a aimablement offert de la garder dans sa résidence privée jusqu'à ce que l'Etat ait pris les dispositions nécessaires.

– Un éminent citoyen ? répéta Luke, furieux. *Angelovsky*...

Comme Bramwell acquiesçait, il explosa.

– Ces salauds d'impérialistes corrompus ! Ils l'ont mise sous la garde d'Angelovsky ? Et ensuite ? Accepteront-ils son « aimable offre » de l'exécuter de ses mains, leur épargnant la peine de s'en charger eux-mêmes ?

Sommes-nous au Moyen Age ? Par Dieu, je ne vais pas tarder à tuer, moi aussi...

— Calmez-vous, monseigneur, je vous en prie ! s'exclama l'ambassadeur en reculant, effrayé. Je ne suis aucunement responsable de toute cette histoire !

Le regard bleu lançait des éclairs démoniaques.

— Si vous ne faites pas tout pour tirer ma femme de cette horrible situation, je vous écrase sans pitié sous mes talons !

— Lord Stokehurst, je vous promets... commença Bramwell.

Mais Luke avait déjà quitté le salon, et il le suivit.

Comme Stokehurst traversait le hall à grandes enjambées, il se heurta à deux personnes, en qui il reconnut l'homme aux cheveux gris qui était au bout de la table et un jeune officier, sans doute son assistant personnel.

— Gouverneur, dit Bramwell, inquiet, j'espère que l'interruption lors du banquet ne vous a pas trop dérangé...

Shurikovsky se tourna vers Luke.

— Je tenais à voir l'Anglais.

Luke se raidit. Que lui voulait le gouverneur ? Il ressentait une aversion spontanée pour cet homme aux yeux bridés noirs et froids comme des cailloux.

Tandis que les deux hommes s'affrontaient du regard, le jeune assistant prit effrontément la parole...

— Quelle étrange affaire ! Le prince Mikhaïl Angelovsky est assassiné, la jeune femme coupable « meurt » en prison, quelques mois plus tard on la ramène en Russie bel et bien vivante, et maintenant voilà un époux anglais qui veut la reprendre avec lui...

— Vous n'y arriverez pas, dit Shurikovsky. Au nom du gouvernement, je puis vous affirmer que quelqu'un doit payer pour le meurtre d'Angelovsky.

— Ce ne sera pas ma femme, rétorqua doucement Luke.

Avant que le gouverneur pût répondre, il fonçait comme une tornade vers le palais Angelovsky.

La résidence des Angelovsky était encore plus somptueuse que le palais Kurkov, avec ses portes décorées d'or, ses fenêtres cernées d'argent ciselé. Des tableaux de Gainsborough et de Van Dyck trônaient dans des cadres incrustés de pierres précieuses, les lustres d'émail et de cristal ressemblaient à des arrangements floraux. Luke était ébahi par cette opulence qui surpassait de loin celle dans laquelle vivait la reine d'Angleterre. On n'avait pas lésiné non plus sur la sécurité ! Des chevaliers en uniforme, des Cosaques, des officiers circassiens se tenaient dans le hall d'entrée, le long de l'escalier de marbre.

Pour sa plus grande surprise, quand Luke demanda à voir le prince Angelovsky, on lui obéit promptement et sans poser de questions. Biddle fut enchanté de rester près de l'entrée, et on conduisit Luke dans un fumoir aux murs couverts d'armes anciennes, de rapières, de haches de guerre. Au centre de la pièce se trouvait un guéridon chargé de flacons de liqueurs. Des officiers et des aristocrates étaient là, en train de bavarder, de boire, de fumer. Tous se tournèrent vers le nouveau venu.

L'un d'entre eux se détacha du groupe et s'avança vers Luke en prononçant quelques mots en russe. Comme il voyait qu'il n'était pas compris, il passa à un anglais légèrement teinté d'accent.

– Que désirez-vous ?

Angelovsky ! Il était plus jeune que Luke ne l'avait imaginé, sans doute moins de trente ans, et il avait d'étonnants yeux jaunes, dans un visage d'une grande beauté, comme l'avait décrit Alicia Ashbourne. Jamais Luke n'avait ressenti ce besoin presque irrésistible de tuer, mais il parvint à se contenir.

– Je veux voir ma femme, dit-il calmement.

Angelovsky eut l'air un instant déconcerté.

– Stokehurst ? articula-t-il enfin. Je croyais que vous étiez un vieux...

Il eut un sourire insolent.

– Bienvenue en Russie, cousin !

Luke serrait les dents si fort que sa mâchoire tremblait.

264

Nicolas crut qu'il s'agissait de respect, ou peut-être de peur, et son sourire s'élargit.

– Vous perdez votre temps. La prisonnière n'est pas autorisée à recevoir de visites. Suivez mon conseil : rentrez dans votre pays et trouvez-vous une autre femme !

Il fut pris par surprise lorsque, vif comme l'éclair, Luke le poussa contre le mur. Les doigts de métal s'enfoncèrent douloureusement dans son estomac.

– Laissez-moi la voir, souffla Luke d'une voix rauque, ou je vous étripe.

Nicolas le fixa un moment avant d'émettre un mauvais rire.

– Vous avez de l'aplomb, pour me menacer ainsi sous mon propre toit, dans une pièce pleine d'armes et de soldats ! Très bien, vous pourrez voir Anastasia. Peu importe, après votre départ, elle sera toujours mienne... Motka Yurïevitch, appela-t-il sans cesser de sourire, conduis mon nouveau cousin chez la prisonnière. Et ne t'approche pas trop, il risque de mordre !

Il y eut quelques murmures d'admiration. Les Russes n'aimaient rien tant que la force brutale alliée à une volonté de fer. Et ils étaient étonnés de trouver ces qualités chez un Anglais.

Tasia reposait sur une banquette de bois sculpté, dans ses appartements qui se composaient d'une petite entrée, d'un boudoir et d'une chambre à coucher luxueusement meublés. Bien que les visites lui fussent interdites, elle avait reçu quelques lettres ponctuées de larmes de sa mère, et Nicolas avait permis à Maria de lui envoyer des robes du palais Kapterev. Tasia était vêtue d'une tenue de jeune fille en soie violette brodée de dentelle, avec une jupe large et des manches ballon. Morose, elle feuilletait un roman français. Jusqu'à présent, ses tentatives de lecture n'avaient guère été couronnées de succès. Elle relisait toujours les mêmes pages sans en assimiler un traître mot.

Lorsqu'elle entendit la clé tourner dans la serrure, la porte se fermer, elle ne se retourna pas. C'était sûrement un domestique avec le plateau du thé.

– Posez-le sur la table, près de la fenêtre, dit-elle.

Comme on ne lui répondait pas, elle leva les yeux, froide... et croisa un regard bleu souriant.

– Je t'avais dit que je ne voulais pas dormir sans toi, dit Luke d'une voix un peu rauque.

Avec un petit cri incrédule, Tasia courut se jeter dans ses bras.

Luke, en riant, la souleva de terre et enfouit son visage contre son cou.

– Dieu, comme tu m'as manqué !

– Luke... Luke... Oh, tu es venu me chercher ! C'est vraiment toi ? Non, je rêve !

Elle noua les bras derrière sa tête et l'embrassa avec une passion débridée, heureuse de sentir son odeur, son goût, la solidité de son corps.

Il parvint à s'arracher à elle.

– Nous avons à parler, marmonna-t-il.

– Oui... oui...

Tasia refusait de le lâcher, et elle l'embrassait à nouveau, lui faisant perdre tout sens de la réalité. Il l'appuya contre le mur, joua avec sa bouche, sa langue, caressa ses seins, collé à elle.

– Tu vas bien ? demanda-t-il enfin.

Elle sourit faiblement.

– Oui, mais Emma ? Je me suis tellement inquiétée pour elle...

– Elle souhaite que tu nous reviennes le plus vite possible.

– Oh, si seulement...

Soudain, Tasia s'interrompit et se mit à trépigner d'excitation.

– Luke, je me suis tout rappelé, sur le bateau. Je sais exactement ce qui s'est passé ! Je n'ai rien *fait*, je suis simplement arrivée au mauvais moment, et j'ai assisté au meurtre. Ce n'est pas moi l'assassin !

– Qui, alors ? demanda Luke, les yeux plissés.

– Le comte Samuel Shurikovsky. Il était l'amant de Mikhaïl.

– Shurikovsky, répéta Luke, stupéfait. Le gouverneur ? Je viens de le rencontrer !

266

– Mais comment...

– Peu importe. Dis-moi tout.

Il écouta attentivement le récit que Tasia lui fit de la nuit du crime, sans cesser de la tenir dans ses bras.

– Mais Nicolas ne me croit pas, conclut-elle. Il *veut* que je sois coupable, il n'écoute rien d'autre. Le comte Shurikovsky est un homme très important – le compagnon favori du tsar. Les domestiques savaient qu'il était au palais, ce soir-là, mais ils ont trop peur de parler. Peut-être ont-ils été menacés, ou payés pour se taire.

Luke réfléchissait en silence. A l'idée qu'il eût parcouru tout ce chemin pour venir la chercher, le cœur de Tasia se gonflait d'amour. Avec un petit gémissement de plaisir, elle se lova davantage contre lui.

– Manges-tu correctement ? demanda-t-il en remettant en place une mèche échappée de son chignon.

– Oh, oui ! J'ai très bon appétit, et on me donne ce que je préfère : du bortsch, des blinis avec du caviar, de divins champignons à la crème. Et de grandes jattes de *kasha*.

– Je ne te demanderai pas de quoi il s'agit, dit Luke avec une petite grimace amusée.

Il la contemplait et, du doigt, il souligna les cernes mauves de ses yeux, comme s'il pouvait les effacer.

– Tu ne t'es guère reposée...

Tasia secoua la tête.

– Ils ne me laisseront jamais partir, Luke. Tu ne peux rien faire.

– Mais si ! protesta-t-il. Je vais te laisser un moment. Essaie de dormir jusqu'à mon retour.

– Non ! cria-t-elle, accrochée à lui. Ne m'abandonne pas... sinon, je vais croire que je t'ai rêvé. Serre-moi bien fort...

Luke la prit contre lui, solide, rassurant.

– Mon amour, souffla-t-il, ma douce, ma précieuse épouse, je me battrais contre le monde entier pour toi.

Elle eut un rire mal assuré.

– Tu pourrais bien y être obligé...

– Le jour de notre mariage, j'ai calculé le nombre de

nuits que nous passerions ensemble. Au moins dix mille. On m'en a volé sept, et rien ne nous séparera plus...

– Chut... ne tente pas le destin.

– Je vais te dire quel est notre destin, déclara Luke en la regardant au fond des yeux. Neuf mille neuf cent quatre-vingt-treize nuits ensemble. Et je les aurai, lady Stokehurst, quoi qu'il m'en coûte.

*
**

Assis sur les marches, une jambe repliée, Nicolas attendait Luke.

– Alors, vous avez pu constater qu'elle est bien traitée. Repas fins, livres, joli mobilier...

– C'est quand même une prison, objecta froidement Luke.

– Tasia vous a raconté sa fable au sujet de Samuel Ignatevitch ?

Comme Luke ne semblait pas comprendre de qui il s'agissait, il reprit :

– Le comte Shurikovsky.

Debout en haut de l'escalier, Luke baissa les yeux vers le prince.

– Et vous avez décidé de ne pas la croire...

– Il n'y a jamais eu aucune relation de ce genre entre Shurikovsky et Micha.

– Avez-vous interrogé Shurikovsky ?

– Cela ne servirait qu'à me discréditer. C'est un mensonge que Tasia a inventé dans le but de nous faire passer pour des fous.

– Alors, pourquoi n'en a-t-elle pas parlé devant la cour, lors du procès ? Elle n'a pas menti, à ce moment-là. Elle ne ment pas non plus maintenant. Mais vous préféreriez envoyer une femme innocente à la mort plutôt que d'affronter la désagréable vérité.

– Vous osez prononcer le mot « vérité » ? grinça Nicolas.

Il se leva, se tint face à Luke. Les deux hommes étaient à peu près de la même taille, mais Luke avait une constitution robuste, alors que Nicolas était mince, souple, félin.

– Allez donc questionner Shurikovsky, poursuivit-il, vous avez ma bénédiction. J'aimerais voir votre tête quand vous apprendrez de quoi est coupable votre femme.

Luke fit mine de partir.

– Attendez ! marmonna Nicolas. N'essayez pas de voir Shurikovsky maintenant. Allez-y après le coucher du soleil. C'est ainsi que se passent les entretiens privés, en Russie, vous comprenez ?

– Je comprends que les Russes adorent les complots.

– Nous préférons parler de « discrétion », objecta Nicolas. Une qualité que vous ne semblez pas posséder, cousin. Je vous accompagnerai, ce soir. Shurikovsky ne connaît guère l'anglais, vous aurez besoin d'un interprète.

Luke eut un rire dur.

– Vous êtes bien la dernière personne que je souhaite avoir à mes côtés !

– Si vous pensez que je persécute votre femme pour des raisons de rancune personnelle, vous êtes stupide. S'il est prouvé que j'ai tort – si j'ai la certitude que Tasia est accusée à tort –, j'embrasserai l'ourlet de sa robe, je la supplierai de me pardonner. Je souhaite seulement que le meurtre de mon frère soit puni.

– Vous avez besoin d'un bouc émissaire, rétorqua Luke, caustique. Vous vous moquez bien de savoir de qui il s'agit, à condition que du sang soit versé en échange de celui de Mikhaïl.

Nicolas se raidit.

– Je viendrai avec vous ce soir, Stokehurst, dit-il néanmoins, pour dévoiler tous les mensonges de Tasia et vous persuader qu'elle a bien tué Micha.

Luke passa l'après-midi à harceler lord Bramwell et son secrétaire jusqu'à ce qu'ils rédigent une liste officielle de doléances sur les mauvais traitements et l'emprisonnement illégaux endurés par la femme d'un citoyen britannique.

Au coucher du soleil, il retourna au palais Angelovsky, où Nicolas l'accueillit nonchalamment tout en croquant dans une pomme. Comme il voyait l'air étonné de Luke devant le fruit à la chair d'un blanc pur et à la peau d'un vert émeraude, il sourit.

– Une spécialité russe, dit-il en en sortant une autre de sa poche. Voulez-vous goûter ?

Bien qu'il n'eût rien avalé de la journée, Luke secoua la tête.

– Les Anglais sont si fiers ! se moqua Nicolas. Vous avez faim, mais jamais vous n'accepterez de nourriture de ma main. Ce n'est pourtant qu'une pomme, cousin ! ajouta-t-il en la lui lançant.

Luke l'attrapa habilement.

– Je ne suis pas votre cousin ! déclara-t-il avant de mordre dans le fruit sucré.

– Mais si ! Tasia est la petite-fille d'un cousin de mon père et vous êtes uni à elle par le mariage. Les Russes sont très sensibles aux liens familiaux, même éloignés.

– Mais ils ne les respectent guère, apparemment.

– Le meurtre ne fait rien pour les resserrer...

Ils échangèrent un regard mauvais et se dirigèrent vers l'attelage qui les attendait. Le trajet jusqu'au palais de Shurikovsky se fit dans un silence lourd. Les rues étaient calmes, presque désertes.

– Il y a des chances pour que le comte se trouve chez le tsar, ce soir, dit enfin Nicolas.

Comme Luke ne répondait pas, il continua, sur le ton de la conversation :

– Ils sont très proches, presque comme des frères. Lorsque le tsar se rend dans son palais à la campagne, il tient toujours à ce que Shurikovsky fasse partie de son entourage. Le gouverneur est un homme puissant, et rusé.

– Le respectez-vous ?

– Non, sûrement pas ! Shurikovsky se mettrait à quatre pattes et aboierait comme un toutou, si le tsar le lui demandait.

– Que savez-vous de ses relations extraconjugales ?

– Il n'en a pas. Certains hommes se laissent diriger

270

par les besoins de la chair, mais ce n'est pas le cas de Shurikovsky. Rien ne l'intéresse, hormis le pouvoir politique.

– Vous ne pouvez pas être naïf à ce point ! protesta Luke.

– La cour en Russie est un cercle fort restreint, et aucun secret ne peut y être gardé. Si Shurikovsky aimait les garçons, tout le monde serait au courant. Or il n'en a jamais été question. D'autre part, mon frère, malgré les efforts de la famille pour l'en empêcher, adorait se vanter de ses conquêtes. Or il n'a jamais fait la moindre allusion à Shurikovsky, il n'a même jamais dit qu'il le connaissait. Il n'y avait rien entre eux, c'est certain.

– Ainsi, Mikhaïl était une gêne pour la famille, réfléchit Luke à haute voix. Jusqu'à quel point voulait-on qu'il se taise ?

Pour la première fois, les yeux jaunes trahirent un certain trouble.

– Non, dit Nicolas à voix basse. Si vous osez simplement suggérer que...

– Vous me tueriez ? suggéra Luke. J'imagine que vous seriez capable de meurtre... malgré l'importance des liens familiaux.

Nicolas lui lança un regard noir. Quand ils atteignirent enfin la résidence de Shurikovsky, un manoir au bord de la Neva, la haine dans la voiture était presque palpable.

Deux hommes montaient la garde devant la porte dorée.

– Des *dvorniki*, dit Nicolas en mettant pied à terre. Ils sont inoffensifs. Avant de les dépecer comme des oies rôties, laissez-moi leur parler.

Luke le vit échanger quelques mots avec les gardes, leur glisser des pièces de monnaie dans la main. Enfin, on les laissa entrer discrètement.

Après s'être entretenu avec un majordome, Nicolas fit signe à Luke de le suivre le long d'un corridor orné de tapisseries.

– Il n'y a personne de la famille. La comtesse est à la

campagne, et le gouverneur ne rentrera que tard dans la soirée.

– Alors, qu'allons-nous faire ?

– Attendre. Et boire. Aimez-vous l'alcool, lord Stokehurst ?

– Pas particulièrement.

– En Russie, nous disons : « Qui ne boit pas ne vit pas. »

Ils pénétrèrent dans une bibliothèque meublée à la française avec de hautes étagères d'acajou et de profonds fauteuils de cuir. Un domestique apporta un plateau chargé de bouteilles givrées.

– La vodka a des saveurs différentes, expliqua Nicolas. Bourgeon de bouleau, cendre, poivre, citron...

– J'essaierais volontiers le bouleau, dit Luke.

A la demande de Nicolas, le serviteur ne tarda pas à revenir avec un autre plateau sur lequel se trouvaient des sardines, du pain, du beurre et du caviar. Nicolas s'installa dans un fauteuil avec un soupir de contentement, un verre dans une main, une tranche de pain noir tartinée de caviar dans l'autre. Il avala le contenu de son verre d'un trait avant de se resservir. Il fixait Luke intensément de son étrange regard jaune.

– Que s'est-il passé ? demanda-t-il avec un geste vers les doigts métalliques de Luke.

– J'ai été blessé dans un incendie.

– Ah !

Nicolas, sans exprimer ni surprise ni sympathie, continuait d'observer son vis-à-vis.

– Pourquoi avez-vous épousé Tasia ? Espériez-vous vous approprier sa fortune ?

– Je n'ai aucun besoin de son argent, rétorqua Luke, glacial.

– Alors ? Vous y êtes-vous cru obligé par amitié pour les Ashbourne ?

– Non.

Luke renversa la tête pour avaler sa vodka. L'alcool semblait doux de prime abord, mais soudain une bouffée de chaleur lui brûla la gorge et le nez.

– Par amour, donc, continua Nicolas, sans la moindre

ironie. Vous n'aviez jamais rencontré quelqu'un qui lui ressemble, n'est-ce pas ?

– Non, reconnut Luke, bourru.

– C'est parce qu'elle a été élevée selon l'ancienne tradition de *terem*. On l'a gardée à la campagne, à l'écart de tout homme, hormis son père et quelques proches parents. Elle a été protégée comme un oiseau dans sa cage dorée. Cela se faisait beaucoup voilà quelque générations, mais c'est devenu de plus en plus rare. Après son bal de débutante, tous les hommes de Saint-Pétersbourg la convoitaient. Une jeune fille calme, étrange, belle, que l'on disait un peu sorcière. Je le croirais volontiers moi-même, quand je regarde ses yeux. Tous la désiraient et la redoutaient à la fois. Sauf moi.

Nicolas s'interrompit un instant pour remplir le verre de Luke.

– Je la voulais pour mon frère.

– Dans quel but ?

– Micha avait besoin de quelqu'un qui s'occupe de lui et comprenne ses démons. Il lui fallait une épouse bien née, intuitive, capable d'une infinie patience, et surtout une femme que son sens du devoir oblige à rester avec lui en dépit de ses vices. Toutes ces qualités, je les voyais chez Tasia.

Luke le foudroya du regard.

– Avez-vous pensé qu'au lieu d'aider Mikhaïl elle risquait d'être détruite par lui ?

– Evidemment. Mais cela ne comptait pas, s'il y avait une chance de sauver Micha.

– Il a eu ce qu'il méritait, déclara Luke, sombre, avant de boire à nouveau.

– Et maintenant, c'est le tour de Tasia.

Luke avait le cœur gonflé de haine. S'il arrivait quelque chose à Tasia, Angelovksy paierait.

Les deux hommes, silencieux, laissaient la vodka les anesthésier. C'était sans doute grâce à l'alcool que Luke parvenait à ne pas sauter à la gorge de son ennemi.

Un domestique vint enfin s'entretenir à voix feutrée avec Nicolas. Quand il se fut retiré, celui-ci se tourna vers Luke, les sourcils froncés.

– Il paraît que Shurikovsky est rentré, mais il est malade. Trop bu, ajouta-t-il en haussant les épaules. Vous voulez tout de même lui parler ce soir ?

Luke fut aussitôt sur ses pieds.

– Où est-il ?

– Dans sa chambre, il s'apprête à se coucher.

Nicolas leva les yeux au ciel devant l'air déterminé de Luke.

– D'accord, allons-y. Avec un peu de chance, il sera suffisamment ivre pour avoir tout oublié demain. Cinq minutes seulement !

Ils montèrent vers un appartement somptueux dans la chambre duquel Shurikovsky était assis au bord du lit, passif, tandis qu'un valet le déshabillait. Le gouverneur était bien différent de l'homme sophistiqué et sûr de lui qui présidait le banquet donné en son honneur quelques heures plus tôt. Sa chevelure grisonnante était ébouriffée, ses yeux perçants étaient injectés de sang, et, par l'échancrure de la chemise, on voyait nettement l'affaissement de sa poitrine. Son corps tout entier dégageait une affreuse odeur de tabac et d'alcool.

– Je ne sais vraiment pas ce que je fais là... marmonna Nicolas. Gouverneur... Excellence... reprit-il en haussant le ton.

Il s'adressa brutalement au valet, qui sursauta.

– Fiche le camp !

L'homme ne se le fit pas dire deux fois. Il passa sans un mot devant Luke, qui se tenait dans l'ombre près de la porte. Son instinct lui dictait de rester caché pour l'instant, et il assista à une scène étrange qu'il s'efforça de décrypter, malgré la barrière du langage.

– Pardonnez-moi de vous déranger, Excellence, disait Nicolas en russe tout en s'approchant de la silhouette tassée sur le lit. Je serai bref, et ensuite je vous laisserai vous reposer. J'ai une question à vous poser, au sujet de la mort de mon frère, Mikhaïl Dmitrievitch. Vous rappelez-vous, Excellence, avoir fait la connaissance de...

– Micha, dit le gouverneur d'une voix pâteuse en levant la tête vers l'homme aux yeux jaunes.

Soudain, il parut renaître à la vie. Il redressa les épaules, ses yeux s'écarquillèrent comme devant une merveilleuse apparition, se mirent à briller de larmes.

– Oh, mon beau, mon joli petit garçon, comme tu m'as hanté ! Je savais que tu reviendrais, mon adorable Micha.

Nicolas se pétrifia.

– Quoi ? souffla-t-il.

Shurikovsky tira sur le bas du manteau d'Angelovsky, insistant. Nicolas obéit à l'ordre silencieux et s'agenouilla près de lui. Son regard jaune ne quittait pas le visage du gouverneur, et il demeura parfaitement immobile tandis que la main tremblante du vieil homme caressait ses cheveux. Les traits de Shurikovsky étaient déformés par une passion douloureuse.

– Mon amour de Micha... Je ne voulais pas te faire de mal, mais tu m'avais tellement bouleversé, en disant que tu voulais me quitter. Et tu es revenu, *lioubezny*, c'est tout ce qui importe.

Du seuil, Luke vit Nicolas parcouru d'un long frisson.

– Qu'avez-vous fait ? demanda Angelovsky.

Le gouverneur eut un sourire extatique, un peu fou.

– Mon chéri... Tu ne m'abandonneras jamais, n'est-ce pas ? Tu détiens toute la douceur du paradis entre tes mains. Et tu as besoin de moi aussi... C'est pourquoi tu es revenu vers ton Samuel.

Il suivit tendrement la courbe crispée de la mâchoire de Nicolas.

– L'idée de te perdre me détruisait. Personne ne peut comprendre, personne ne s'aime comme nous. Quand tu t'es moqué si cruellement de moi, je suis devenu fou, j'ai saisi le coupe-papier... Je voulais simplement arrêter tes affreuses paroles, ton rire atroce.

Il poursuivit en un gémissement plaintif :

– Mon méchant garçon, mon joli garçon... tout est pardonné. Nous ajouterons cela à la liste de nos petits secrets... Mon très cher amour...

Il pencha la tête vers Nicolas qui recula d'un bond avant que les lèvres de Shurikovsky ne touchent les siennes. Il respirait avec difficulté, il était parcouru de tremblements. Stupéfait, le teint terreux, il secoua la tête, puis, rapide comme un chat, il sortit de la pièce tandis que le gouverneur s'écroulait sur son lit en sanglotant.

Luke suivit Nicolas à travers le palais.

– Bon sang, Angelovsky, gronda-t-il, allez-vous me dire ce qui s'est passé ?

Nicolas ne s'arrêta qu'une fois à l'extérieur. Il franchit quelques mètres en trébuchant puis demeura immobile, le visage détourné, cherchant sa respiration.

– Qu'a-t-il dit ? insista Luke. Pour l'amour du Ciel...

– Il s'est confessé, articula enfin Nicolas.

– Divagations de vieil ivrogne, sans doute, dit Luke, bien que son cœur battît la chamade.

– Non. Il a tué Micha, cela ne fait aucun doute.

Luke ferma les yeux.

– Dieu soit loué ! murmura-t-il.

Le cocher, qui les avait vus, fit approcher la voiture d'Angelovsky, mais Nicolas, toujours bouleversé, ne s'en aperçut pas.

– Je ne puis le croire. C'était plus facile d'imaginer Tasia coupable. Tellement plus facile...

– Maintenant, allons voir la police, dit Luke.

Nicolas lâcha un rire amer.

– Vous ne comprenez rien à la Russie ! Sans doute est-ce différent en Angleterre, mais ici, aucun membre du gouvernement n'est jamais coupable. Surtout un homme aussi proche du tsar que le gouverneur. Trop d'éléments – les réformes, la politique – s'articulent autour de lui. S'il tombe, il entraînera bien des gens dans sa chute. Dites un mot au sujet de Shurikovsky, et vous vous retrouverez en train de flotter dans la Neva, la gorge tranchée. La justice n'existe pas, ici. Je parierais que d'autres personnes étaient au courant de la liaison du gouverneur avec mon frère. Le ministre de l'Intérieur, par exemple – il a fait sa carrière en utilisant les vilains petits vices cachés d'autrui. Mais il était plus aisé pour tout le monde de truquer l'enquête et le procès, de sacrifier Tasia à « l'intérêt public ».

Luke était courroucé.

– Si vous pensez que je vais laisser exécuter mon épouse pour épargner vos officiels...

– Je ne pense rien, pour l'instant, coupa Nicolas, sinistre.

Il reprenait quelques couleurs et semblait respirer plus librement.

– Je vais sortir Tasia de ce maudit pays aussi vite que possible ! s'exclama Luke.

Nicolas hocha la tête.

– Sur ce point, nous sommes d'accord.

Luke eut un sourire cynique.

– Pardonnez-moi, mais j'ai du mal à accepter ce revirement. Il y a quelques minutes, vous étiez prêt à la pendre vous-même.

– Depuis le début, je ne souhaite que la vérité.

– Vous auriez pu la chercher avec un peu plus d'acharnement !

– Vous êtes très forts, vous, les Anglais, pour donner des leçons, siffla Nicolas. Vous faites toujours tout comme il faut, n'est-ce pas ? Toutes vos lois, tous vos règlements impersonnels... Vous ne respectez que ce qui est à votre image. Pour vous, seuls les Britanniques sont des êtres civilisés, tous les autres sont des barbares.

– Cette expérience devrait-elle me prouver le contraire ? demanda Luke, sarcastique.

Nicolas soupira.

– La vie de Tasia ici est terminée, je ne peux rien y changer. Mais je vous aiderai à la ramener saine et sauve en Angleterre. C'est ma faute si elle est menacée en ce moment.

– Et Shurikovsky ? voulut savoir Luke.

Nicolas jeta un coup d'œil au cocher qui attendait tout près et baissa la voix.

– Je m'occuperai personnellement de faire justice.

– Vous ne pouvez le tuer de sang-froid ! protesta Luke.

– Il n'y a qu'un moyen, et c'est à moi de m'en charger.

– De toute évidence, le gouverneur est écrasé par le poids de sa culpabilité, argumenta Luke. Il n'y survivra pas, j'en suis sûr. Pourquoi ne pas laisser le temps faire son œuvre ?

– Pourriez-vous demeurer passif, si votre frère avait été assassiné ?

– Je n'ai pas de frère.

– Votre petite sœur, alors. Ne tenteriez-vous pas de venger vous-même son assassinat, si c'était la seule façon ?

Luke ne répondit pas.

– Peut-être pensez-vous qu'un parasite comme Micha ne vaut pas toute cette peine, reprit doucement Nicolas, et vous avez sans doute raison. Mais jamais je n'oublierai qu'il fut autrefois un enfant innocent. Et je voudrais vous faire comprendre ceci : Micha n'était pas responsable de ce qu'il est devenu. Notre mère était une paysanne obtuse, tout juste bonne à mettre des enfants au monde. Quant à notre père, c'était un monstre. Il...

Nicolas avala sa salive avant de poursuivre, d'un ton neutre :

– Parfois, je trouvais mon frère dans un coin sombre ou dans un placard, en train de pleurer. Tout le monde savait qu'il servait de jouet sexuel à mon père. Pourquoi Micha, et pas moi ? Je l'ignore. En tout cas, personne n'osait s'interposer. Un jour, j'ai tenté d'affronter mon père, mais il m'a battu jusqu'à ce que je perde connaissance. Il n'est pas drôle d'être à la merci d'un individu qui ignore la pitié. Enfin, j'ai été assez âgé pour... convaincre mon père de se tenir à l'écart de Micha, mais c'était déjà trop tard, le mal était fait. Mon frère avait été brisé avant d'avoir eu le temps de connaître une vie normale. Et moi aussi, ajouta Nicolas avec un mince sourire.

Luke embrassa du regard la vaste avenue mélancolique, le dôme qui se profilait au loin, la maison qu'ils venaient de quitter. Jamais de sa vie il ne s'était senti si mal à l'aise, si peu à sa place, si... britannique. Ce magnifique pays pliait un homme à sa volonté, qu'il fût fier ou humble, riche ou pauvre.

– Le passé de Mikhaïl et sa mort ne me concernent pas, dit-il d'une voix sans timbre. Je me moque de ce que vous déciderez de faire, je veux simplement ramener ma femme en Angleterre.

Tasia reposait paisiblement. Docile, elle s'était alllongée dès le départ de Luke, et pour la première fois depuis des jours, elle avait été capable de se détendre. Son mari l'avait trouvée, il était quelque part dans la ville en train de se démener pour la sauver. Quoi qu'il arrive, elle avait la conscience claire, aucun doute, aucun blâme ne venait plus la bouleverser. Allongée sur le dos, sa longue chevelure répandue sur l'oreiller, elle flottait au fil de tendres rêves.

Elle fut brusquement réveillée par une grande main qui se posait sur sa bouche afin d'étouffer son cri de frayeur, tandis qu'une voix d'homme lui chuchotait à l'oreille :

- Je n'en ai pas encore fini avec toi...

11

Tasia ouvrit les yeux pour s'apercevoir bien vite qu'il s'agissait de son mari. Le cœur battant à se rompre, elle se détendit tandis que la main la libérait.

– Luke...

– Chut !

Il prit ses lèvres avec passion.

– Comment es-tu entré ? demanda-t-elle enfin à voix basse. Le colonel Radkov m'a dit que la sécurité avait été renforcée, que je n'avais plus le droit de recevoir de visiteurs...

– Nicolas a annulé cet ordre. Nous sommes enfermés dans cette chambre pour toute la nuit.

– Mais pourquoi aurait-il...

– Plus tard. J'ai tellement envie de toi !

Il s'allongea sur elle, et tout le reste disparut. C'était si bon, de sentir son poids ! Elle avait l'impression de ne pas l'avoir vu depuis des mois. Elle gémit et s'agita afin de se débarrasser du drap qui la gênait, pendant qu'il continuait à l'embrasser.

Il finit par se soulever légèrement pour admirer le corps de Tasia, à peine voilé par une légère chemise. Comme elle la faisait glisser, il suivit le même chemin des lèvres, baisa le bout gonflé de ses seins.

Tendus l'un contre l'autre, ils se touchaient, se caressaient, avec une telle frénésie que Luke n'était pas complètement déshabillé lorsqu'il entra en elle. Tasia eut un petit cri de douleur, mais son corps s'ajusta bien vite à la force de l'homme. Alors il se mit à bouger, la faisant gémir de plaisir.

Soudain, il roula sur le dos, l'emportant avec lui, sa main sur les reins de Tasia, et elle se retrouva sur lui, menant le jeu, retardant l'instant de l'extase. Il suivit le rythme qu'elle imposait, ses yeux brillant comme des saphirs dans l'obscurité.

Enfin elle fut incapable de résister davantage, et le flot merveilleux s'empara d'elle, elle se mit à trembler, se mordit la lèvre. Luke l'attira à lui et étouffa sous un baiser le cri qui allait lui échapper avant d'exploser à son tour.

Epuisé, il s'endormit, Tasia alanguie contre sa poitrine.

Un peu plus tard, il permit à Tasia de le dévêtir, comblé comme un sultan acceptant l'adoration de sa favorite.

— Tu n'imagines pas combien tout cela m'a manqué, dit la jeune femme en jetant sa chemise au sol.

Elle baisa amoureusement son torse, et il caressa sa chevelure soyeuse.

— J'en ai une petite idée, je crois... Tu fais des progrès constants, à ce sujet. Je dois vraiment te ramener avec moi en Angleterre, il serait dommage de gâcher un talent pareil...

— Je suis bien d'accord ! Partons tout de suite.

— Demain soir, répondit Luke en reprenant son sérieux.

Il lui raconta ce qui s'était passé et lui expliqua le plan que Nicolas avait échafaudé pendant qu'ils rentraient au palais Angelovsky.

Tasia l'écouta sans mot dire, tentant de faire le point de ses émotions mêlées. Soulagement, espoir à l'idée de pouvoir continuer à vivre avec Luke en Angleterre, bien sûr. Pourtant, elle éprouvait un sentiment d'injustice vis-à-vis de tout ce dont elle avait été privée.

— Je serai heureuse de quitter la Russie, dit-elle enfin, amère. J'en étais déchirée la première fois, mais plus maintenant. C'est mon pays, ma patrie... et je n'en avais vu que la brillante façade. Je n'avais pas compris à quel point tout était pourri, sous cette splendeur. Combien de gens ont été sacrifiés pour le « bien public » ? Il n'y a pas d'avenir, ici. Ils disent que nous sommes tous les enfants du tsar, qu'on appelle *Batiouchka*, le père de toutes les Russies, un parent bienveillant qui nous aime et nous protège comme Dieu Lui-même. C'est un mensonge, une fable inventée pour favoriser quelques privilégiés et leur permettre de tirer parti de la pauvreté des autres. Le tsar et ses ministres, ainsi que toutes les familles comme la mienne, celle des Angelovsky... ils se moquent bien de l'avenir de la Russie. Ils veulent seulement s'assurer que rien ne menace leur confort. Si je parviens à m'en aller d'ici, je ne reviendrai jamais, même si la possibilité m'en est offerte.

Dans son intonation, Luke discerna la colère, la peine, et il essaya de la consoler.

— Perdre ses illusions, dit-il doucement, est l'un des plus douloureux chagrins de la vie. Ne crois pas que la Russie soit un cas isolé. Il y a partout des gens qui écrasent leur prochain. Les plus honorables des hommes sont capables de trahison, de cruauté, c'est le lot de la nature humaine. L'ombre et la lumière existent en chacun de nous.

— Dieu merci, je t'ai ! soupira Tasia en posant la tête au creux de son cou. Jamais tu ne me trahirais.

— Jamais ! promit-il.

— Tu es l'homme le meilleur que je connaisse !

— Tu n'en connais pas beaucoup, murmura Luke avec un petit rire un peu embarrassé. Mais je t'aime plus que ma vie, cela, tu peux en être certaine, Tasia... et ce sera toujours vrai.

*
**

Le lendemain matin, Nicolas vint déverrouiller la porte et il demanda à rester seul un instant avec Tasia. Luke refusa aussitôt, affirmant que ce qui devait être dit pouvait l'être en sa présence. S'ensuivit une dispute à laquelle Tasia mit fin en se dressant sur la pointe des pieds pour murmurer à l'oreille de son mari :

– Je t'en prie, Luke, accorde-nous quelques minutes.

Avec un regard menaçant à Nicolas, Luke quitta la chambre à contrecœur. Tasia se tourna alors vers son cousin.

– De quoi vouliez-vous me parler, Nicolas ?

Il la regarda un instant en silence, le visage indéchiffrable. Elle ne put s'empêcher de constater à quel point il était beau.

Elle eut soudain le souffle coupé en le voyant avancer vers elle pour s'agenouiller d'un mouvement souple. La tête inclinée, il souleva le bas de sa robe et le baisa, en un séculaire geste d'hommage, puis il se releva.

– Pardonnez-moi, dit-il, rigide. Je vous ai causé le plus grand tort, et j'aurai une dette envers vous jusqu'à la deuxième génération.

Tasia s'efforça de reprendre ses esprits. Jamais elle n'aurait imaginé que Nicolas s'excuserait, et surtout pas de cette façon solennelle, désuète !

– Je vous demande seulement de veiller sur ma mère, dit-elle. Je crains qu'elle ne soit punie pour m'avoir aidée à m'enfuir.

– Maria n'a rien à redouter. J'ai des amis au ministère de l'Intérieur, ainsi que dans la police. Ils seront furieux de votre disparition, mais ils ne pourront poser à Maria que des questions de pure forme. J'achèterai quelques officiels de haut rang afin de m'assurer qu'on ne l'emprisonnera pas pour l'interroger, et nous conclurons qu'elle est une femme un peu sotte trompée par sa fille trop rusée. Faites-moi confiance.

– Je vous crois.

– Parfait.

Il se détournait pour sortir, mais elle le rappela doucement.

– Kolia...

Il lui fit face, une expression stupéfaite sur ses traits habituellement figés. Personne n'avait jamais utilisé le diminutif de son prénom.

– Vous savez que j'ai... certaines prémonitions, reprit-elle.

– Oui, dit-il avec un léger sourire. Vos fameux talents

de sorcière ! Si vous avez « vu » quelque chose à mon sujet, je préfère l'ignorer.

– Une catastrophe vous guette, insista-t-elle. Il vous faut quitter la Russie, et le plus vite possible.

– Je suis parfaitement capable de veiller sur mon avenir, ma cousine.

– Il va vous arriver des choses terribles si vous n'envisagez pas de bâtir une nouvelle vie quelque part, Nicolas. Vous devez me croire !

– Tout ce que je désire, tout ce que je connais se trouve ici. Il n'existe rien pour moi en dehors de la Russie, et je préférerais mourir ici plutôt que de vivre ailleurs la fin de ma vie.

Il eut un sourire ironique.

– Partez avec votre Anglais d'époux, donnez-lui une douzaine de fils, et gardez votre sollicitude pour ceux qui en ont besoin. *Do svidania*, ma cousine.

– Adieu, Nicolas, répondit-elle, pleine de compassion et d'anxiété tandis qu'il sortait de la pièce.

Maria Petrovna Kaptereva pénétra au palais Angelovsky vêtue d'une cape de satin vert à capuche qui la couvrait de la tête aux pieds. Les sentinelles la saluèrent avec un respect mêlé d'intérêt.

Le colonel Radkov, officier envoyé par le tsar pour s'occuper de la sécurité du palais, s'approcha d'elle.

– La prisonnière n'est pas autorisée à recevoir des visites, dit-il fermement.

Avant que Maria pût répondre, Nicolas intervint :

– Mme Kaptereva a reçu la permission de passer dix minutes avec sa fille, sous mon autorité.

– Cela ne correspond pas aux ordres que j'ai reçus...

– Bien sûr, si vous décidiez de vous plaindre auprès du ministre de la Justice, je le comprendrais, je ne suis pas rancunier, dit Nicolas avec un sourire froid qui démentait ses paroles.

L'homme pâlit sous la menace implicite et secoua la tête en marmonnant quelques mots incompréhensibles. Angelovsky s'était acquis, à juste titre, une solide réputation de cruauté, et aucun individu sain d'esprit ne se serait risqué à le contrarier.

En silence, Maria posa sa petite main chargée de bagues sur le bras que lui offrait Nicolas, et ils montèrent l'escalier.

Luke se trouvait dans l'antichambre de la suite de Tasia quand la porte s'ouvrit. Il échangea un furtif regard complice avec Nicolas – jusque-là, tout s'était bien passé –, puis le prince se retira en murmurant :

– Dix minutes.

Il referma à clé derrière lui.

Luke regardait la femme qui se tenait devant lui, notant distraitement la ressemblance superficielle entre la mère et la fille : mêmes silhouette, cheveux noirs, teint de porcelaine.

– Madame... dit-il en portant les doigts de Maria à ses lèvres.

Maria Petrovna paraissait plus jeune que son âge, et elle était d'une grande beauté, avec des traits plus classiques que ceux de sa fille. Ses yeux étaient plus ronds, ses sourcils plus délicats, ses lèvres formaient une moue étudiée, bien différentes de la sensualité de celles de Tasia. Mais on sentait en elle une fragilité qui ne ferait que s'accentuer avec les années. Luke préférait l'éclat moins conventionnel de Tasia, qui le fascinerait à jamais.

Maria le dévisagea et lui adressa un sourire de femme coquette.

– Quelle agréable surprise, lord Stokehurst ! lança-t-elle en français. Je m'attendais à voir un pâle et maigre Britannique, et voici un bel homme brun, robuste. J'*adore* les hommes grands ! Avec eux, on se sent protégée, en sécurité.

Gracieuse, elle dénoua l'attache de sa cape et lui permit de s'en débarrasser. Une robe jaune mettait sa souple silhouette en valeur, et elle était couverte de bijoux.

– Maman ! s'écria Tasia d'une voix tremblante d'émotion.

Maria se tourna avec un sourire éblouissant en tendant les bras à sa fille qui courut s'y jeter. Elles s'embrassèrent dans un murmure de larmes et de joyeuses exclamations.

– Ils n'ont pas voulu me laisser t'approcher, jusqu'à présent, Tasia...

– Je sais !

– Que tu es belle !

– Vous aussi, maman, comme toujours.

Elles se retirèrent dans la chambre où elles s'assirent sur le lit, les mains entrelacées.

– J'ai tellement de choses à vous raconter ! s'écria Tasia en serrant sa mère dans ses bras.

Maria, qui n'aimait guère les démonstrations d'affection, se contenta de tapoter le dos de sa fille.

– Comment cela se passe-t-il, en Angleterre ? demanda-t-elle dans leur langue maternelle.

Le visage de Tasia s'éclaira.

– C'est le paradis !

Maria eut un petit signe de tête vers la pièce où Luke les attendait discrètement.

– Est-ce un bon mari ?

– Merveilleux, généreux, gentil. Je l'aime de tout mon cœur.

– Possède-t-il des terres, des maisons ?

– Il est très riche.

– Combien de serviteurs ?

– Au moins une centaine, peut-être plus.

Maria fronça les sourcils. C'était bien modeste, selon les exigences de l'aristocratie russe. A une époque, les Kapterev employaient presque cinq cents personnes, et Nicolas Angelovsky, pour entretenir ses vingt-sept domaines, n'en comptait pas moins de mille.

– Combien de demeures possède-t-il ?

– Trois, maman.

– Seulement.

Maria eut un soupir déçu.

– Enfin... s'il est bon avec toi, se consola-t-elle. D'autre part, il est bel homme, et c'est important.

Tasia grimaça un petit sourire et elle serra tendrement la main de sa mère.

J'attends un bébé, maman. J'en suis presque certaine.

– Vraiment ?

Le visage mobile de Maria exprimait à la fois plaisir et ennui.

– Mais, Tasia... je suis bien trop jeune pour être grand-mère !

Tasia rit avant d'écouter les conseils de sa mère concernant la nourriture indispensable à une femme enceinte et ce qu'elle devrait faire pour retrouver sa ligne après la naissance. Maria promit aussi d'envoyer à sa fille la robe de baptême portée par quatre générations de Kapterev.

Hélas, les dix minutes passèrent bien trop vite ! On frappa à la porte, et Luke pénétra dans la chambre. Tasia sursauta, les yeux agrandis d'inquiétude.

– C'est l'heure, dit-il, très calme.

– Vous ne m'avez pas donné de nouvelles de Varka, maman...

– Elle va bien. Je voulais l'amener, mais Nicolas me l'a interdit.

– Voudriez-vous lui transmettre toute mon affection, et lui dire que je suis heureuse ?

– Bien sûr.

Maria entreprenait d'ôter son collier et ses bracelets.

– Tiens, mets-les. Je veux que tu les aies.

Tasia secoua la tête, stupéfaite.

– Non, je sais combien vous aimez vos joyaux...

– Prends-les ! insista Maria. Je ne porte que les plus petits, aujourd'hui. Franchement, j'en ai assez de ces babioles.

Ces babioles, comme elle les appelait, valaient en réalité une fortune. Il y avait deux rangs de perles et de diamants, un bracelet d'or orné d'énormes cabochons de saphir. Ignorant les protestations de Tasia, Maria le lui referma sur le poignet et glissa de lourdes bagues à ses doigts – un nœud de rubis censés « purifier le sang », un diamant jonquille de dix carats, un merveilleux oiseau de feu composé d'émeraudes, saphirs et rubis.

– Ton père me l'a offerte pour ta naissance, dit enfin

Maria en épinglant une broche piquetée de pierres précieuses au corsage de sa fille.

– Merci, maman.

Tasia se leva, et Luke posa la cape verte sur ses épaules, rabattit le capuchon sur sa tête. La jeune femme se tourna vers sa mère, inquiète.

– Quand ils découvriront que c'est vous qui êtes là, au lieu de moi...

– Tout ira bien, assura Maria. Nicolas a donné sa parole.

Nicolas fit irruption dans la chambre, soudain impatient.

– Assez de bavardages ! Venez, Tasia !

Luke effleura la joue de sa femme avant de la pousser doucement vers Angelovsky.

– Je vous rejoindrai plus tard...

– Quoi ?

Tasia se retourna vers lui, très pâle.

– Vous venez avec moi, n'est-ce pas ?

Il secoua la tête.

– Cela paraîtrait bizarre. Mieux vaut que Radkov et ses soldats croient que je suis resté pour vous consoler. Ils nous surveillent tous de près. Je vous retrouverai, vous et Biddle, sur l'île Vassilievsky.

Située du côté est de la ville, cette île possédait un port qui ouvrait sur le golfe de Finlande.

Prise de panique, Tasia s'accrocha à la taille de son époux.

– Je ne partirai pas sans vous, je ne veux pas vous quitter !

Luke eut un sourire rassurant. Malgré la présence de Maria et de Nicolas, il embrassa son épouse sur les lèvres en murmurant :

– Tout ira bien. Je ne tarderai pas, mais je vous en supplie, partez sans discuter.

– « Je vous en supplie » ? ne put s'empêcher de répéter Nicolas. Maintenant, je comprends pourquoi les Anglais ont la réputation de se laisser diriger par leurs femmes ! La supplier d'obéir à vos ordres, alors que vous devriez la mater à coups de fouet ! Le jour où un Russe qui se respecte s'adressera ainsi à une femme rebelle...

Tasia lui lança un regard noir.

– Dieu merci, je ne suis pas mariée à « un Russe qui se respecte ». Ce ne sont pas des épouses que vous voulez, mais des esclaves ! Je plains celles d'entre elles qui possèdent un peu d'intelligence, ou de l'esprit, ou simplement des opinions personnelles !

Nicolas regarda Luke par-dessus la tête de sa cousine, une étincelle amusée dans les yeux.

– Vous l'avez pourrie, dit-il. Mieux vaut qu'elle retourne en Angleterre...

Obéissant enfin à la pression de son mari, Tasia se détacha de lui, et elle se dirigeait vers la porte lorsqu'elle vit une ombre dans le petit salon et entendit des pas étouffés sur le tapis.

Les autres avaient entendu aussi, et Luke fut le premier à réagir. Il traversa la pièce à longs pas silencieux pour s'emparer de l'intrus, une sentinelle qui écoutait à la porte. Il lui plaqua une main sur la bouche, mais l'homme se débattit si énergiquement qu'ils allèrent tous les deux heurter le mur. Luke luttait de toutes ses forces pour maîtriser l'individu tout en l'empêchant d'appeler à l'aide ; un seul cri, et une armée de gardes se précipiteraient, rendant impossible la fuite de Tasia.

Luke se rendit vaguement compte que Nicolas le rejoignait. Il y eut un éclat d'acier, puis une explosion de violence muette, et l'homme, cessant de se débattre, s'effondra dans les bras de Luke. Celui-ci comprit que Nicolas avait poignardé la sentinelle avant d'appliquer un tissu – une serviette, ou une veste, peut-être – sur la blessure pour éponger le sang. Le soldat eut une ultime convulsion.

– Ne laissez pas le sang se répandre sur le tapis, marmonna Nicolas.

Maria était tendue et très pâle, Tasia blafarde. Résolument, Luke refoula la nausée qui l'envahissait et aida Nicolas à porter la sentinelle hors de la suite. A quelques portes de là, dans le corridor, se trouvait une pièce pleine de tableaux et de meubles inutilisés. Ils déposèrent rapidement le cadavre dans un coin, derrière une commode, caché par des toiles.

– Un autre squelette à enfermer dans la chambre des horreurs familiale, dit Nicolas, sarcastique.

Il était, comme toujours, impassible, avec ses étranges yeux jaunes. Luke eut une réaction de mépris pour son indifférence, mais il remarqua que Nicolas avait les poings serrés.

– Si vous croyez que la vue de la mort me dérange, murmura Nicolas qui avait suivi la direction de son regard, vous vous trompez. C'était vrai autrefois, mais maintenant c'est l'absence d'émotion qui me gêne.

– Puisque vous le dites... rétorqua Luke, peu convaincu.

– Allons-y ! Nous avons quand même fait un peu de bruit... Ils ne tarderont pas à s'apercevoir qu'il manque un soldat, et le régiment entier va monter...

*
**

Tasia était très calme lorsqu'elle descendit l'escalier au bras de Nicolas, la tête inclinée, dans l'attitude d'une mère en détresse, le capuchon lui masquant presque entièrement le visage. La mort du soldat l'avait choquée, et elle tirait sa force de la froide détermination de son cousin. Elle quittait le palais où Micha avait été tué, où son étrange périple avait commencé... Mais maintenant, elle avait Luke, et un foyer. Sous la cape, elle posa la main sur son ventre, là où se nichait son bébé. *Dieu, accordez-moi la chance de rentrer à la maison, laissez-nous trouver la sécurité...* Ses lèvres formaient les mots en silence, tandis qu'elle sentait sur elle le regard des sentinelles.

Quelqu'un se dressa devant eux, les forçant à s'arrêter, et Tasia crispa les doigts sur le poignet de Nicolas.

– Colonel Radkov, dit celui-ci, que voulez-vous ?

– On dit que Mme Kaptereva est d'une immense beauté, Votre Altesse. Je serais fort honoré de voir son visage.

Nicolas rétorqua, avec le plus grand mépris :

– Voici une requête digne d'un paysan obtus ! N'avez-vous aucun respect pour le chagrin d'une mère, que vous l'insultiez de cette manière ?

Il y eut un long silence chargé de défi, et ce fut Radkov qui finit par battre en retraite.

– Pardonnez-moi, madame, murmura-t-il. Je ne voulais pas me montrer grossier.

Sur un hochement de tête, Tasia se remit en marche, tandis que l'officier s'écartait pour les laisser passer. Calmement, elle franchit le seuil pour se retrouver dans l'air frais de la nuit. Un attelage les attendait, hors de la lumière des réverbères.

– Vite ! chuchota Nicolas en l'aidant à monter en voiture.

Sur le marchepied, elle se retourna, s'accrocha aux poignets de l'homme, ses yeux de chat presque phosphorescents sous le capuchon. Elle était brusquement submergée par la menace qui pesait non sur elle mais sur lui. Elle le vit hurlant de douleur, le visage en sang, et elle fut parcourue d'un long tremblement.

– Il faut quitter la Russie, Nicolas, dit-elle d'une voix pressante. Venez nous rejoindre en Angleterre.

– Je ne le ferais pas même au prix de ma vie, répondit-il dans un petit rire sec.

– C'est de cela qu'il s'agit, justement ! insista-t-elle.

Nicolas la regarda, grave, et il se pencha à l'intérieur de la voiture, comme s'il voulait lui dire quelque chose d'important, de confidentiel. Elle demeura parfaitement immobile.

– Les gens comme vous et moi survivent toujours, murmura-t-il. Nous tenons notre sort entre nos mains, et nous le plions à notre volonté. Combien de femmes seraient passées du statut de prisonnière dans une sinistre cellule russe à celui d'épouse d'un aristocrate anglais ? Vous vous êtes servie de votre beauté, de votre intelligence, de tout votre talent pour obtenir ce que vous vouliez. Je me conduirai de la même façon. Ne vous inquiétez pas pour moi... Je vous souhaite beaucoup de bonheur.

Ses lèvres fraîches se posèrent sur celles de Tasia, et elle frissonna, comme si elle avait senti la mort.

La portière se ferma, et la jeune femme s'appuya à la banquette tandis que le cocher fouettait les chevaux. Soudain, elle s'aperçut qu'elle n'était pas seule dans l'attelage.

– Oh... !

– Lady Stokehurst, dit Biddle à voix basse, quel plaisir de vous revoir en bonne santé !

– Monsieur Biddle ! Je commence enfin à croire vraiment que je rentre à la maison...

– Oui, madame. Dès que nous aurons retrouvé lord Stokehurst au chantier naval.

Elle se raidit, inquiète.

– Ce ne sera jamais assez tôt pour moi.

Maria se tint près de Luke à la fenêtre pour regarder la voiture s'éloigner, et elle soupira, soulagée.

– Dieu merci, la voici en sécurité.

Elle se tourna vers son gendre, posa la main sur son bras.

– Merci d'avoir sauvé Anastasia. Je suis réconfortée de la savoir avec un époux aussi bon. Je dois l'avouer, au début j'étais un peu contrariée par votre manque de fortune, mais je vois maintenant qu'il y a des éléments plus importants, dans une union, comme la confiance, l'amour.

Luke ouvrit la bouche, la referma. Héritier d'un duché, il avait en outre ajouté des revenus industriels à ceux, déjà considérables, de ses domaines qui se répartissaient dans sept régions – sans compter une participation majoritaire dans une importante compagnie ferroviaire... Et il n'aurait jamais imaginé être confronté à une belle-mère qui avait la grandeur d'âme de lui pardonner son « manque de fortune » !

– Merci, parvint-il néanmoins à articuler.

Les yeux de Maria s'embuèrent de larmes.

– Vous êtes bon. Bon et responsable. Ivan, le père de Tasia, était comme vous. Sa fille était le bonheur de ses jours. « Mon trésor, mon oiseau de feu », l'appelait-il. Ses dernières pensées ont été pour elle, il m'a suppliée de m'assurer qu'elle épouserait un homme qui saurait veiller sur elle.

Maria renifla délicatement.

– Je me suis persuadée qu'elle aurait tout ce qu'elle voudrait en épousant un Angelovsky, j'ai refusé de l'écouter lorsqu'elle m'a suppliée de ne pas la forcer à ce mariage. J'ai cru qu'il s'agissait d'un caprice d'adolescente trop romantique...

Elle s'essuya les yeux avec le mouchoir que lui tendait Luke.

– Tout ce qui lui est arrivé est ma faute...

– Il est inutile de vous adresser des reproches, dit Luke doucement. C'est difficile pour tout le monde. Tasia ira bien, dorénavant.

– Oui, répondit Maria en l'embrassant sur la joue, à la façon européenne. Allez vite la retrouver.

– C'est bien mon intention. Ne vous tracassez plus pour votre fille, madame Kaptereva. Elle sera en sécurité, en Angleterre. Et plus heureuse qu'elle n'aurait pu le rêver.

Tasia et Biddle attendaient au coin d'un entrepôt, au milieu de marins en permission, de dockers, de négociants qui se plaignaient du mauvais état de leurs marchandises. Cachée dans l'ombre, Tasia guettait avec anxiété l'arrivée de son mari.

Biddle, la sentant de plus en plus inquiète, déclara afin de l'apaiser :

– Il est trop tôt pour qu'il ait pu atteindre l'île, lady Stokehurst.

Elle prit une profonde inspiration.

– Et s'ils ont découvert ma disparition ? On risque de le garder pour qu'il soit interrogé par la police d'Etat... de l'accuser de crimes politiques contre le gouvernement impérial, et alors...

– Il ne va pas tarder, la rassura Biddle, bien qu'une note d'angoisse perçât dans sa voix.

Tasia se raidit en voyant approcher un homme vêtu de rouge et de noir, l'uniforme des gendarmes. Il semblait soupçonneux ; il allait leur demander qui ils étaient, ce qu'ils faisaient là...

– Ô Dieu... murmura Tasia, au bord de la panique.

Elle réfléchit rapidement, puis noua ses bras autour du cou du valet stupéfait. Ignorant son grognement choqué, elle pressa ses lèvres contre les siennes et n'interrompit le baiser que lorsque le gendarme fut tout près d'eux.

– Que se passe-t-il, ici ? gronda-t-il.

Tasia se détacha de Biddle, avec une feinte surprise.

– Oh, monsieur, souffla-t-elle, je vous en prie, ne dites à personne que vous nous avez vus ! Je suis venue retrouver mon amoureux anglais, et mon père n'approuverait sûrement pas...

Le gendarme se fit sévère.

– Votre père vous fouetterait sans doute, en effet, s'il savait ce que vous faites...

Tasia tourna vers lui de grands yeux pleins de larmes.

– C'est notre dernière soirée ensemble, monsieur, gémit-elle en s'accrochant au bras de Biddle.

Le soldat jeta vers la frêle silhouette de Biddle un coup d'œil sceptique. Comment cet avorton était-il capable de susciter une telle passion ? Il y eut un long silence terrifiant, enfin il céda :

– Faites-vous vos adieux, puis dites-lui de s'en aller, marmonna-t-il, bourru. Et soyez sûre que votre père sait ce qui convient pour vous. Les enfants obéissants font la joie de leurs parents. Une jolie fille comme vous... Ils vous trouveront quelqu'un de mieux que ce petit Anglais maigrichon.

Tasia piqua du nez.

– Oui, monsieur...

– Je vais faire comme si je ne vous avais pas vus et continuer ma ronde. Mais, ajouta-t-il en agitant un doigt menaçant, que je ne vous retrouve pas là à mon prochain passage !

– *Spassibo*, le remercia-t-elle en ôtant une de ses bagues pour la lui tendre.

Grâce à ce cadeau, il ne se presserait sans doute pas de revenir. Le gendarme accepta le bijou avec un bref signe de tête et, sur un regard noir à Biddle, il poursuivit son chemin.

Tasia souffla longuement avant de se tourner vers le valet avec un sourire d'excuse.

– Je lui ai dit que vous étiez mon amoureux, c'est tout ce que j'ai trouvé sur le moment.

Biddle la fixait, pétrifié, incapable de prononcer une parole.

– Vous vous sentez bien ? demanda-t-elle, étonnée de son silence. Oh, monsieur Biddle, vous ai-je choqué ?

Il avala sa salive avec difficulté, tirailla le col de sa chemise.

– Je... je ne sais pas comment je pourrai regarder Sa Seigneurie en face, dorénavant.

– Il comprendra, j'en suis sûre... commença Tasia, penaude, avant de sursauter en voyant un autre homme avancer vers eux.

Biddle se raidit, prêt à subir un nouvel assaut, mais Tasia se jeta vers l'inconnu avec un petit cri de plaisir.

– Oncle Kirill !

Sous la barbe, le visage de Kirill s'épanouit tandis que Tasia disparaissait entre ses bras puissants.

– Ma petite nièce, murmura-t-il tendrement. Il ne sert à rien que je te fasse sortir de Russie si tu persistes à y revenir ! Tu vas rester pour de bon en Angleterre, cette fois. Promis ?

Tasia sourit.

– Promis, mon oncle.

– Nicolas m'a écrit pour tout m'expliquer. Il m'a dit que tu étais mariée...

Kirill la tint un instant à bout de bras pour mieux la contempler.

– Epanouie comme une rose, approuva-t-il en jetant un coup d'œil par-dessus sa tête à Biddle. Il doit être un bon époux, ce petit Anglais.

– Oh non ! rectifia vivement Tasia. C'est son valet de

chambre, oncle Kirill. Mon mari ne va pas tarder à nous rejoindre... si tout se passe bien.

Elle fronça les sourcils, terrifiée à l'idée du danger que courait Luke.

– Ah ! dit Kirill, compatissant, je vais aller à sa rencontre. Mais d'abord, je t'accompagne au bateau...

– Non ! Je n'irai nulle part sans lui !

Kirill ouvrit la bouche pour protester, puis il hocha la tête.

– Est-il grand, ton mari ?

– Oui.

– Brun ?

– Oui...

– Avec des doigts artificiels ? Et il boite un peu ?

Tasia fixa son oncle avec effarement, puis elle fit volte-face et vit Luke qui venait vers eux. Il était dans un état déplorable, il boitait en effet légèrement, mais jamais il ne lui avait paru plus beau. Elle courut se jeter dans ses bras.

– Luke... Tu vas bien ?

Il prit son visage entre ses mains et lui baisa les lèvres.

– Non. J'ai des douzaines d'ecchymoses, les muscles endoloris, et tu devras soigner tout ça durant le trajet de retour.

– Avec plaisir, monseigneur...

Prenant sa main, Tasia l'entraîna vers son oncle à qui elle le présenta. Kirill prononça quelques mots dans un anglais maladroit, puis ils décidèrent d'embarquer sans attendre.

Se rappelant tout à coup la présence de son domestique, Luke se tourna vers le brave homme qui se tordait les mains sans mot dire.

– Pourquoi êtes-vous tout rouge, Biddle ? On vous croirait au bord de l'apoplexie.

Le valet marmonna quelques mots incompréhensibles avant de se ruer vers le bateau.

– Que lui arrive-t-il ? demanda Luke.

Tasia haussa les épaules.

– Sans doute le contrecoup de cette soirée difficile...

296

Luke observait son innocente expression d'un air sceptique.

– Peu importe, vous me raconterez plus tard. Pour l'instant, quittons cet endroit de malheur.

– Oui, répondit-elle, calme et sereine. Rentrons à la maison.

12

Londres, Angleterre

Depuis trois mois qu'ils étaient rentrés, Tasia s'était encore épanouie. Ils vivaient à Londres, afin de faciliter le travail de Luke, et, pour la première fois de sa vie, la jeune femme était profondément heureuse. Il ne s'agissait pas de brefs instants d'émotion, d'éclairs de joie, comme elle en avait connu auparavant, mais d'un sentiment plus fort, plus solide. C'était un véritable miracle de se réveiller chaque matin auprès de Luke, de savoir qu'il lui appartenait. Il se montrait sans cesse différent, tour à tour paternel, diabolique, tendre comme un jouvenceau... Il la taquinait, jouait avec elle, la courtisait passionnément.

Tandis que la grossesse avançait, Luke, fasciné, assistait à la transformation du corps de son épouse. Il lui arrivait de la déshabiller au beau milieu de la journée simplement pour la regarder, sans tenir compte de son petit rire pudique et de ses protestations. Il passait la main sur la courbe de son ventre comme il aurait caressé la plus magnifique des œuvres d'art.

– Je n'ai jamais rien vu de plus beau, murmura-t-il un jour, en pleine admiration.

– Ce sera un garçon, dit-elle.

– Ça m'est égal, répondit-il en embrassant la peau tendue. Garçon ou fille... c'est une part de toi.

– De nous, rectifia-t-elle en souriant.

Comme Tasia pouvait encore dissimuler son état sous

des robes à taille haute, il lui était permis d'assis
des soirées, de se rendre au théâtre, à l'Opéra. Plus
lorsqu'elle serait trop grosse, la décence lui impose
de rester à la maison.

– Mince comme vous l'êtes, je pense que cela se ve
seulement à la fin, prédit Mrs Knaggs.

Tasia espérait qu'elle avait raison. Après avoir pas
la majeure partie de sa vie dans une cage dorée, ell
entendait bien profiter de sa toute nouvelle liberté.

Elle continuait à se faire des amies parmi les jeunes
femmes de son entourage, à s'occuper d'œuvres de cha-
rité, à remplir son rôle de maîtresse de maison et
d'épouse de Luke. Elle s'efforçait aussi de pousser Emma
à rencontrer des adolescents de son âge. La jeune fille
paraissait enfin sortir de son cocon de timidité, et même
prendre plaisir à quelques goûters d'anniversaire.

Lorsque le jour redouté de ses premières règles arriva,
elle en parla à Tasia avec un mélange de gêne et de
fierté.

– Cela veut-il dire que je n'ai plus le droit de jouer à
la poupée ? demanda-t-elle.

Tasia la rassura chaudement.

L'automne colorait l'Angleterre de roux et de bruns
lorsque arrivèrent des caisses et des malles en provenance de Russie. Alicia Ashbourne vint aider Tasia à les
ouvrir.

– Encore des cadeaux de maman, dit la jeune femme
en lisant une lettre que sa mère avait jointe à l'envoi,
tandis qu'Emma et Alicia plongeaient dans les paquets
regorgeant d'objets inestimables.

Tasia était heureuse de recevoir de bonnes nouvelles
de sa mère. Il n'y avait eu aucune représaille après sa
disparition. Grâce à Nicolas, on avait superficiellement
interrogé Maria avant de la relâcher. Depuis lors, elle
avait déjà envoyé à sa fille des courriers et des souvenirs
de famille. De la porcelaine, du cristal, des icônes, une
somptueuse robe de baptême en dentelle, des porte-ver-
res en argent incrustés de pierreries...

Il y eut un cri d'enthousiasme quand Alicia et Emma
déballèrent un gros samovar d'argent.

Tula, je crois, dit Alicia en observant la
e sont les plus beaux.
nent nous avions le thé approprié... se plai-

va les yeux, surprise.
illeur thé n'est-il pas anglais, belle-maman ?
s non. Les Russes ont le plus précieux thé de
upira Tasia, rêveuse. Plus odorant et savoureux
autre. Certaines personnes le boivent à travers
rceau de sucre qu'elles tiennent entre leurs dents.
Comme c'est curieux ! s'exclama l'adolescente, tan-
qu'Alicia sortait d'une malle un métrage de dentelle
ée qu'elle tint à la lumière.

– Que dit encore la lettre de Maria, Tasia ? demanda-
elle.

Tasia continua sa lecture.

– Oh, souffla-t-elle soudain, les doigts tremblants.

Les deux femmes, alertées, la regardèrent.

– Qu'y a-t-il ?

Tasia répondit lentement, sans lever les yeux.

– On a récemment trouvé le gouverneur Shurikovsky
mort dans son palais. Du poison. Maman écrit : « On
pense généralement qu'il s'est suicidé. »

Tasia échangea une petite grimace avec Alicia. Malgré
les apparences, il ne faisait pas de doute que Nicolas
s'était enfin vengé. Tasia revint à la lettre.

– Le tsar est angoissé, continua-t-elle. Sa santé, physique et mentale, est gravement éprouvée par la perte
de son conseiller favori. Il s'est tellement mis en retrait
de la scène politique que ses ministres et les officiels du
gouvernement se battent pour le pouvoir.

– Parle-t-elle du prince Angelovsky ? voulut savoir Alicia.

Tasia hocha la tête, les sourcils froncés.

– Nicolas est soupçonné d'activités subversives, et il
est interrogé depuis plusieurs semaines. On raconte qu'il
pourrait être exilé bientôt... S'il est encore en vie.

Un lourd silence s'abattit sur la pièce.

– Ils ont fait plus que le questionner, dit doucement

Alicia. Pauvre Nicolas ! C'est un sort que je ne souhaiterais pas à mon pire ennemi !

– Pourquoi ? Que lui a-t-on fait ? demanda Emma, toujours curieuse.

En silence, Tasia se rappelait les odieuses tortures dont elle avait entendu parler à Saint-Pétersbourg, la façon dont on punissait les ennemis présumés du gouvernement impérial. Les bourreaux se servaient généralement du knout, un fouet qui déchirait la chair jusqu'à l'os, ainsi que de tisonniers chauffés à blanc et autres méthodes destinées à rendre un homme fou de douleur. Qu'avait-on fait à Nicolas ?

Soudain, le plaisir dû aux cadeaux reçus disparut, et elle ne fut plus que pitié.

– Je me demande comment nous pourrions l'aider...

– Pourquoi le voudriez-vous ? s'indigna Emma. Il est mauvais, il a ce qu'il mérite.

– « Ne condamne pas, et tu ne seras pas condamné », cita Tasia. « Pardonne, et on te pardonnera... »

En maugréant, Emma revint à la malle pleine de trésors.

– C'est quand même un mauvais homme, s'entêta-t-elle.

Tasia fut désolée de constater que Luke réagissait de la même façon que sa fille. Lorsqu'elle lui fit part de la lettre de Marie, le soir, il se montra désespérément indifférent.

Angelovsky savait qu'il serait en danger, dit-il. Il a décidé de tuer Shurikovsky, au péril de sa propre vie. Il aime les jeux dangereux, Tasia. Si ses ennemis politiques ont trouvé un moyen de le détruire, il devait bien s'y attendre. Nicolas a toujours été lucide.

– Je ne peux néanmoins m'empêcher d'être navrée pour lui. Je suis sûre qu'ils l'ont fait horriblement souffrir.

Luke haussa les épaules.

– Cela ne nous regarde pas.

– Ne pourrions-nous au moins obtenir des renseignements, par l'intermédiaire de tes relations au ministère des Affaires étrangères ?

Luke lui lança un regard acéré.

– Pourquoi te préoccupes-tu ainsi du sort d'Ange-lovsky ? Dieu sait qu'il ne s'est guère soucié du tien, ni de celui de personne d'autre !

– D'abord parce que c'est un membre de la famille.

– Eloigné...

– Et aussi parce qu'il est la victime des dignitaires corrompus du gouvernement, comme je l'ai été.

– Dans son cas, il y a une bonne raison, dit Luke, cynique. Sauf si tu crois que la mort de Shurikovsky était vraiment un suicide.

Elle fut piquée par son attitude condescendante.

– En t'érigeant juge et juré dans le cas de Nicolas, tu ne vaux guère mieux que le tsar et ses ministres !

Ils s'affrontèrent des yeux, et une bouffée de colère monta aux joues de Luke.

– Alors maintenant, tu le défends !

– J'en ai le droit. Je sais comment on se sent lorsque tout le monde est contre vous, lorsque l'on doit subir les accusations, le mépris, lorsqu'on ne sait plus vers qui se tourner...

– Bientôt, tu vas me demander de l'accueillir sous mon toit !

– *Ton* toit ? Je pensais que c'était le nôtre ! Et non, cela ne m'était pas venu à l'esprit ; mais serait-ce trop te demander, de toute façon, que d'abriter une personne de ma famille ?

– Oui, s'il s'agit de Nicolas Angelovsky. Bon sang, Tasia, tu sais comme moi de quoi il est capable ! Il ne vaut même pas la peine que nous ayons cette discussion, après ce qu'il nous a fait.

– Je lui ai pardonné, et si tu ne le peux pas, essaie au moins de comprendre...

– Il sera en enfer avant que je lui aie pardonné d'être ainsi intervenu dans nos vies...

– Parce que ton orgueil est blessé ! coupa Tasia. C'est pour cela que tu deviens fou de rage dès que tu entends son nom.

Le coup était rude, Tasia le sut aussitôt en voyant Luke froncer les sourcils, serrer les dents pour retenir une réplique cinglante. Il arriva à se dominer, mais sa voix était mal assurée quand il reprit :

– Tu crois que j'accorde plus d'importance à mon amour-propre qu'à ta sécurité ?

Tasia demeura silencieuse, déchirée entre la colère et la culpabilité.

– D'abord, continua Luke, le regard froid, de quoi parlons-nous ? Qu'attends-tu de moi ?

– Simplement que tu essaies de découvrir si Nicolas est vivant ou mort.

– Et ensuite ?

– Je...

Tasia se détourna, haussa les épaules.

– Je ne sais pas.

Luke eut un rictus.

– Tu es une piètre menteuse, Tasia.

Il quitta la pièce sans avoir répondu favorablement à sa demande, et Tasia savait qu'il serait stupide de sa part de la réitérer.

*
**

Les quelques jours suivants se déroulèrent normalement, mais leurs conversations étaient tendues, leurs silences lourds de questions sans réponses. Tasia aurait été incapable de dire pourquoi la triste situation de Nicolas la tracassait à ce point, mais elle était de plus en plus inquiète d'apprendre ce qui lui était arrivé.

Un soir, après le souper, alors qu'Emma était montée se coucher, Luke se servit un verre de cognac qu'il fit tourner dans sa main en observant pensivement sa femme. Elle s'agita, mal à l'aise, mais soutint son regard. Il avait quelque chose d'important à lui dire.

– Le prince Nicolas a été envoyé en exil, déclara-t-il sans préambule. D'après le ministre des Affaires étrangères, il habiterait Londres.

Tasia bondit sur son siège.

– Londres ? Pourquoi est-il venu en Angleterre ? Comment va-t-il ? Dans quelles conditions...

Luke mit sèchement fin à ce flot de questions :

– C'est tout ce que je sais. Et je t'interdis d'avoir le moindre rapport avec lui.

– Tu *m'interdis* ?

– Tu ne peux rien pour lui. Apparemment, on lui a permis d'emporter le dixième de sa fortune, ce qui est plus qu'il ne lui faut pour vivre correctement.

– Sans doute, dit Tasia en calculant rapidement que le dixième de la fortune des Angelovsky devait représenter au moins trente millions de livres sterling. Mais perdre sa maison, son héritage...

Il s'en passera.

Tasia fut une fois de plus surprise de son intransigeance.

– Sais-tu ce que font les inquisiteurs du gouvernement quand un homme est soupçonné de trahison ? Leur technique préférée consiste à le fouetter jusqu'à l'os avant de le faire rôtir comme un cochon de lait au-dessus d'un feu. Quoi qu'on ait fait à Nicolas, je suis persuadée qu'une somme d'argent ne peut suffire en compensation. Il n'a pas d'autre famille en Angleterre qu'Alicia Ashbourne et moi...

– Jamais Charles ne laissera sa femme rendre visite à Angelovsky.

– Ah... Ainsi, Charles et toi, vous régnez sur les faits et gestes de vos épouses !

Tasia, outrée, jaillit de son fauteuil, folle de rage.

– Quand je t'ai épousé, j'espérais avoir un mari à la mode britannique qui me respecterait, me permettrait de m'exprimer, et m'accorderait la liberté d'agir comme je l'entends. Si j'ai bien compris, c'est ce que tu as offert à ta première épouse. Tu ne vas pas prétendre que Nicolas me mettrait en danger, ni que je ferais du tort à quiconque en le rencontrant ! Tu n'as rien à m'interdire sans me donner d'explications.

Luke était pâle de colère.

– Sur ce sujet, tu m'obéiras, décréta-t-il, et que je sois maudit si je te fournis une explication ! Parfois, ma décision est irrévocable et indiscutable.

– Juste parce que tu es mon époux ?

– Oui. Mary se pliait à cette règle, et tu dois en faire autant.

– Pas question !

Tasia vibrait de tout son être, les poings serrés.

– Je ne suis pas une enfant à qui l'on donne des ordres ! Ni un objet, ou un animal à qui l'on met un licol et que l'on emmène où on veut, encore moins une esclave docile. Mon corps et mon esprit m'appartiennent – et si tu persistes dans ta décision de ne pas me laisser voir Nicolas, tu ne me toucheras plus !

Luke se déplaça si vite qu'elle n'eut pas le temps de réagir. D'un seul geste, il la plaqua contre lui, les mains enfouies dans ses cheveux, sa bouche sur la sienne. Il l'embrassa avec violence, et elle sentit le goût du sang dans la bouche. En gémissant, elle tenta de le repousser, et elle grondait de rage quand il la lâcha enfin. Tremblante, elle porta la main à ses lèvres meurtries.

– Je te toucherai quand j'en aurai envie, dit Luke. Ne me pousse pas à bout, Tasia... ou tu le regretteras.

Bien qu'Alicia Ashbourne n'eût aucune envie de voir Nicolas, elle mourait de curiosité et s'était renseignée sur sa situation.

– On raconte qu'il a fallu vingt charrettes pour apporter ses affaires depuis le quai jusqu'à la maison qu'il a louée, dit-elle un jour où elle prenait le thé avec Tasia. Des tas de gens ont déjà demandé à le voir, mais il refuse toute visite. On ne parle plus que de ça, en ville... Le mystérieux exilé, le prince Nicolas Angelovsky.

– Avez-vous l'intention de le rencontrer ? demanda calmement Tasia.

– Je n'ai pas vu Nicolas depuis que j'étais petite fille, ma chérie, et je ne me sens ni l'envie ni l'obligation de le voir maintenant. D'autre part, Charles serait fou furieux si je mettais les pieds chez Nicolas.

– Je n'imagine pas Charles en colère ! C'est l'homme le plus charmant que je connaisse.

– Cela arrive pourtant, assura Alicia. Environ une fois

305

tous les deux ans, mais je vous jure qu'alors, vous n'aimeriez pas vous trouver dans les parages !

Tasia sourit, puis elle eut un petit soupir.

– Luke est fâché après moi, avoua-t-elle. *Très* fâché. A juste titre, sans doute. Je ne saurais expliquer pourquoi il faut que je voie Nicolas... Je sais seulement qu'il est seul, qu'il souffre et qu'il doit bien y avoir un moyen de l'aider.

– Mais pourquoi le souhaiteriez-vous, alors qu'il vous a causé tant d'ennuis ?

– C'est aussi grâce à lui que j'ai pu m'échapper de Russie, rappela Tasia. Connaissez-vous son adresse ? Dites-moi, Alicia...

– Vous n'allez tout de même pas désobéir à votre mari ?

Tasia plissa le front. Elle avait changé, ces derniers mois. Naguère, une telle question aurait été inutile, elle avait été élevée dans l'idée de respecter la parole de son époux, d'accepter son autorité sans discuter. Elle se rappelait l'amère ironie de Karolina Pavlovna, un écrivain russe : « *Apprends, en tant qu'épouse, la souffrance d'une épouse... elle ne doit pas chercher le chemin de ses propres rêves, de ses propres désirs... toute son âme est sous la coupe de son mari... ses pensées mêmes sont enchaînées.* »

Mais ce n'était plus son destin. Elle était allée trop loin, elle avait trop changé pour laisser quiconque posséder son âme. Elle agirait selon sa conscience, et elle aimerait son époux comme un partenaire, plutôt que de le révérer comme un maître. Il était important qu'elle se le prouve, qu'elle le prouve à Luke.

– Dites-moi où il habite ! déclara-t-elle d'un ton sans réplique.

– 43 Upper Brook Street, murmura Alicia à contre-cœur. La grande maison de marbre blanc. Et ne vous risquez surtout pas à dire que c'est moi qui vous ai donné l'adresse... Je le nierais jusqu'à mon dernier souffle !

*
**

Le lendemain après-midi, Luke parti à ses affaires, Emma aux prises avec une dissertation de philosophie, Tasia fit atteler une voiture et sortit sous prétexte d'aller rendre visite aux Ashbourne.

Upper Brook Street n'était pas très loin de la résidence des Stokehurst. Elle se sentait horriblement nerveuse lorsque la voiture s'arrêta devant l'énorme manoir. Un valet de pied la précéda sur le perron pour frapper à la porte où ils furent accueillis par la gouvernante, une vieille Russe vêtue de noir, un fichu gris sur les cheveux. Apparemment, Nicolas n'avait pas jugé indispensables les services d'un majordome. La domestique marmonna quelques mots en mauvais anglais en faisant signe à Tasia de s'en aller.

– Je suis lady Anastasia Ivanovna Stokehurst, dit vivement Tasia. Je voudrais voir mon cousin.

La femme fut surprise par son russe parfait et elle répondit dans la même langue, visiblement heureuse de rencontrer une compatriote.

– Le prince est malade.

– Très malade ?

– Il est en train de mourir, madame. De mourir très lentement.

La gouvernante se signa.

– Un mauvais sort a dû être jeté sur la famille Angelovsky. Il est dans cet état depuis que le comité spécial l'a interrogé, à Saint-Pétersbourg.

– Le comité spécial... répéta Tasia.

L'expression était bien trop civilisée au regard de la sinistre réalité !

– A-t-il de la fièvre ? Ses blessures sont-elles infectées ?

– Non, madame. La plupart des plaies sont cicatrisées. C'est son esprit qui est malade. Le prince est trop faible pour se lever, et il a ordonné que sa chambre reste dans le noir. Il vomit tout ce qu'il avale, nourriture, boisson, sauf un verre de vodka de temps à autre. Il refuse qu'on le bouge, qu'on le lave. Dès qu'on le touche, il tremble ou il crie comme si on le brûlait avec des charbons ardents.

Tasia écoutait, imperturbable, alors que son cœur se serrait de compassion.

– A-t-il quelqu'un près de lui ?

– Il ne le permettrait pas, madame.

– Conduisez-moi à sa chambre.

Tandis qu'elles traversaient la maison soigneusement tenue dans la pénombre, Tasia remarqua que les pièces regorgeaient des inestimables trésors du palais Angelovsky de Saint-Pétersbourg. On avait même transporté et reconstitué à merveille une icône qui recouvrait tout un pan de mur. Comme elles approchaient de la chambre de Nicolas, l'odeur d'encens devint entêtante. C'était le parfum utilisé pour faciliter le passage des agonisants dans l'autre monde, et Tasia se rappela l'avoir sentie près du lit de mort de son père. Elle pénétra dans la pièce, priant la gouvernante de la laisser.

Il faisait sombre, et Tasia se dirigea vers la fenêtre pour tirer les lourds rideaux, laissant passer un peu de lumière, puis elle entrouvrit la croisée afin de dissiper les fumées d'encens. Enfin elle s'approcha du lit où dormait Nicolas Angelovsky.

Elle fut atrocement choquée par son apparence. Il était couvert jusqu'à la poitrine, mais un bras maigre était posé sur le drap, et ses doigts s'agitaient, sans doute au rythme de ses rêves. Des cicatrices récentes s'enroulaient comme des serpents autour de ses poignets, de son coude. Une nausée monta à la gorge de la jeune femme. Le visage du prince, naguère si beau, n'était plus que creux et ombres, son teint doré avait pris la couleur cireuse de la mort, sa chevelure striée de blond était terne, comme feutrée.

Un bol de bouillon de légumes intact refroidissait sur la table de nuit, à côté de figurines sculptées d'animaux destinés à chasser les mauvais esprits, et d'un pot où brûlait de l'encens. Tasia souffla la petite flamme et ferma le couvercle pour éliminer la fumée. Nicolas se réveilla dans un sursaut nerveux.

– Qu'y a-t-il ? marmonna-t-il. Fermez la fenêtre. Trop d'air... trop de lumière...

– On dirait que vous ne voulez pas vous remettre, dit Tasia calmement en s'approchant davantage.

Nicolas cligna des paupières, leva vers elle ses étranges yeux jaunes qui lui parurent encore plus vides qu'autrefois, si c'était possible. On aurait dit un animal apathique, souffrant, qui se moquait de vivre ou de mourir.

– Anastasia ! souffla-t-il.

– Oui, Nicolas.

Elle s'assit délicatement au bord du lit.

Bien qu'elle n'eût pas fait mine de le toucher, Nicolas recula instinctivement.

– Laissez-moi, dit-il d'une voix rauque. Je ne supporte pas votre vue... Ni celle d'aucun être humain.

– Pourquoi êtes-vous venu à Londres ? Vous avez de la famille en France, en Finlande, même en Chine... alors qu'il n'y a personne ici, hormis moi. Vous vouliez que je vienne, Nicolas...

– Quand ce sera le cas, je vous enverrai une invitation. Maintenant, allez-vous-en.

Tasia allait répliquer lorsqu'elle sentit une présence dans son dos, et jeta un coup d'œil par-dessus son épaule. Horrifiée, elle vit Emma sur le seuil, sa mince silhouette à demi noyée dans l'ombre, trahie par sa flamboyante chevelure.

Elle se précipita vers la jeune fille, l'air sévère.

– Que fais-tu là, Emma Stokehurst ? murmura-t-elle sèchement.

– Je vous ai suivie à cheval, répondit l'enfant. Je vous ai entendue parler avec papa du prince Angelovsky et j'étais sûre que vous iriez le voir.

– C'est une affaire qui ne te regarde pas, tu n'avais pas le droit d'intervenir ! Tu sais ce que je pense de ta manie d'écouter aux portes et de te mêler de ce qui ne te concerne pas !

Emma prit l'air contrit.

– Il fallait que je vienne pour m'assurer qu'il ne vous nuirait pas une fois de plus...

– La chambre d'un homme malade n'est pas un endroit convenable pour une jeune fille. Je veux que tu disparaisses immédiatement, Emma. Prends la voiture pour rentrer à la maison, et renvoie-la-moi ensuite.

– Non, intervint une voix basse.

Les deux jeunes femmes se tournèrent vers le lit, et les yeux d'Emma s'écarquillèrent.

– Est-ce l'homme que j'ai vu devant chez Harrods ? demanda-t-elle dans un murmure. Je ne le reconnais pas.

– Approchez, ordonna Nicolas en agitant une main impérieuse.

L'effort était trop grand pour lui, et son bras retomba lourdement sur le drap. Il fixait le petit visage piqueté de taches de rousseur encadré par la chevelure de feu.

– Ainsi, nous nous rencontrons de nouveau, dit-il en l'observant sans ciller.

– Ça sent mauvais, ici ! décréta Emma en croisant les bras sur sa poitrine naissante.

Ignorant les protestations de Tasia, elle se dirigea vers le lit et secoua la tête, méprisante.

Regardez toutes ces bouteilles ! Vous devez être complètement ratatiné !

L'ombre d'un sourire effleura les lèvres de Nicolas.

– Que veut dire « ratatiné » ?

– Ivre mort ! expliqua effrontément Emma.

Avec un geste d'une vivacité étonnante, Nicolas attrapa une boucle de cheveux brillants.

– Ecoutez, dit-il doucement. Une histoire du folklore russe parle d'une jeune fille qui sauve un prince de la mort... en lui apportant une plume magique... arrachée à la queue d'un oiseau de feu. Les plumes de cet oiseau ont une couleur qui oscille entre le rouge et l'or... comme vos cheveux. Un bouquet de flammes.

Emma se dégagea d'un bond et répondit, avec une grimace :

– Plutôt une botte de carottes !

Elle se tourna vers Tasia.

– Je vais rentrer à la maison, belle-maman, puisque j'ai vu que vous ne craignez rien de la part de *cet individu*...

Elle avait mis tout le dédain dont elle était capable dans ces derniers mots, et elle quitta la pièce.

Nicolas s'efforça de tourner la tête pour la suivre des yeux.

Tasia était stupéfaite de la transformation qui s'était opérée en lui. Toute apathie avait disparu, il avait même repris quelques couleurs.

– Petite diablesse ! dit-il. Comment s'appelle-t-elle ?

Ignorant la question, Tasia remonta ses manches.

– Je vais demander aux domestiques de faire réchauffer de la soupe. Et vous la mangerez.

– Ensuite, vous promettez de partir ?

– Certainement pas. Je vais vous laver et soigner vos escarres. Je suis certaine que vous en avez.

– Je vous ferai jeter dehors !

– Attendez d'être assez robuste pour vous en charger vous-même, suggéra Tasia.

Les paupières gonflées se fermèrent à demi. La conversation épuisait Nicolas.

– Je ne sais si cela arrivera un jour. Je n'ai pas encore décidé si j'avais envie de vivre ou non.

– Les gens comme vous et moi survivent toujours, dit-elle, parodiant la phrase qu'il avait prononcée avant son départ de Russie. Je crains que vous n'ayez pas le choix, Kolia.

– Vous êtes ici contre la volonté de votre mari.

C'était une affirmation, pas une question.

– Jamais il n'aurait accepté que vous me rendiez visite.

– Vous ne le connaissez pas, répondit calmement Tasia.

– Il va vous battre, poursuivit Nicolas avec une sorte de satisfaction perverse. Même un Anglais ne pourrait supporter cette situation.

– Il ne me battra pas ! protesta Tasia qui, intérieurement, n'en était pas si sûre.

– Vous êtes venue pour moi, ou seulement pour le braver ?

Tasia demeura silencieuse un moment, avant de répondre en toute franchise :

– Les deux.

Elle voulait l'entière confiance de Luke. Elle voulait

la liberté d'agir comme bon lui semblait. En Russie, une femme noble était dirigée par son mari, ici, elle avait la chance d'exister par elle-même, et elle saurait bien faire comprendre à Luke quel rôle elle préférait... Quelles qu'en soient les conséquences.

Il était tard quand elle regagna la villa Stokehurst. Nicolas s'était montré un patient difficile, c'était le moins qu'on pût dire ! Tandis que Tasia, avec l'aide de la gouvernante, faisait sa toilette, il passait des insultes à l'immobilité la plus totale, comme s'il était de nouveau torturé. Le nourrir fut une nouvelle épreuve, mais elles arrivèrent à lui faire ingurgiter quelques cuillerées de soupe et deux ou trois bouchées de pain. Finalement, Tasia le laissa dans un bien meilleur état que celui où elle l'avait trouvé, même s'il était furieux de se voir privé de sa vodka.

Tasia avait l'intention de revenir le lendemain, et ainsi jour après jour, jusqu'à ce que son cousin fût définitivement tiré d'affaire. La vue du corps mutilé de Nicolas lui avait brisé le cœur. Comme les humains pouvaient se montrer cruels entre eux ! Elle n'avait qu'une envie : se glisser entre les bras de Luke pour qu'il la réconforte. Au lieu de cela, elle allait trouver la guerre.

Luke savait ce qu'elle avait fait et pourquoi elle rentrait si tard. Il verrait son attitude comme une insulte à son autorité de mâle. Peut-être avait-il même déjà choisi une punition... A moins qu'il ne lui témoignât un froid mépris, ce qui serait bien pire...

La maison était plongée dans une semi-pénombre. C'était le jour de congé des domestiques, et la demeure semblait déserte. Lasse, Tasia monta à la chambre qu'elle partageait avec Luke, l'appela. Pas de réponse. Elle alluma la lampe de chevet, se déshabilla puis, en chemise, s'assit à sa coiffeuse pour se brosser les cheveux.

Elle entendit enfin la porte s'ouvrir, et elle se pétrifia, les doigts crispés sur le manche d'ivoire.

– Luke ? risqua-t-elle, en jetant un coup d'œil dans le miroir.

Il se dressait, vêtu d'une robe de chambre sombre, et

l'expression qu'elle lut dans ses yeux la fit bondir sur ses pieds. Elle voulut fuir, le fuir, mais elle parvint tout juste à faire quelques pas chancelants de côté.

Il la saisit, la poussa contre le mur et prit son menton dans une main. On n'entendait que le bruit de leurs respirations, celle de Luke plus forte, celle de Tasia rapide, effrayée. Il aurait pu lui briser les os comme une coquille d'œuf.

– Tu vas me punir ? demanda-t-elle d'une petite voix.

Il glissa un genou entre ses jambes, le regard brûlant.

– Je devrais ?

Tasia frémit.

– Il fallait que j'y aille, souffla-t-elle. Luke... je... je ne voulais pas te désobéir. Je suis désolée...

– Tu n'es pas désolée ! contra-t-il.

Elle ne savait que répondre. Jamais elle ne l'avait vu dans cet état.

– Luke, murmura-t-elle. Non...

Il étouffa ses paroles par un baiser d'une violence passionnée, glissa sa main sous une bretelle sur laquelle il tira jusqu'à ce qu'elle casse. Sa main caressa le sein de Tasia qui se gonfla instinctivement. Au début, Tasia était trop nerveuse pour répondre en toute conscience, mais les mains de Luke l'y obligèrent, et soudain elle fut éperdue de désir. Le sang battait à ses oreilles et elle s'entendit vaguement balbutier des mots d'amour... mais Luke n'écoutait pas, tout à sa passion sauvage, débridée.

Il glissa la main entre les jambes de la jeune femme, et elle s'arqua contre lui, tandis qu'il prenait de nouveau ses lèvres. Quand elle fut trop enivrée pour tenir debout, il la porta sur le lit.

Elle demeura allongée sur le côté, passive, incapable de parler ou même de penser, les yeux clos. Elle n'était plus qu'attente... Il vint se coucher derrière elle et la pénétra.

Elle se cambrait contre lui, oubliant tout sauf cette délicieuse torture.

– Je t'en prie... gémit-elle.

Pas encore, souffla-t-il dans sa nuque.

Elle sentit les premières vagues du plaisir monter en elle.

– Attends...

Il ralentit le rythme, la faisant crier de frustration, et la garda au bord du précipice durant de longues minutes, contrôlant les sensations de la femme qu'il connaissait si bien jusqu'à ce qu'il fût sûr de la posséder corps et âme... alors seulement il lui permit d'atteindre l'extase où il la rejoignit aussitôt.

Un peu plus tard, elle se tourna vers lui, enfouit le visage contre son torse. Jamais elle ne s'était sentie aussi proche de lui. Pendant quelques instants éblouissants, ils avaient trouvé une place hors du temps, un état d'entente parfaite et bénie. Il en restait comme un nuage autour d'eux, et elle sut ce qu'allait dire Luke avant même qu'il parle.

– Tu es volontaire, Tasia... et j'ai compris aujourd'hui que c'est ainsi que je t'aime. Je suis heureux que tu n'aies pas peur de moi. Tu es décidée à rester sur tes positions, et je ne désire pas que cela change. Je n'avais aucune bonne raison de t'empêcher de voir Angelovsky. A la vérité, j'étais simplement jaloux.

Il lui caressait les cheveux.

– Parfois, j'ai envie de te garder rien que pour moi, de te cacher aux yeux du monde. Je veux toute ton attention, tout ton temps, tout ton amour...

– Mais tu as tout de moi, répliqua-t-elle doucement. Pas parce que je t'appartiens, mais parce que je l'ai choisi.

– Je sais. Je me suis montré désagréable, égoïste... et je n'en suis pas fier, soupira-t-il.

– Mais tu essaieras de t'améliorer, suggéra Tasia, taquine.

– Si je peux, répondit-il avec une petite grimace.

En riant, elle noua les bras autour de son cou.

– Notre vie ne sera pas dépourvue d'embûches, n'est-ce pas ?

– Sans doute ! Mais j'en aimerai chaque minute.

– Moi aussi. Jamais je n'aurais imaginé pouvoir être aussi heureuse.

– Et ce n'est pas fini, murmura-t-il contre ses lèvres. Attends, et tu verras...

ÉPILOGUE

Le vent coupant de novembre glaça Luke jusqu'aux os durant le court trajet entre les bureaux de la compagnie ferroviaire et sa villa sur la Tamise. Il regrettait de ne pas avoir pris une voiture, mais il ne s'attendait pas que la journée fût si froide. Il mit pied à terre, tendit les rênes de son cheval à un valet de pied et grimpa quatre à quatre les marches du perron. Le majordome lui ouvrit la porte, le débarrassa de son manteau et de son chapeau.

Luke s'ébroua dans l'agréable chaleur de sa demeure.

– Savez-vous où se trouve lady Stokehurst ?

– Lady Stokehurst et miss Emma sont au petit salon avec le prince Nicolas, monsieur.

Luke ouvrit de grands yeux. Jamais auparavant Nicolas ne leur avait rendu visite. Laisser Tasia soigner son cousin en exil était une chose, le recevoir dans leur maison était une tout autre affaire ! Les dents serrées, Luke se dirigea vers le salon.

Emma dut entendre le bruit de ses pas, car elle apparut sur le seuil, toute rose d'excitation.

– Papa ! Il vient de se passer un événement *extraordinaire* ! Nicolas est venu nous voir, et il m'a apporté un cadeau !

– Quel genre de cadeau ? demanda Luke, sombre, en suivant sa fille à l'intérieur.

– Un chaton malade. Ses pauvres petites pattes sont infectées. L'homme qui l'avait avant lui a fait arracher les griffes, et maintenant la pauvre bête a tant de fièvre qu'on n'est pas sûr qu'elle survive. Nous avons essayé de lui faire boire un peu de lait... S'il s'en sort, papa, je pourrai le garder ? S'il vous plaît...

– Je ne vois pas en quoi un petit chat nous dérange-rait...

Luke s'interrompit net devant la scène qui s'offrait à lui.

Tasia était accroupie près d'une boule de poils rayée d'orange, de noir et de blanc qui avait la taille d'un chien. Sous le regard incrédule de Luke, le « chaton » clopina sur ses pattes bandées vers une soucoupe de lait qu'il commença à laper timidement.

Quelques soubrettes, massées de l'autre côté de la pièce, considéraient l'animal avec une nette appréhen-sion.

– Ils mangent les hommes, n'est-ce pas ? demanda l'une d'elles, angoissée.

Luke se rendit compte qu'il s'agissait d'un bébé tigre. Il regarda le petit visage plein d'espoir de sa fille, puis celui, un peu contrit, de Tasia... Enfin, ses yeux se posè-rent sur Nicolas Angelovsky, qui était installé sur un sofa.

C'était la première fois que Luke voyait Nicolas depuis son séjour en Russie. Le prince était fort amaigri et les angles de son visage étaient encore plus vifs, il avait le teint d'une pâleur maladive, mais ses yeux jaunes n'avaient rien perdu de leur acuité, et son sourire était toujours teinté d'ironie.

– *Zobrasvouïty*, dit-il.

Luke ne put chasser de ses traits un air de contrariété.

– J'apprécierais, Angelovsky, marmonna-t-il, que vous vous absteniez à l'avenir de faire des « cadeaux » à ma famille. Vous êtes suffisamment intervenu dans la vie des Stokehurst.

Nicolas ne se départit pas de son sourire.

– Je n'avais pas le choix, il fallait que j'amène ce cha-ton à ma cousine Emma, la sainte patronne des animaux blessés.

La jeune fille était penchée sur le pauvre petit animal avec toute l'inquiétude d'une mère. Angelovsky n'aurait pu mieux choisir son présent, dut reconnaître Luke.

– Regardez-le, papa, dit Emma, attendrie, tandis que le bébé tigre émettait de petits bruits de contentement entre chaque lapée de lait. Il est si minuscule ! Il ne tiendra pas de place...

– Il grandira, répliqua Luke, sinistre. Il finira par peser deux cents kilos, voire plus.

– Vraiment ? lança Emma, sceptique. Tant que ça ?

– Comment diable veux-tu que nous gardions un tigre ?

Luke regardait alternativement sa femme et Nicolas d'un air mauvais.

– Il faut que quelqu'un trouve un moyen de nous en débarrasser, ou c'est moi qui m'en chargerai.

Tasia se précipita vers lui dans un froufroutement de soie et posa doucement la main sur son bras.

– J'aimerais avoir un entretien privé avec toi, Luke, dit-elle à voix basse avant d'ajouter à l'intention de son cousin : Vous avez besoin de vous reposer, Nicolas. Il ne faut pas gâcher votre convalescence en vous fatiguant trop.

– Peut-être devrais-je prendre congé, acquiesça Nicolas en se levant.

– Je vous raccompagne, proposa Emma en prenant sur son épaule le petit tigre qui s'y vautra, ravi.

Quand ils eurent quitté la pièce, Tasia se haussa sur la pointe des pieds pour chuchoter à l'oreille de son mari :

– Je t'en prie... Elle serait si heureuse de le garder.

– Pour l'amour du Ciel, c'est un *tigre* !

Luke se recula légèrement pour mieux voir sa femme, les sourcils froncés.

– Je n'aime guère rentrer chez moi et trouver des gens comme Angelovsky dans mon salon...

– Il est passé à l'improviste, s'excusa Tasia, un peu gênée. Je ne pouvais tout de même pas lui claquer la porte au nez...

– Je ne permettrai pas qu'il vienne s'immiscer dans notre vie.

– Bien sûr que non ! s'écria Tasia en le suivant dans le hall. C'était juste une façon pour Nicolas de faire la paix, je ne crois pas qu'il nous veuille le moindre mal.

– Je n'ai pas ton indulgence, marmonna Luke. En ce

qui me concerne, il n'est pas le bienvenu dans cette demeure.

Tasia allait argumenter lorsqu'elle aperçut Emma, dans l'entrée, qui regardait Nicolas, le petit animal toujours entre ses bras. Nicolas tendit la main pour caresser le tigre, et ses doigts effleurèrent une mèche de cheveux brillants. Le geste fut bref, presque imperceptible, mais un frisson parcourut le dos de Tasia. Elle eut une soudaine prémonition. Nicolas regardait une Emma plus âgée avec son sourire de séducteur, la conduisait pas à pas vers une zone d'ombre insondable... dans laquelle ils disparurent tous les deux.

Cela voulait-il dire qu'un jour Emma serait en danger à cause de Nicolas ? Tasia, perturbée, se demanda si elle devait parler de cette vision à Luke. Non, inutile de l'inquiéter pour rien. A eux deux, ils sauraient s'occuper d'Emma, la protéger. Rien ne pouvait les menacer, maintenant qu'ils formaient une vraie famille.

– Tu as peut-être raison, dit-elle en serrant le bras de son mari. Je vais m'arranger pour lui faire comprendre qu'il ne doit pas venir trop souvent.

– Bon ! Maintenant, à propos de cet animal...

– Viens avec moi, pria-t-elle en l'entraînant vers un coin secret sous le grand escalier.

– Au sujet du tigre... commença Luke.

– Plus près.

Elle posa la main de Luke sur la courbe de son sein, et eut un petit soupir de bien-être avant de se serrer davantage contre son mari.

– Je dormais encore quand tu es parti, ce matin, murmura-t-elle. Tu m'as manqué.

– Tasia...

Elle attira sa tête à elle et lui mordilla le cou. Comme il l'embrassait, toute la chaleur du corps épanoui de Tasia se communiqua au sien. Il fut aussitôt envahi d'une bouffée de désir, grisé par sa présence si proche. Tasia lui prit la main et la glissa sous le velours de son corsage, directement sur le bourgeon de son sein. Il l'embrassa de nouveau, et elle lui répondit avec plus d'ardeur encore.

– Tu sens l'hiver, souffla-t-elle.

Luke frémit.

– Il fait froid, dehors.

– Emmène-moi dans notre chambre, je te réchaufferai.

– Mais le tigre...

– Plus tard, dit-elle en dénouant sa cravate. Pour l'instant, conduis-moi au lit...

Luke lui lança un coup d'œil sarcastique.

– Je sais reconnaître quand je suis manipulé, dit-il.

– Tu n'es pas manipulé, assura-t-elle.

Elle laissa tomber la cravate par terre.

– Tu es séduit, reprit-elle. Cesse de résister...

La perspective de se trouver au lit avec Tasia, de la tenir contre lui, effaça tout le reste aux yeux de Luke. Aussi longtemps qu'il vivrait, il n'y aurait pas de tentation, pas de plaisir, pas de passion plus intenses que ce qu'il ressentait avec elle. Il la souleva dans ses bras.

– Qui parle de résister ? marmonna-t-il en l'emportant dans le grand escalier.

4062

Composition PCA
Achevé d'imprimer en France (Manchecourt)
par Maury-Eurolivres
le 19 décembre 2005.
Dépôt légal décembre 2004. ISBN 2-290-35067-2

Editions J'ai lu
87, quai Panhard-et-Levassor, 75013 Paris
Diffusion France et étranger : Flammarion